D0228759

I bassotti

Mystery Collector's Edition

Questa piccola biblioteca del giallo da salvare si propone di presentare al pubblico della libreria una produzione letteraria pressoché irreperibile, rivalutando un genere che resiste con successo da oltre 150 anni e in cui si sono cimentati, tra gli altri, poeti, economisti, storici, scienziati, filosofi. Costruita con la passione del collezionista, attingendo soprattutto alla grande tradizione angloamericana, la collana riserva molte sorprese: a romanzi fondamentali, ma spesso misconosciuti, dell'età d'oro del mystery – tra il 1920 e il 1940 – e ad alcuni inediti in Italia, si affiancano singolari riscoperte, libri di autori poco noti, talvolta con al loro attivo una sola grande storia poliziesca, geniali divertissement *intellettuali e opere che hanno aperto la strada al thriller moderno.*

HELEN McCLOY

PANICO

Titolo originale dell'opera:
"Panic"

Traduzione di Bruno Amato

www.polillo.it

Progetto grafico di Davide Dondena

ISBN 978-88-8154-350-2

Prima edizione **I bassotti**: febbraio 2010

PANICO

1

PRELUDIO DI OMBRE – I

Lo squillo del telefono la svegliò. Mani a tentoni nel buio in cerca dell'interruttore della lampada sul comodino. Occhi strizzati per l'improvvisa luce abbagliante. L'orologio si era fermato all'una e cinque. Poteva essere qualsiasi ora tra le due e le sei. Prima delle due, New York non sarebbe stata ammantata da quell'immobile silenzio di morte, non adesso, con la guerra che procedeva a pieno ritmo. Dopo le sei, l'oscurità avrebbe cominciato a disperdersi.

Il telefono trillò di nuovo. Era uno di quei momenti in cui il futuro sembrava qualcosa di già creato, acquattato in attesa. In teoria lei poteva creare il suo futuro decidendo di non rispondere. Ma in pratica questo era impossibile. Allarme, curiosità, senso di responsabilità: tre cose che la spingevano a rispondere a una chiamata che giungeva nel cuore della notte.

«Pronto?». La voce le tremava.

«Alison?». Era Ronnie dal telefono di casa. «È meglio se vieni subito. Credo che sia... che se ne sia andato».

«Se n'è...?». Fu interrotta da un colpo di tosse che arrivò dal fondo del petto, scuotendole tutto il corpo.

«Zio Felix».

«Ma il suo lavoro non è finito». Scostò i capelli scompigliati che il sudore le aveva appiccicato alla fronte. «Sei sicuro?».

«Meglio se vieni qui a vedere cosa fare».

«Dove sei?».

«In camera sua».

Dalla notte afosa di là dalle finestre aperte non veniva un alito di vento. Persino le finiture di pelle delle pantofole sui piedi nudi erano calde, e la seta sottile della vestaglia pareva rovente e pesante sulle spalle.

Un'unica lampada notturna era accesa in alto nel corridoio, proiettando ombre sul soffitto chiaro e lasciando al buio le pareti smorte. Qualcosa si mosse nell'oscurità. Si fermò con un sussulto. Due occhi scuri spaventati la fissavano da un volto bianco e sottile sotto un groviglio di capelli biondi. Passò qualche secondo prima che riconoscesse il proprio volto riflesso nello specchio appeso alla parete e seminascosto nell'ombra. Si voltò. Un altro specchio raccoglieva il riflesso del primo e lo moltiplicava. Una schiera di decine di ragazze vestite di verde mela parvero fermarsi una dietro l'altra in cima alla scalinata buia. Nel salone di sotto non c'era luce. Per raggiungere la stanza di Felix Mulholland doveva scendere quella rampa e risalire quella di fronte. Dal pianerottolo comune vedeva una chiazza grigio chiaro nell'oscurità sottostante: il pannello di vetro della porta d'ingresso. Già l'alba?

Salì la rampa dirimpetto e svoltò nel ballatoio che correva su entrambi i lati della casa sovrastando le scale. Un filo sottile di luce tagliava il buio lungo il battente di una porta socchiusa. La spinse per aprirla.

Ronnie era in mezzo alla stanza. Vestito di tutto punto, cappello, guanti e cartella sul tavolo accanto a lui. Il suo viso giovane e liscio ricordava le fattezze vagamente aquiline di una statua della Grecia arcaica. Zio Felix, capace di trovare ovunque un riferimento alla Grecia, aveva detto che Ronnie non era un Apollo ateniese bensì un Dioniso miceneo, accennando agli occhi a mandorla segno dell'origine siriana del dio. Ora quegli occhi erano spalancati per lo choc, ma vividi e senza lacrime sotto due fini sopracciglia nere, inclinate verso l'alto come ali in volo. Erano quelle opposte diagonali a conferire al volto il suo aspetto irruente, fugace ed elusivo, perché in tutte le arti statiche la diagonale è la linea di fuga.

Ronnie fece un passo verso di lei. L'illusione di impetuosa fluidità andò distrutta. Il dio aveva un piede d'argilla. Ronnie era zoppo dalla nascita. La sua infanzia era stata un faticoso vagare da uno specialista all'altro a Londra, Parigi e Vienna. Ma ancora adesso, a ventotto anni, non poteva fare un passo senza ondeggiare come un vecchio. Nel suo caso neppure la chirurgia aveva avuto successo.

Stava ripetendo quello che aveva detto al telefono. «Penso che sia... andato». Con quella voce spezzata, Ronnie sembrava più giovane di quanto non fosse.

Alison si era sempre sentita più matura del cugino, pur avendo cinque anni meno di lui. «Può darsi che ti sia sbagliato». La sua voce era carezzevole, materna. Si fece forza e gli passò oltre.

Zio Felix era seduto immobile nel grande letto in noce, lo stesso dove era venuto alla luce settantatré anni prima. La schiena era appoggiata a una pila di cuscini. Drappeggiata intorno alle spalle stava una vestaglia di cammello, sopra un pigiama di lino bianco. Sulle ginocchia flesse giaceva un libro aperto, il Plutarco che leggeva abitualmente prima di addormentarsi. I capelli bianchi sopra l'alta e nobile fronte apparivano radi e impalpabili come la soffice lanugine del cardo. Gli occhi erano chiusi, le labbra semiaperte. Sembrava dormisse.

«Zio Felix». Alison toccò l'esile mano immobile chiusa ad artiglio sul copriletto. Appena avvertì quel gelo inumano capì che quello non era sonno.

Perché non sento niente? Choc, dolore, o quantomeno ansia? Dov'è andato? Dov'è andato lo zio Felix che conoscevamo e amavamo? Quella cosa nel letto non è zio Felix più di quanto un guanto sfilato sia la mano che gli ha dato forma.

Si voltò.

Ronnie vide i suoi occhi. «Se n'è andato». Non era più una domanda.

«Hai chiamato il suo medico?».

«No. Immagino che dovrei farlo». Ronnie andò verso il telefono.

La giacca del pigiama sbottonata mostrava il torace pallido e glabro di un vecchio. Offesa dall'indecenza della morte, Alison ne accostò i lembi. Fu un errore. Il suo tocco turbò il fortuito equilibrio del corpo, che barcollò orribilmente e sarebbe crollato se lei non l'avesse trattenuto e respinto nuovamente contro i cuscini. Le pagine aperte del libro si mossero. Un foglio piegato ne uscì scivolando sul pavimento. Senza guardarlo, lei lo raccolse e se l'infilò nella tasca della vestaglia.

«Dottor Denby?», stava dicendo Ronnie. «S-sono Ronnie Mulholland. Mi spiace disturbarla a quest'ora, ma zio Felix... Sì, pensiamo di sì... Grazie. Arrivederci». Il clic del ricevitore. «Sarà qui tra un minuto».

Improvvisamente Alison si sentì addosso una grande stanchezza, come se avesse passato un'intera giornata a battere a macchina. Si sedette sulla poltrona più lontana dal letto. Qualcosa di freddo le toccò le dita. Lei fece un salto ma era solo Argo che spingeva il naso umido contro la sua mano: Argo, il grasso, vecchio spaniel nero che dormiva abitualmente ai piedi del letto di zio Felix. «Povero Argo!», sussurrò lei. «Tu e io siamo sopravvissuti al nostro Ulisse. E ora che ne sarà di noi?».

Il vecchio cane sollevò gli occhi velati dalla cataratta e mandò un mugolio che terminava su una nota acuta, eco di un interrogativo umano mai sentita in un cane che sia vissuto per tutta la vita in un canile in compagnia di suoi simili. Per un momento ebbe la sensazione irreale che Argo le stesse realmente facendo una domanda. Poi il cane si trascinò pesantemente sul tappeto davanti al camino, investì alla cieca il tavolino della macchina per scrivere, sbandò, si riprese, e si accucciò in una posizione che era, questa sì, tutta canina. Gli occhi vividi di Ronnie lo seguirono con una certa sorpresa. «Fiuta la morte».

Alison rabbrividì. «Com'è successo?».

«Non lo so». Ronnie si muoveva in giro per la stanza, veloce e irrequieto, nonostante il piede difettoso che spezzava il ritmo del suo passo. «Il mio treno era in ritardo. Sono entrato aprendo con la chiave e sono venuto di sopra in punta di piedi per non svegliare zio Felix. La porta era socchiusa, la luce filtrava nel corridoio. Ho pensato che si fosse svegliato presto e sono entrato a salutarlo e... l'ho trovato così. Allora ti ho chiamata. Chissà se ha cercato di chiamare Hannah quando ha sentito che la fine si avvicinava».

«Forse non se n'è accorto», disse Alison. «Forse ha abbassato il libro e si è appoggiato ai cuscini e... semplicemente ha smesso di respirare prima di capire che cosa gli stava capitando. Forse era in questo stato già dalle nove o le dieci di ieri sera».

«Non dovrebbe esserci il *rigor mortis*, cose di quel genere?».

Alison alzò le spalle. Stavano davvero tenendo quella conversazione surreale sullo zio Felix che solo la sera prima a cena era stato così spiritoso e cortese?

«Qual era il suo lavoro?».

«Lavoro?».

«Il lavoro di zio Felix», spiegò Ronnie impaziente. «Quando ti ho chiamata al telefono tu hai detto: "Il suo lavoro non è finito"».

Alison esitò. Dal passato giunse il fantasma della voce di zio Felix: *Se qualcuno ti domanda di questo, Alison, tu non ne sai niente. Chiaro?*

Chinò il capo, gli occhi sul tappeto. «Oh, non lo so. Qualcosa di riservato. Non ne parlava mai».

«Ma non puoi non saperlo!», esclamò Ronnie. «Tu eri la sua segretaria. Lavoravi con lui tutto il tempo. Stava facendo qualcosa per il Ministero della Guerra?».

Alison fu contenta del ciuffo di capelli spettinati che era sceso a nasconderle il viso. «Cosa poteva mai fare un professore di letteratura greca per il Ministero della Guerra? Non credo che l'esercito sia alla ricerca di un frammento smarrito e del numero esatto di componenti del coro nella tragedia».

Udirono il campanello. «Denby», disse Ronnie. «Vado io».

Il suono del suo passo irregolare sfumò in lontananza. Alison ebbe un istante di indegna, primitiva paura trovandosi sola con il morto. Sentì la porta d'ingresso aprirsi e chiudersi e i passi sulle scale.

«Lei era a Washington?». La nuova voce doveva essere quella del dottor Denby.

«Sì, lavoro all'UES». Il tono di voce di Ronnie era un filo troppo acuto. «Mi divido tra l'ufficio di Washington e quello di New York. Ho una casa a Washington. Quando sono a New York sto da zio Felix».

«UES?».

«Ufficio Economia Strategica».

«Ah, ecco. Ebbene?».

«Era lì seduto immobile, gli occhi chiusi, la bocca aperta. Gli ho parlato dalla porta, ma lui non ha risposto. Ho attraversato la stanza e gli ho toccato la mano e... era fredda. In una notte come questa».

Il dottor Denby era molto anziano. Tra non molto anche lui sarebbe stato immobile come la figura sul letto. Gli sollevò una palpebra, gli sentì il polso, scosse la testa. Gesti quasi meccanici. Si era incontrato con la morte troppe volte per non riconoscere a prima vista una così vecchia conoscenza. Il suo sguardo interrogativo raggiunse Alison.

Lei fece per parlare. Un colpo di tosse glielo impedì.

«Ho chiamato Alison al telefono interno appena ho pensato che zio Felix fosse... ci avesse lasciato e... be', questo è tutto». Non era nello stile di Ronnie incespicare. «Certo, dopo l'infarto di due anni fa dovevamo essere preparati a qualcosa del genere ma forse nessuno è mai davvero preparato alla morte. Lei non aveva idea che la fine fosse così vicina, vero?».

«No». Di nuovo il dottor Denby scosse la testa. «Ma con un cuore come il suo non si può mai dire. Era venuto da me appena due giorni fa. Sembrava stesse abbastanza bene. Era venuto solo per chiedere chiarimenti sulla digitalina che gli avevo prescritto tempo fa. Aveva difficoltà a regolare la dose. Capita a molti pazienti. Gli ho detto francamente che doveva solo usare il buonsenso. Sospendere per un paio di giorni quando interveniva la nausea, e poi riprendere con una dose più bassa. Questo è tutto quello che si può fare con un medicinale che è un farmaco cumulativo. Peccato che non lo abbia visto nelle ultime ventiquattro ore. Mi chiedo...». Il dottore guardò l'orologio. «Chiamerò il medico legale e vedrò come intende gestire la cosa. È un mio vecchio amico e so che di solito alle sei è già in piedi».

Ronnie mostrò al dottore come prendere la linea esterna e questi formò il numero. «Il dottor Erickson, per favore... George? Ciao, sono Lewis. Ho un decesso improvviso... Felix Mulholland, l'autore di quel libro sull'*Orestiade* di Eschilo... Questa mattina verso le quattro o le cinque, direi. Il nipote è rincasato presto da Washington e l'ha trovato a letto con la luce accesa e un libro sulle ginocchia. Evidentemente si è svegliato e ha deciso di leggere un poco prima di colazione e ha cessato di respirare tranquillamente prima di poter raggiungere il telefono sul comodino... Problemi cardiaci negli ultimi due anni. Lo seguivo io, digitale... Be', no, ma è venuto nel mio studio due giorni fa... Grosso modo, diciamo, trentasei ore. Era lì nel tardo pomeriggio... No? Bene. È per questo che ti ho chiamato così presto. Non ero sicuro... Va bene. Grazie. Ciao». Depose la cornetta con un sospiro di sollievo. «Temevo che potesse esserci una... ehm... un'inchiesta dal momento che non avevo visitato Mr Mulholland entro ventiquattro ore dalla morte; ma George – il medico legale – dice che posso procedere a firmare il certificato».

«È una fortuna», disse Ronnie.

«Decisamente», annuì il dottore.

La stanza ora era piena di luce, troppa luce perché l'unica lampadina ancora accesa potesse creare qualche ombra.

«Saprebbe indicarci qualcuno che... che si occupi del funerale?», balbettò Ronnie.

«Il più vicino è Merion, in Lexington Avenue. Ma sono tutti piuttosto simili. Per loro è lavoro». Fece una pausa, trafficando con guanti e cappello. «Non so dirvi quanto mi dispiaccia. Mr Mulholland era un amico, non solo un paziente».

«Grazie, noi...». Alison si mise a tossire.

Il medico la guardò attentamente. «Brutta tosse, Miss Tracey».

«Niente di grave». Abbozzò un tenue sorriso. «A maggio ho avuto l'influenza».

«E siamo ad agosto. È rimasta in città tutta l'estate?».

Lei annuì.

«Dovrebbe andarsene in montagna, dove l'aria è fresca e asciutta. L'umidità che c'è qui al livello del mare non fa bene con una tosse cronica».

Avevano raggiunto la porta d'ingresso. I raggi obliqui del sole spuntato da poco davano una lieve doratura alla strada deserta. Il cielo sopra l'East River era di un rosa carico.

«Sarà un'altra giornata afosa», sospirò il dottor Denby. «Dovrebbe andar via dalla città per il resto dell'estate, Miss Tracey. Non ha bisogno di medicine. Quello che le serve è fresca aria di campagna, dieci ore di sonno per notte e tre pasti completi al giorno. Soprattutto dopo lo choc di questa perdita».

La porta si chiuse. Alison si voltò verso Ronnie. Era ai piedi della scalinata. Per un lungo momento si guardarono negli occhi, senza sorridere. Fu Alison a rompere il silenzio, con un pensiero che le girava nella testa e che non riuscì a trattenere. «Tu pensi che davvero sia... tutto normale?».

«Tutto normale?». La voce di lui schioccò come un colpo di frusta. «Che cosa intendi dire?».

«Il fatto che non ci sarà una... un'inchiesta. Dopotutto non sappiamo di che cosa è morto, no?».

«Non dire queste cose!». Nella voce di Ronnie risuonava tutto l'orrore dei Mulholland per gli scandali. «Non si fanno "inchieste" quando un vecchio muore in pace nel suo letto! È solo un particolare tecnico il fatto che il dottor Denby non abbia visto zio Felix nelle ventiquattr'ore precedenti alla sua morte. Grazie a Dio il medico legale ha abbastanza buonsenso per rendersene conto. A Washington alcuni di questi burocrati da quattro soldi...».

Il telefono dell'ingresso lo interruppe.

Alison prese il ricevitore.

«Parlo con la casa di Mr Felix Mulholland? Qui è l'Occidental News Service. Abbiamo appena ricevuto la notizia che questa mattina Mr Mulholland è deceduto in seguito a un problema cardiaco. Potrebbe fornirci qualche particolare sulla sua morte, da usare nel nostro necrologio?».

Ronnie aveva ragione, pensò Alison. Un minimo accenno a un'"inchiesta", per quanto innocente, sarebbe stato un invito a nozze per quella gente.

Sentì la propria voce che rispondeva meccanicamente. «Mr Mulholland è stato trovato alle prime ore di questa mattina da suo nipote Mr Ronald Mulholland dell'Ufficio Economia Strategica».

«Lei è la segretaria di Mr Felix Mulholland?».

«Gli ho fatto da segretaria negli ultimi mesi. Sono la sua nipote acquisita, Alison Tracey».

«Sarebbe così gentile da darci conferma sul materiale di cui disponiamo su Mr Mulholland?». La voce proseguì senza aspettare una risposta di assenso. «Nato nel 1871, frequentato Harvard e Heidelberg, insegnato letteratura greca a Harvard, diventato professore di letteratura greca alla Columbia, sposato Deborah Tracey nel 1901, vissuto nel vecchio palazzo Mulholland in Lexington Avenue fino al 1923, trasferito nella casa attuale in East 62nd Street, pubblicato sedici libri, il più famoso dei quali è... vediamo...». Un fruscio di fogli. «Ah, ecco, *L'"Orestiade" quale prova della discendenza matrilineare in età micenea.* Il libro è stato attaccato nel 1927 dal dottor Gottfried Baumgartner dell'Università di Lipsia come "impudente panzana transatlantica" in quanto confutava la teoria del dottor Baumgartner in base alla quale l'uso omerico dell'aggettivo *xanthe*, bionda, per descrivere la dea Demetra dimostrerebbe che gli antichi greci non erano affatto greci bensì in realtà tedeschi».

Alison dovette trattenere l'impulso di scoppiare in una risata isterica visualizzando Pericle e Platone che impugnavano un boccale di Pilsener intonando *Ach, du lieber Augustin.*

«"Ariani" e "indo-germanici" sono i termini usati dal dottor Baumgartner. Per il resto mi sembra tutto corretto».

«Mr Mulholland aveva qualche hobby?».

«Non me ne viene in mente nessuno». Ma Alison si accigliò. Zio Felix non aveva detto qualcosa in proposito qualche anno fa? Scacchi? Cruciverba? Non che ormai avesse importanza...

«È vero che si stava occupando di una ricerca per il Ministero della Guerra al momento della morte?».

«Assolutamente no!». L'irritazione le procurò un altro accesso di tosse. Appena riuscì a parlare, riprese. «Non aveva a che fare in alcun modo con il Ministero della Guerra».

«Grazie, Miss Tracey». La sfumatura di scetticismo nella voce era inequivocabile. «Arrivederci».

Rimise il ricevitore sulla forcella e alzando gli occhi incontrò lo sguardo interrogativo di Ronnie. «Era così confidenziale?».

«Che cosa?».

«L'incarico di zio Felix per il Ministero della Guerra».

«Ma ti ho detto...».

Ronnie sorrise alla sua veemenza. «"A mio avviso la dama

con troppo calore protesta"! Non hai mai imparato a dire le bugie, cara Alison».

Nessuno dei due aveva sentito il rumore della porta della scala sul retro che si apriva in fondo al corridoio superiore. Fu Alison a udire il fruscio del grembiule inamidato. Alzò lo sguardo. Hannah, l'anziana governante di zio Felix, era in cima alla scalinata, reggendo un vassoio con la colazione: succo d'arancia, caffè, un giornale del mattino. I suoi occhi azzurri velati disapprovarono la tenuta di Alison in vestaglia e pantofole, quindi si spostarono su Ronnie con un sorriso affettuoso. «Buongiorno, signore. Sa se Mr Mulholland è già sveglio?».

Ronnie era ammutolito. Alison sentì una stretta dolorosa alla gola.

Mr Mulholland è morto questa mattina. Le parole esprimevano un semplice dato di fatto mentre si disponevano in ordine nella sua mente. Ma quando cercò di pronunciarle la voce le si spezzò sulla parola "morto". Le lacrime presero a scorrerle sulle guance. Non poté continuare.

Sentì il fracasso del vassoio che cadeva.

«Non pianga, Miss Alison!». Hannah e Ronnie erano intorno a lei.

«Finché non ho detto io quella parola, non mi sembrava davvero morto», singhiozzò Alison. Si lasciò condurre da Hannah al piano di sopra, in fondo al corridoio fino alla sua stanza. Si sdraiò sul letto sempre singhiozzando, mentre Hannah chiudeva le tapparelle contro il sole.

«Le porto il caffè, Miss Alison. Deve mangiare qualcosa. Stia qui buona finché non torno... Questo le serve? Le è caduto di tasca».

Tra le lacrime, Alison guardò la cosa che Hannah le stava porgendo. Un foglio di carta ripiegato – il foglio che si era messo in tasca quando era caduto dal Plutarco di zio Felix. Ora vide che era tutto coperto di scritte, ma le lettere non avevano un senso. Non formavano parole, solo impronunciabili gruppi di lettere, il genere di cose che si battono a caso sui tasti per provare un nastro nuovo: IFBK YXQI VGVZ PBLO. Solo che le lettere non erano battute a macchina. Erano scritte a mano con una penna.

«No». Alison si lasciò ricadere sui cuscini. «Solo carta straccia. Lo getti pure nel cestino».

Sentì la porta chiudersi piano...

Le parve fosse passato un solo momento quando Hannah fu di ritorno, portando una tazza di caffè fumante su un altro vassoio più piccolo. «Beva, Miss Alison, e poi... temo che dovrà alzarsi».

«Perché?».

«C'è un uomo di sotto, nello studio di Mr Mulholland. Dice che deve parlare con lei al più presto».

«Un uomo?». Alison si levò faticosamente a sedere, scostando i capelli che le erano caduti davanti agli occhi gonfi. «Un altro giornalista?».

«No, signorina». Stranamente, qualcosa di simile alla paura velava gli occhi di Hannah. «Dice di essere del Ministero della Guerra».

2

PRELUDIO DI OMBRE – II

Lo studio di Felix Mulholland era al pianterreno. Una grande portafinestra dava sul giardino retrostante. Originariamente ogni casa del complesso aveva il proprio giardinetto, separato dagli altri da uno steccato, ma in seguito i proprietari avevano deciso di abbattere le recinzioni e unificare quella trentina di appezzamenti in un unico spazio comune, abbastanza grande da costituire un giardino di tutto rispetto. Dato che nessuna di quelle case era alta più di sei piani, il sole del mattino penetrava ogni interstizio dell'ampio ombrello verde formato dalle foglie degli ailanti e riversava sui sentieri – come su Danae – la pioggia d'oro in arrivo dal cielo. Felix Mulholland aveva contribuito con la ninfa di marmo pentelico, giallo come avorio invecchiato, che sorgeva accanto a un laghetto colmo di ninfee. Estratta dalla parete di un monte dell'Attica, la scultura presentava lineamenti offuscati dall'erosione e il suo sorriso permaneva enigmatico sulla pietra come visto attraverso un pesante velo. Nel giardino il rumore del traffico era ridotto a un mormorio grazie alla muraglia costituita dalle case circostanti. Gli unici suoni che raggiungevano lo studio quella mattina erano il borbottio gutturale dei piccioni e il frullo pesante delle loro ali.

Un uomo in divisa dell'esercito era ritto davanti alla finestra del giardino, la schiena snella e dritta come quella di un ragazzo. Quando si voltò, Alison vide che era sui quarant'anni e portava sulle spalline i gradi di colonnello. Il magro viso duro e gli occhi sfuggenti avevano un che di disciplinata ferocia, rara in un americano. In effetti, le uniche volte che Alison aveva visto quell'espressione era stato nelle fotografie degli ufficiali dello stato maggiore tedesco. E ora davanti a lei c'era un ufficiale americano che esibiva la stessa aria, più che all'altezza del più spietato dei tedeschi. Doveva essere, come quegli alti gradi tedeschi, un militare di professione, appartenente a una terza o quarta generazione uscita da West Point; Alison non poté fare a meno di chiedersi se fosse stato educato così rigidamente alla sola funzione del combattere da risultare inadatto a ogni altro scopo, e quindi trasformato in una specie regressiva: nello stesso senso in cui un cane di razza o qualsiasi animale specializzato in una finalità sociale è regressivo come individuo.

Una democrazia produce pochi uomini di quel genere. In tempo di guerra quei pochi formavano l'indispensabile nucleo delle forze armate di una democrazia. Erano un po' come cani da pastore, che sanno come difendere le loro pecore dai lupi con coraggio e astuzia grazie a quanto di lupo scorre nelle loro vene. *Un tipo poco simpatico*, pensò Alison, *ma ora come ora è proprio il genere di persone di cui abbiamo bisogno.*

Gli occhi sfuggenti la stavano soppesando. «Mi aspettavo che fosse più vecchia». La voce vibrava come una corda tesa.

Pensò subito al maglione, alla gonna a pieghe e ai mocassini senza tacco che aveva indossato in tutta fretta.

«Ho ventitré anni. Quando sono vestita come si deve sembro più grande. Ha importanza?».

«Mi aspettavo una donna di trentacinque o quarant'anni, date le circostanze».

«Quali circostanze?».

«Suo zio mi parlava di lei. Non mi era mai venuto in mente che potesse fidarsi tanto di una ragazzina». Il colonnello, un po' tardivamente, si ricordò delle buone maniere. «La morte di Mulholland è un fatto spiacevole. Specie in questo momento... Le mie condoglianze».

«Grazie». Era difficile associare un sentimento di compassione a un uomo del genere. «Non vuole accomodarsi?».

Lui accettò con un cenno del capo e sedette rigido. «Mi chiamo Armstrong. Faccio parte dell'Intelligence, G2. Dov'è il fascicolo?».

«Quale fascicolo?».

Un lampo di impazienza si accese in quegli occhi che non avevano mai lasciato il viso di lei. «Avanti, Miss Tracey! Apprezzo la sua discrezione, ma lei dev'essere franca con me. Lavoravo con suo zio quando è morto».

«Non si tratta di discrezione, colonnello Armstrong. Non ho idea di che cosa stia parlando».

«Ma non è possibile! Lei era la segretaria di suo zio. Non era tenuto a farle delle confidenze, ma sicuramente l'ha fatto. I civili non sono capaci di tenere la bocca chiusa. Secondo suo cugino, Mr Ronald Mulholland, lei sapeva che vostro zio lavorava per il Ministero della Guerra e rimaneva chiusa con lui in questa stanza ogni mattina quando lui era al lavoro».

«Al mattino non faceva altro che dettarmi lettere personali», rispose Alison. «E appunti per una nuova edizione del suo lavoro sull'*Orestiade*. Non mi ha mai detto nulla sul suo lavoro per il ministero, tranne che era qualcosa di confidenziale e che richiedeva concentrazione. Faceva parte del mio lavoro badare a che non fosse disturbato nel pomeriggio, quando lavorava qui da solo».

L'impazienza lasciò il posto a sospetto e ostilità. «Ho sfogliato tutte le carte di suo zio, qui e nella sua stanza. Non ho trovato traccia del lavoro che stava svolgendo per noi. Che fine ha fatto il fascicolo dove teneva i suoi appunti?».

«Non sapevo neppure che esistesse, questo fascicolo».

Il colonnello Armstrong lanciò un'occhiata al camino. Per la prima volta Alison notò che il focolare era pieno di piccole sfoglie di cenere nera, probabilmente carta carbonizzata.

«Suo zio ha bruciato delle carte ieri sera?».

«Non lo so. Ritiene che avrebbe dovuto bruciare i propri appunti?».

«Non è da escludere, se non gli servivano più. Non avrebbe voluto farli finire nelle mani sbagliate».

«Non esiste un processo chimico per recuperare uno scritto dalla carta bruciata?».

«Solo se il foglio carbonizzato non è frantumato. Questo è poco più che polvere». La sua voce dura prese un tono di urgenza. «Lei è la nostra ultima speranza, Miss Tracey. Dove pensa che suo zio avrebbe potuto mettere qualcosa che intendeva nascondere? La sua scrivania ha un cassetto segreto? C'è una cassaforte nascosta nella sua camera? Aveva una cassetta di sicurezza?».

«No, niente di tutto ciò. Non era un tipo da segreti».

«Le andrebbe di guardare nella sua scrivania e cercare i suoi appunti in mia presenza?».

«Come posso farlo, se non ho idea di cosa siano questi appunti? Se lei me li descrivesse, sarei lieta di cercarli».

«Non posso».

«Non può?». Alison era interdetta. «Se lei lavorava con mio zio sicuramente dovrà sapere di che appunti si tratta!».

«Suo zio non mi ha mai tenuto interamente al corrente delle sue cose», disse con fermezza il colonnello Armstrong. «C'era un motivo per questo, finché era vivo. Ma ora che è morto devo avere quegli appunti».

«Non vedo in che modo posso aiutarla in maniera sensata se non ho la minima idea di quello che stava facendo mio zio», ribatté Alison con altrettanta fermezza. «Se vuole davvero che l'aiuti dovrà dirmi qualcosa in proposito».

Il colonnello Armstrong si alzò e si mise ad andare su e giù. Sembrava stesse lottando contro un innato impulso alla reticenza, come un riflesso istintivo. «Se solo lei non fosse così giovane!», mormorò.

«Non vedo cosa c'entri questo».

Lui si fermò, gli occhi fissi su di lei, e disse una cosa strana. «Potrebbe essere meglio per lei se non sapesse niente».

«Ma se io sono la sua "ultima speranza", lei non ha scelta e nemmeno io».

«Esattamente». Fece un profondo respiro. «Quello che posso dirle è ben poco». Guardò dalla finestra dove screziature d'ombra danzavano sulla spalla dorata della ninfa mentre una brezza vagante agitava le foglie più in alto. «Ha mai sentito parlare di un cifrario da campo?». Allora Alison ricordò. L'hobby di zio Felix era la crittografia.

«Un cifrario da campo?». Ripeté lentamente quelle parole poco familiari. «Intende dire una specie di codice?».

Il colonnello Armstrong la guardò come se lei avesse fatto un errore piuttosto grossolano. «Un codice è una lista di parole o di numeri usati arbitrariamente per rappresentare altre parole o frasi». Parlava con l'esagerata pazienza di uno psicologo che spiega a un bambino ritardato che due più due fa proprio quattro. «Per esempio, la parola *diploma* potrebbe significare *attacco immediato*. Per usare un codice, i due corrispondenti devono avere un libro dei codici grande quasi quanto un vocabolario, un elenco delle parole in codice e del loro significato. Se questo va perduto, o distrutto, i messaggi in codice non si possono più leggere. Se cade in mano del nemico, questi può decodificare tutti i messaggi che intercetta. È per questo che un esercito sul campo raramente usa i codici. Gli eserciti usano la cifratura, e il tipo di cifrario adattato all'uso sul terreno si chiama cifrario da campo».

Alla pausa che seguì, Alison represse un vivo impulso di dargli l'imbeccata con un: *E cos'è una cifratura?*

Ma il colonnello Armstrong non aveva bisogno di imbeccate quando si trattava del suo campo. «La cifratura è un sistema di scrittura segreta in cui ogni lettera, numero o simbolo del messaggio cifrato rappresenta una singola lettera del messaggio originario, il cosiddetto chiaro. Esistono due generi di cifratura: per trasposizione e per sostituzione. La cifratura per trasposizione è un anagramma. Il messaggio cifrato contiene le stesse lettere del messaggio in chiaro, disposte in un ordine diverso. Per fare un esempio banale, si può scrivere il messaggio da cifrare su più righe e usare le lettere nelle colonne verticali così formate come messaggio cifrato. Ecco un esempio». Scrisse rapidamente su un foglio.

primo stadio: ATTACCO IMMEDIATO
secondo stadio: A T T A C C O I
M M E D I A T O
terzo stadio: AMTMTEADCICAOTIO

«Una cifratura per sostituzione è quella in cui ogni lettera, numero o simbolo del messaggio cifrato va a sostituire una determinata lettera nel messaggio in chiaro. Per esempio, Giulio Cesare sostituiva ogni lettera del messaggio di partenza mettendo al suo posto un'altra lettera, quella che si trovava quattro posti più avanti nell'alfabeto. In questo modo». Di nuovo scrisse sul foglio.

messaggio in chiaro: ATTACCO IMMEDIATO
alfabeto: ABCDEFGHIJKLMNOPQRSTUVWXYZ
messaggio in cifra: EXXEGGSMQQIHMEXS

«La E sta per A in quanto si trova quattro posti più avanti nel comune alfabeto, e così via per ogni lettera del messaggio».

Alison cominciava a sentirsi interessata. «Nessuno immaginerebbe mai che un simile groviglio di E, X e così via possa significare *Attacco immediato*!».

«Mia cara Miss Tracey!». Di nuovo aveva detto una cosa sbagliata. Il colonnello Armstrong adottò l'atteggiamento del padreterno che si rivolge allo scarafaggio. «Da quattrocento anni in qua messaggi cifrati semplici come questi vengono letti all'istante da chiunque conosca l'ABC dell'argomento».

«All'istante?», ripeté Alison timidamente.

«Be', diciamo in venti minuti. Come l'invenzione della cassaforte ha prodotto gli scassinatori, l'invenzione della cifratura o crittografia ha prodotto i solutori di cifrari, o crittanalisti. La crittanalisi è l'arte di dedurre il messaggio in chiaro esclusivamente da quel che mostra il messaggio cifrato. Senza disporre di altro che del messaggio cifrato, un buon analista è in grado di dedurre il sistema di trasposizione o sostituzione prima di aver trasferito in chiaro il messaggio, e può riuscirci con i cifrari più complessi e più moderni, quelli che combinano trasposizione e sostituzione, quasi con la stessa facilità con cui sa farlo con i semplici esempi di sostituzione e trasposizione che le ho mostrato».

«Sembra magia nera», mormorò Alison, sentendosi con imbarazzo arretrata di quattrocento anni.

«Tale era considerata nel Rinascimento».

Lo seguì con gli occhi mentre andava su e giù per la stanza, parlandole al di sopra della spalla. «Quando scoppiò la prima guerra mondiale, ogni esercito era in grado di leggere i messaggi cifrati intercettati di ogni altro esercito, così facilmente che era come se gli ordini segreti fossero scritti in chiaro. Era opinione comune che una cifratura inviolabile non potesse esistere».

«E... esiste?».

La domanda, pronunciata a mezza voce, fermò il flusso di eloquenza del colonnello Armstrong. Si arrestò e la guardò. «È quanto vorrebbe sapere ogni stato maggiore del mondo. Edgar Allan Poe, che si dilettava di crittografia, asseriva dogmaticamente che, per quanto intricata, qualsiasi trama che sia stata intessuta da una mente umana può essere sbrogliata da un'altra mente umana. La maggioranza degli analisti moderni ritengono che Poe avesse ragione».

«Ed è così?».

«Io non lo so». Diede enfasi al pronome. «Il punto è che suo zio, Felix Mulholland, era convinto che Poe avesse torto».

Rimasero così immobili e silenziosi per un momento che un piccione si posò sul davanzale della finestra. Il sole suscitava un arcobaleno di rosa e verdi sul suo collo sottile mentre si piegava a nettarsi le zampette con il becco.

«Intende dire...». Le ali bisbigliarono al levarsi in volo del piccione. «Intende dire che zio Felix aveva inventato un sistema di cifratura inaccessibile?».

Il colonnello Armstrong soppesò la risposta. «È quello che vorrei sentirmi dire da lei».

«Ma io non lo so!».

«Suo zio sosteneva di aver ideato il cifrario da campo perfetto. Un cifrario da campo deve soddisfare tre requisiti: deve essere tanto semplice da potersi impiegare rapidamente e con precisione nelle condizioni di stress della battaglia da soldati con scarsa conoscenza della crittografia, ma dev'essere sufficientemente complesso per impedire – o almeno ritardare – la lettura dei messaggi intercettati dai crittanalisti del nemico; e non deve richiedere l'utilizzo di mezzi che rivelerebbero il sistema se cadessero nelle mani del nemico. Quella che più si avvicina a questo ideale è una cifratura composta su una macchina da cifra che elabora le lettere in maniera così complessa come una calcolatrice elabora i numeri. Una cifratura di questo genere è ritenuta impenetrabile. Ma sul campo una macchina cifratrice ha gli stessi svantaggi di un libro per la codifica: si può perdere, danneggiare, distruggere o essere catturata dal nemico. Un cifrario da campo, per essere perfetto, dev'essere indistruggibile e tale che lo si possa conservare nella mente.

«Tutti i cifrari da campo di cui abbiamo notizia, per un verso o per l'altro non corrispondono a questo ideale. Suo zio affermava che il suo sistema rispettava tutte e tre le condizioni. Diceva che era facile da usare, difficile da risolvere e non richiedeva alcuna attrezzatura oltre a un foglio di carta, una penna e una macchina per scrivere. Sosteneva addirittura che poteva rivelarsi quel tipo di cifratura inespugnabile che gli uomini cercavano da altrettanto tempo, e altrettanto vanamente, della pietra filosofale.

«Probabilmente si sbagliava. Ma è comunque possibile che si sia imbattuto in un nuovo principio o in una derivazione di un vecchio principio. Daremmo un occhio per un buon cifrario da campo, e tutti e due per un cifrario inviolabile. E lo stesso farebbero i nostri nemici. Quindi dobbiamo scoprire che cosa stava facendo suo zio».

Alison era perplessa. «Ma perché mai non gliel'ha mostrato appena trovato?».

Il colonnello le stava di fronte, dando la schiena alle fredde ceneri nel focolare. «Eravamo scettici quando si è presentato da noi per la prima volta. Ci sembrava improbabile che un uomo anziano, un crittografo dilettante, riuscisse là dove tanti specialisti avevano fallito. I dilettanti continuano ad assillarci con i loro cifrari "imbattibili", tanto quanto gli inventori dilettanti assillano l'Ufficio Brevetti con le loro macchine a moto perpetuo.

«Suo zio però fu convincente. A differenza di tanti dilettanti, attribuiva velocità e semplicità al suo cifrario, oltre all'insolubilità. Cominciai a essere interessato. Per mettere alla prova il sistema, gli chiesi di fornirmi tre messaggi in codice, di cinquecento parole ciascuno, senza darmi alcuna indicazione sulla natura dei messaggi in chiaro che nascondevano né sul sistema che era stato usato per cifrarli. Questo, dieci giorni fa. Ho avuto dieci giorni pieni per lavorarci, ma non sono riuscito a individuare il metodo di cifratura. Suo zio mi aveva promesso di rivelarmi il segreto questa mattina. A colazione ho aperto il giornale e ho letto della sua morte».

Un velo coprì gli occhi del colonnello, come il vetro di una finestra appannato dal fiato. «Lo avevo avvertito di stare attento a tenere documenti che potevano finire nelle mani sbagliate. Evidentemente ha preso il mio ammonimento troppo alla lettera. Non ci sono fogli di lavoro tra le sue carte, nessun segno della cartelletta in cui diceva che conservava i suoi appunti, nessun promemoria sui sistemi di cifratura. Si potrebbe quasi pensare che l'intera faccenda fosse uno scherzo – che non stesse lavorando affatto su un cifrario – non fosse per quelle ceneri nel camino».

«Che cosa pensa che siano?».

«Penso che siano i resti degli appunti e dei fogli di lavoro. Penso che l'intera faccenda fosse così chiara nella sua mente che ha bruciato tutte le carte e ha sbriciolato i fogli carbonizzati per impedire che il suo segreto venisse rubato. E così, il segreto è morto con lui – a meno che...». Per un momento gli occhi del colonnello rimasero fissi in quelli di lei. «A meno che lei non possa aiutarci».

«Io?». La fissità di quello sguardo rendeva Alison inquieta.

«Sì. Lei. Lei ha vissuto nella casa di suo zio e ha lavorato con lui tutti i giorni. È stata la sua più stretta collaboratrice. Non può darci un'idea di quello che stava facendo? Qualche parola che si sia lasciato sfuggire inavvertitamente? Qualche pagina di taccuino su cui le sia caduto per caso lo sguardo? Qualche diagramma tracciato distrattamente mentre pensava a qualcos'altro? Qualche cosa strana che ha detto o fatto, che al momento l'ha lasciata perplessa?».

Alison frugò nella memoria. Fino a quella mattina tutto, in casa dello zio, le era apparso assolutamente convenzionale, incolore, banale. Persino la sua alquanto misteriosa "ricerca" per il Ministero della Guerra, svolta nella quiete e nell'intimità del suo studio, le era sembrata far parte di una tranquilla routine domestica.

«Non c'era nulla», assicurò. «Tutto quello che faceva o diceva era assolutamente normale e ordinario. Tranne...».

«Sì?».

«Che aspetto poteva avere uno di questi messaggi cifrati di zio Felix? Poteva essere un insieme disordinato di lettere in gruppi impronunciabili? Come questi?». Accennò al foglio sul quale lui aveva scribacchiato AMTMTEADCICAOTIO e EXXEGGSMQQIHMEXS.

Il colonnello Armstrong rimase immobile come temendo che il minimo movimento potesse distrarla e farle perdere il filo di quello che stava ricordando. «Dunque», disse quasi sussurrando, «un messaggio c'era?».

«È possibile. È caduto da un libro che stava leggendo quando... quando è morto». Le riusciva ancora difficile pronunciare quella parola.

«Dov'è?».

«Non avrei mai pensato che potesse essere importante. Ho detto a Hannah – la nostra governante – di gettarlo nel cestino della carta straccia».

«Dove?».

«In camera mia».

«Mi faccia vedere».

Sulla porta, lei si fermò. «Ha capito che non è una chiave del cifrario? Non è niente, solo un messaggio cifrato».

«Più sono i messaggi cifrati su cui ho da lavorare, maggiori sono le probabilità di risolvere la cifratura», replicò lui. «È una legge statistica».

Dalla fresca ombra del corridoio superiore senza finestre passarono nel caldo del sole della camera azzurra e bianca che Alison occupava da cinque anni. Hannah o le cameriere avevano già riordinato la stanza. Il letto era rifatto, il copriletto liscio e bianco di bucato. Il frastuono del traffico entrava dalle finestre semiaperte che davano sulla strada.

Il colonnello Armstrong la superò dirigendosi verso il cestino di vimini blu e bianco.

«Dannazione!».

Lei lo seguì. Hannah era una brava donna di casa. Il cestino era perfettamente pulito e vuoto.

Alison chiamò Hannah al telefono interno.

«Il suo cestino della carta straccia, Miss Alison? Be', è stato svuotato un'ora fa! Tutti i rifiuti sono stati bruciati nell'inceneritore».

Il colonnello Armstrong prese la notizia stoicamente. «Ricorda nulla del gruppo di lettere del messaggio?».

Alison si accigliò, aguzzando l'ascolto della voce interiore della memoria.

«I...». Esitò. «F... B...».

Come la raffica di un mitragliatore, un martello pneumatico mandò in briciole il silenzio nella stanza e coprì ogni altro rumore in arrivo dalla strada.

«Sì?».

Alison scosse la testa. Non sentiva altro che quel frenetico fragore. Sembrava si stesse facendo strada nella sua testa come un gigantesco trapano da dentista. Gli inutili vetri della finestra vibravano all'unisono con il rumore. Quanto più distruttivo doveva essere il suo effetto sulle cellule vive del cervello? Non riusciva letteralmente a "sentire i propri pensieri". Per la prima volta capì il motivo per cui poeti e mistici e persino matematici cercano silenzio e solitudine quando cercano di evocare le voci interiori della memoria e dell'ispirazione.

«Mi spiace». Alzò una mano portandola alla fronte che le doleva. «In questo momento non riesco a ricordare».

Il martello pneumatico continuava a rombare trionfante come se stesse urlando: *Ben presto metterò fine a ogni pensiero in questo quartiere*! Le venne in mente il medico che era stato arrestato per aver sfasciato un martello pneumatico che aveva continuato per giorni a strepitare sotto la sua finestra. Forse la filosofia moderna usava parole per nascondere l'assenza di pensiero perché i filosofi moderni erano costretti a vivere in città non più silenziose di una fabbrica di caldaie...

Lo stoicismo del colonnello Armstrong non fu all'altezza di questa seconda delusione. «Me lo farà sapere, se dovesse ricordarselo?», disse bruscamente, sulle scale.

«Certo».

«E farà ogni sforzo per ricordare?».

«Senz'altro. Ma è difficile ricordare gruppi di lettere che non significano niente e per giunta sono impronunciabili».

«Già. A meno che non si abbia una memoria fotografica. Ma si dà il caso che questa sia una cosa importante. Si rende conto di quanto è importante? Da tempo immemorabile grandi decisioni sono dipese dalla risoluzione di un cifrario. La prima cifratura a trasposizione nota alla storia ha salvato l'impero spartano di Lisandro dalla Persia. Il metodo di analisi di Bazeries, basato sulla probabilità delle parole, mandò a monte il complotto di Déroulède e salvò la Terza Repubblica francese per altri quarant'anni. La conoscenza da parte degli Alleati dei cifrari da campo tedeschi rovesciò le sorti della battaglia a sfavore di questi ultimi nel marzo e nel luglio del 1918. La conoscenza da parte degli Alleati dei codici navali e diplomatici rese possibile il trasporto delle truppe attraverso la Manica, fece vincere la battaglia dello Jutland, e portò alla pubblicazione del Telegramma Zimmermann».

Nella sala del pianterreno un raggio di sole forò il pannello di vetro della porta d'ingresso frantumandosi in una pioggia di scintille tra i prismi del lampadario.

«Mi sembra di ricordare che lei è stata per qualche tempo in Europa, Miss Tracey, giusto?».

«Sì». L'irrilevanza della domanda sorprese Alison. «Mio padre era archeologo. Zio Felix aveva sposato sua sorella... mia zia. Quando ho finito gli studi ho passato del tempo con loro presso gli scavi a Creta e in Asia Minore. Mia madre è morta quando ero piccola, sa».

«È stata anche in Germania?».

«Oh, sì. Andavo a scuola in Svizzera e ho trascorso molte vacanze in Germania e in Francia con mio padre».

Il colonnello Armstrong prese cappello e guanti dal tavolo nella sala d'ingresso.

«Naturalmente...». Fece una pausa. «Ho solo la sua parola sul fatto che non ricorda quel messaggio cifrato. Non soltanto, ma ho solo la sua parola sul fatto che non sa niente del cifrario di suo zio».

Le guance di Alison si fecero di fuoco. «E la mia parola non basta?».

«A me sì. Naturalmente io sono pronto a prendere per buono tutto quello che dice la nipote di Felix Mulholland. Ma... le è venuto in mente che la sua parola potrebbe non essere sufficiente per qualcun altro?».

Alison ebbe l'innaturale sensazione che qualcosa di malevolo fosse entrato in quella stanza, anche se visibilmente nulla era cambiato. «Che cosa intende dire, colonnello Armstrong?».

Gli occhi sfuggenti si posarono su di lei, calcolatori e implacabili. Poi distolse lo guardo, voltandosi verso la porta. Parlò piano, ma la sua voce suonò implacabile come i suoi occhi.

«Accadono cose di ogni genere a chi possiede il segreto di un cifrario. Ci pensi bene».

3

PRELUDIO DI OMBRE – III

Alison si voltò e vide Ronnie davanti alla porta del salotto, sul lato della sala d'ingresso di fronte allo studio.

Si era affacciato sentendo chiudere la porta di casa? O era lì da tempo e aveva sentito le parole con cui il colonnello Armstrong si era accomiatato?

Le sue guance olivastre erano distese e serie; gli occhi scuri enigmatici sotto le sopracciglia slanciate. «C'è qui Heming», disse Ronnie. «Vorrebbe vederti».

Il salotto aveva sui due lati delle finestre alte che si affacciavano sulla strada e sul giardino. Il mobilio traslocato dalla vecchia casa di Lexington Avenue preservava lo spirito del secolo precedente con poche concessioni alla modernità. Il raso in una calda sfumatura d'oro antico ricopriva il crine dei sedili rigonfi delle poltrone snelle e dei divani di noce nero. I fiori sul tappeto di Bruxelles, sbiaditi, avevano assunto i toni autunnali del bruno e del beige. L'alto vaso di cristallo intagliato, fatto per le rose dal gambo lungo, ospitava le zinnie arancione e gialle del giardino. Sopra la cappa del camino faceva mostra di sé un ritratto di zio Felix eseguito da George Luks, che evidenziava la fronte shakespeariana lasciando in un'ombra fumosa tutto il resto della sua figura.

Francis Heming, l'avvocato, si alzò con un fascio di documenti in mano. Come il dottor Denby e tutti gli altri uomini che avevano a che fare con zio Felix, era vecchio: *troppo vecchio per essere d'aiuto in caso di emergenza*, pensò Alison. Il suo volto pallido e sciupato sembrava quasi trasparente, il viso di un fantasma materializzatosi in modo imperfetto. *Ed è proprio ciò che è*, aggiunse dentro di sé, *perché l'età avanzata non è altro che la graduale smaterializzazione di uno spirito*. La stessa sensazione l'aveva avuta con zio Felix. Sembrava che il suo corpo si rattrappisse un poco ogni giorno, che la pelle si facesse più bianca ed esangue, i lineamenti più fragili e indistinti. Persino la memoria dello zio in quelle ultime settimane era andata appannandosi e svanendo; spesso la sua attenzione divagava, ritirandosi e allontanandosi dal mondo circostante. Inconsapevolmente aveva centellinato la vitalità che andava esaurendosi, affidandosi sempre di più all'istinto, all'abitudine, al pregiudizio: meccanismi psicologici autonomi che trovano nel loro stesso impulso l'energia di cui hanno bisogno per alimentarsi. Le pareva che anche questo lo avesse ulteriormente allontanato da lei, facendolo apparire irascibile, eccentrico, retrivo, mentre in realtà era solo vecchio e stanco di vivere. A volte le era sembrato che si andasse disfacendo sotto i suoi occhi, mentalmente e fisicamente; come se si stesse ritirando sempre più rapidamente in un altro mondo dove lei non poteva seguirlo. Ora era andato così lontano che non poteva più tornare indietro.

«Mia cara Miss Tracey!». L'inchino di Mr Heming le richiamò alla mente l'immagine di fanciulle in abito da sera e guanti bianchi, che eseguono diligenti le figure di una danza complessa di fronte a giovanotti in frac e panciotto bianco di una foggia scomparsa. «Mia cara Miss Tracey, riceva le mie più sentite condoglianze per la sua dolorosa perdita».

Alison non poté rispondere che con un cenno del capo. La sua mente era vuota di parole. Si sedette sullo scivoloso cuscino di raso di una delle poltrone, sentendosi svigorita e floscia come una bambola di pezza.

Ronnie si appoggiò con un braccio alla mensola del caminetto. I capelli, ancora umidi per una doccia recente, erano ritorti in fitti riccioli sulle tempie. Si era cambiato: giacca sportiva, calzoni di flanella grigio chiaro e mocassini fatti su misura così abilmente che non si vedeva quale fosse il piede equino.

«Glielo diciamo con delicatezza?», chiese a Heming. «O ritiene più saggio che la notizia le arrivi diretta, come è successo a me?».

Heming era demoralizzato. «Miss Tracey, sono rammaricato di comunicarle che gli investimenti di suo zio non hanno proceduto felicemente negli ultimi anni, e di conseguenza il suo patrimonio ha subito un notevole calo».

«Significa che siamo rovinati», tradusse Ronnie. «Spiantati, senza un soldo».

«Non mi sono mai aspettata niente dallo zio Felix», disse Alison. «Ero solo una nipote acquisita».

«Sciocchezze!», ribatté Ronnie. «Noi due eravamo i suoi soli familiari in vita. La metà di quelli che conosco ti vedevano come un'ereditiera, e quanto a me sono anni che sto vivendo con questa prospettiva. Esattamente, Mr Heming, a che punto siamo? In dollari e centesimi, intendo».

«La casa andrà venduta immediatamente per consolidare il patrimonio. Se frutta i due terzi della somma originariamente pagata per fabbricato e terreno, prima che fosse ceduto il titolo di possesso del giardino posteriore, dovrebbe rimanere – al netto del pagamento del debito e delle tasse di successione – approssimativamente un totale di quindicimila dollari».

Ronnie emise un breve sibilo. «E cosa se ne fa uno di quindicimila dollari?».

«Mi vengono in mente diversi usi», rispose seccamente Heming. «Miss Tracey riceverà il dieci per cento del patrimonio. Il resto va a lei».

«Il dieci per cento?». Ronnie si accigliò. «Quindi Alison avrebbe la miseria di millecinquecento e io circa tredicimilacinquecento. Siamo praticamente al verde!».

«Al tempo in cui è stato fatto il testamento la sua quota sarebbe stata di circa cinquantamila, Miss Tracey», spiegò Heming. «Purtroppo suo zio non ha mai voluto dare ascolto ai consigli finanziari di chi era qualificato a darli. Ha speso una parte cospicua del suo capitale per finanziare spedizioni archeologiche in Grecia e ha distribuito il resto a cosiddetti inventori che posso solo considerare avventurieri e ciarlatani. Vanno a lei gli oggetti personali di sua zia, ma temo che le uniche cose che abbiano un certo valore intrinseco siano una spilla di diamanti e ametiste e alcuni merletti cretesi antichi».

«Potrebbero volerci mesi prima che la casa sia venduta!». Ronnie non era interessato ai merletti cretesi. «Cosa ne dice di un anticipo? C'è qualche speranza?».

«Credo che potrei far in modo di farle avere un migliaio di dollari, e a Miss Tracey cinquecento».

«Io posso tirare avanti», disse Ronnie sgarbatamente. «Io ho il mio lavoro con l'UES. Ma quanto tempo pensa che Alison possa vivere a New York con cinquecento dollari?».

«Oh, ce la farò». Alison uscì dal suo stato di passività. «Ho imparato a battere a macchina al college perché nessuno capiva la mia scrittura e ho fatto un corso di stenografia quando siamo entrati in guerra. Troverò un lavoro in una settimana o poco più».

«Come stenografa sei troppo lenta e batti a macchina da dilettante», obiettò Ronnie con la franchezza che può permettersi un cugino. «Non hai nessuna vera esperienza. Il Servizio Civile o un impiego privato è molto più impegnativo di zio Felix».

«Ma posso imparare. Posso...». Fu interrotta da una crisi di tosse.

«E sei malconcia», insisté Ronnie. «Come fai ad andare avanti con cinquecento dollari se sei troppo malata per lavorare?».

Francis Heming si accarezzò il mento con una mano magra venata di azzurro. «Non ci sono altri parenti?».

«No», rispose Ronnie per lei. «Quelli che vede davanti a sé sono gli Ultimi dei Mulholland». Assunse una burlesca posa eroica, ma i suoi occhi erano seri.

«E non ci sono cugini da parte dei Tracey», aggiunse Alison.

«Poveri noi!». Heming era scoraggiato. «Francamente non so cosa consigliare. Forse posso trovare un modo per alleviare la... ehm... l'emergenza finanziaria, ma con quello che c'è da pagare di tasse...».

Ronnie lo accompagnò alla porta. Sola in salotto, Alison sentiva le loro voci giungere come un mormorio dall'ingresso. Colse le parole "banditore d'asta" e "inventario". Diede un'ultima occhiata agli oggetti familiari. Tutti insieme, facevano di quel locale una stanza piacevolmente accogliente. Dispersi, sarebbero stati poco più che ciarpame. Il mobilio vittoriano era ancora "seconda mano" più che "antiquariato", costoso da comprare ma poco remunerativo da vendere. Le pareva già di vedere l'orologio in onice e oro, fianco a fianco con una dozzina di altri in una vetrina di Madison Avenue. La casa stessa poteva scomparire, demolita per far spazio a un moderno alveare, di quelli con le pareti così sottili che in ogni celletta si può sentire la radio di tutte le altre cellette. Nelle poche ore che erano passate dal primo mattino tutto ciò che era appartenuto a zio Felix si stava disintegrando con terrificante rapidità. Tutte le persone che gli erano state vicine – il dottor Denby, Hannah, il colonnello Armstrong, l'avvocato Heming, e persino Ronnie – si stavano già dimenticando di lui, impegnati ad affrontare i problemi posti dalla sua morte e a programmare un futuro senza di lui.

«Che cosa pensi di fare?».

Era Ronnie. Entrò nella stanza e si chiuse la porta alle spalle. «Heming dice che puoi avere domani i cinquecento».

«Ne devo circa duecento. Grandi magazzini reparto abbigliamento».

«Non è necessario che paghi subito tutto, no?».

«Preferirei di sì».

«Ne restano trecento. Naturalmente puoi restare qui finché la casa non sarà venduta, ma potrebbe accadere prima di quanto immaginiamo. Heming ha già in mente una probabile acquirente, una star dello strip-tease. Chi avrebbe mai pensato che zio Felix aveva scialacquato il patrimonio in speculazioni azzardate? L'ho sempre ritenuto solido come la Rocca di Gibilterra, e invece era solo cartapesta pitturata». Ronnie si abbandonò su una poltrona, le mani giunte dietro la testa. «Che cosa ti piacerebbe fare?».

Alison si sforzò di sorridere. «Chi ha al mondo solo trecento dollari non può fare quello che gli piacerebbe».

«Ah, no?». La trafisse con i suoi vividi occhi scuri. «Quando fai un progetto, è sempre bene decidere cosa faresti se avessi tutto il denaro di cui hai bisogno. Dopodiché va' e fallo, mettendo insieme in qualche modo i soldi che servono».

Alison rise forte. «Idea affascinante, solo che nel mio caso non funzionerebbe. Se avessi tutto il denaro di cui ho bisogno, farei quello che ha consigliato il dottor Denby. Me me andrei da qualche parte in montagna e passerei le ultime settimane dell'estate a togliere di mezzo questa tosse». Alzò le braccia al di sopra della testa e si stirò languidamente. «Via dal caldo e dall'umidità e dalla polvere e dal monossido di carbonio e dai martelli pneumatici e dalle radio altrui, in un posto dove potrei respirare e sentire i pensieri nella mia testa».

«Un po' di villeggiatura in albergo?».

«Cielo, no! Troppe radio e troppi pettegolezzi. No, affitterei un cottage a chilometri e chilometri da tutto, senza vicini, e vivrei come un eremita. Poi, in autunno, tornata in città, cercherei un qualche lavoro di guerra. Ma la pace e l'intimità sono le cose più costose del mondo. Il massimo che potrei permettermi con trecento dollari sarebbe una baracca in uno squallido campeggio con radio a tutto volume, bambini urlanti, mariti e mogli che litigano a pieni polmoni e ragazzi che imparano a suonare il sassofono».

La fronte di Ronnie si corrugò facendo incontrare le sue sopracciglia alate. «Certo, potrebbe non piacerti».

«Non piacermi? Che cosa?».

«Ma è sempre una possibilità».

«Di cosa parli?».

«Non so se Raines abbia tenuto il posto in buone condizioni. Avrà bisogno di una ripulita, ma potrebbe chiedere a Mrs Briggs di farlo se non è troppo presa con il lavoro di guerra».

«Ronnie! Mi fai il favore di dirmi di che cosa stai parlando?».

«Non ti ricordi più di Aultonrea?».

In fondo all'incerto imbuto della memoria Alison vide se stessa tre anni prima seduta su una veranda illuminata dal sole con zio Felix e Geoffrey Parrish. Attraverso i rami di un abete guardava una montagna, la cui cima era un nebbioso cono di acciaio azzurro contro un cielo blu. La resina aveva un odore pungente. Malgrado il sole splendente l'aria era fresca come acqua di sorgente e lei era contenta del pesante golf di lana che indossava. Le sembrava fossero passati molto più di tre anni da quell'estate ad Aultonrea, subito prima di Pearl Harbor! Un'auto con il serbatoio pieno, due cameriere nella cucina, ospiti che andavano e venivano, per tutta l'estate, nelle camere del sottotetto. Balli al circolo del tennis sull'altro versante della montagna, una quantità di giovanotti. Geoffrey e sua sorella Yolanda che venivano a cena da una casa distante miglia e miglia sulla carrozzabile e due miglia se si prendeva il sentiero di montagna. Geoffrey che mandava in bestia lo zio Felix dicendo che niente lo avrebbe indotto a combattere i nazisti finché non fossero arrivati a Kansas City. Geoffrey che saliva in montagna con Alison per vedere le stelle dalla cima. La faccia rotonda della luna piena che sorgeva da dietro un pino sfrangiato guardando con stupore scandalizzato Geoffrey che la baciava. Uno di quei baci casuali che potevano significare tutto e niente... E poi, a ridosso di quell'ultima estate di pace, arrivò il primo inverno di guerra quando tutti i giovani maschi erano nei campi di addestramento, e infine quel deprimente tramonto di primavera quando lei arrivò in ritardo a cena per colpa di un noiosissimo e del tutto inutile cocktail party, e Hannah disse: «Ha chiamato Mr Parrish... No, non ha lasciato nessun messaggio. Ha detto che aveva solo qualche ora... No, non ha detto per dove partiva e quando...».

E poi, più niente...

«Aultonrea!», esclamò Alison. «Ero convinta che fosse stata venduta».

«Zio Felix ci ha provato, ma non è riuscito a venderla e nemmeno ad affittarla», rispose Ronnie. «Troppo primitiva. Niente elettricità. E per molti è troppo isolata. Non tutti amano la solitudine come te». Sorrise. «Alla gente piace avere dei vicini. E se non piace a loro, piace ai loro domestici. Persino zio Felix, invecchiando, si era stancato di una vita così semplice. Per questo negli ultimi tre anni non c'è mai tornato. Ma se vuoi star sola, quello è il posto ideale. Non vedi una casa da nessuna delle finestre. Come erede di ciò che rimarrà al netto dei debiti, l'ho ereditata io, ma non mi è possibile usarla. Non posso allontanarmi dall'ufficio per più di qualche giorno e, se anche potessi, andrei in un posto dove c'è più vita. Sta andando in rovina. Perché non la usi tu? Ci vuole qualcuno che metta in fuga i topi di campagna prima che la rosicchino completamente. I tuoi trecento saranno più che sufficienti se non hai un affitto da pagare. Io, quando ci sono stato da solo un paio d'anni fa, non arrivavo a spendere più di una quarantina di dollari al mese, e avevo tutto quello che volevo. Che te ne pare?».

«Sembra troppo bello per essere vero, ma...». Alison esitò.

Gli occhi scuri di Ronnie ammiccarono. «Non hai da preoccuparti che possa esserci Geoffrey Parrish quest'estate. Al momento è nell'esercito o in marina o da qualche parte. Naturalmente Yolanda potrebbe essere lì, ma lei non ti disturberebbe. È a due miglia buone di distanza, e non è il tipo da far visite».

Da tempo Alison aveva imparato ad accogliere ogni riferimento a Geoffrey Parrish senza tradire emozioni. «Non m'importa se i Parrish ci sono oppure no», disse con voce controllata. «Ma sei proprio sicuro che non vorrai il cottage per te?».

«Non c'è pericolo. A Washington siamo schiavi incatenati ai remi. Se dovessi riuscire a spuntare qualche giorno di vacanza farei una corsa su a trovarti, ma non contarci troppo. Sei sicura che non ti sentirai troppo sola?».

«Certamente no. Star sola mi piace. E poi potrei portarmi Argo, no?».

«Argo!». Ronnie fece un salto e voltò la testa per guardarla. I suoi vividi occhi mandarono un lampo incandescente. *Quando è accalorato è di una bellezza diabolica*, pensò Alison con un apprezzamento impersonale. *Ma perché si è scaldato così tanto? Deve avere i nervi a fior di pelle come me per aver sobbalzato in quel modo.*

«Che diavolo te ne fai di Argo?», domandò bruscamente.

«È bello avere un cane in campagna. Gli farebbe bene ed è proprio quello di cui ho bisogno per non farmi venire la malinconia».

«Perché non ti porti Hannah?».

«Anche se volesse venire, non potrei permettermi di pagarla. E in così poco spazio preferisco di gran lunga stare con un cane che con un essere umano. I cani non leggono i giornali sbagliati e non ti impongono i loro commenti ad alta voce su ogni articolo».

«E allora perché non prendi un cucciolo?», insisté Ronnie. «Argo è vecchio e cieco. Non va bene come cane da guardia né come nient'altro. Sarebbe più umano farlo abbattere».

«Non vorrei essere "abbattuta" se fossi vecchia e cieca», rispose Alison. «E non sopporto l'idea che Argo venga ucciso, sia pure con umanità, sapendo quanto gli era affezionato zio Felix. Mi meraviglio di te, Ronnie. Pensavo che amassi gli animali. Ti fanno sempre le feste».

«Mi piacciono gli animali quando stanno al loro posto, ma non faccio svenevolezze. Né considero la morte come il peggiore dei mali per un animale, e nemmeno per un essere umano». Tirò fuori un floscio pacchetto di sigarette dalla tasca dei pantaloni, ne mise in bocca una e l'accese, tutto con una mano, come se fosse troppo pigro per alzare anche l'altra. «Sono contento che tu vada ad Aultonrea». Emise uno sbuffo di fumo. «Lassù sarai perfettamente al sicuro».

«Al sicuro?». Quell'espressione strideva. «Ma sarei... al sicuro dovunque. No?».

«Certo», rispose Ronnie prontamente. Troppo prontamente. «Intendevo solo dire che lì sarai felice e comoda».

«Però non hai detto né "felice" né "comoda"», insisté Alison. «Hai detto "al sicuro", Ronnie!».

«E allora?». I suoi occhi osservavano il fumo.

«Hai sentito quello che mi ha detto il colonnello Armstrong nell'ingresso?».

«Non ho potuto farne a meno». Continuava a evitare il suo sguardo.

«Anche Mr Heming ha sentito?».

«Non credo. Era in mezzo alla stanza, mentre io ero vicino alla porta quando tu hai fatto uscire Armstrong».

«Allora è questo il motivo per cui vuoi spedirmi ad Aultonrea! Tu credi davvero che non sarei al sicuro se rimanessi qui!».

Alla fine si girò a guardarla, con gli occhi socchiusi. «Se solo zio Felix si fosse dedicato a fare esperimenti con il gas tossico o con gli esplosivi. Sarebbe stato meno pericoloso che gingillarsi con i cifrari da campo: meno pericoloso per lui e per te. Carta e penna sono i giocattoli più pericolosi esistenti al mondo. Chiedi a qualsiasi ricattatore».

«Ma io non so niente di cifrari da campo!».

«E chi ci crederà? Penso che zio Felix sia stato un pazzo a trafficare con una cosa del genere in una stanza come il suo studio, che ha una portafinestra che si apre su uno spazio comune. Ti rendi conto che ogni inquilino di questo complesso ha accesso al giardino? E ci sono anche due affittacamere. Chiunque avesse voluto scoprire che cosa stava facendo zio Felix non doveva far altro che prendere una di quelle camere ammobiliate ed entrare nello studio dalle finestre del giardino. Zio Felix non le chiudeva mai».

«Ma questo è puro melodramma!». Alison parlò con una convinzione che non sentiva affatto.

«Melodramma, dici?». Ronnie raccolse la parola e se la rigirò nella mente. «Si dà il caso che viviamo proprio in un'epoca di melodramma. La tradizione teatrale di sobrietà che tanto ammiriamo come "realismo" l'abbiamo ereditata da un'epoca di pace e stabilità economica: la fine dell'Ottocento. Quasi tutti gli altri periodi sono stati altrettanto melodrammatici del nostro. Pensa alle tragedie greche che zio Felix amava tanto. Tutte guerra, omicidi, incesti, ferocia. Per generazioni, studiosi come zio Felix vi hanno rimuginato sopra senza rendersi conto del loro contenuto emozionale finché Freud non li ha quasi ammazzati per lo choc dando il nome di Edipo al suo complesso preferito. La vita reale, soprattutto in tempo di guerra e di conflitto economico, è più melodrammatica di quanto persone come te e come zio Felix immaginino. E tanto peggio per gli innocenti spettatori che finiscono tra due linee di fuoco, come quei bambini in Italia che continuano a scorrazzare per i campi di battaglia».

«Ronnie, mi pare proprio che tu stia cercando di spaventarmi!».

Lui sorrise e le ali delle sopracciglia si separarono, appiattendo e allargando il suo volto. «Magari riuscissi a spaventarti, Alison. La paura è una sana reazione indispensabile all'autoconservazione. Tu sei troppo coraggiosa, troppo per il tuo stesso bene. A volte penso che il coraggio sia ingenuità. Se tu avessi visto e sentito le cose che ho visto e sentito io...».

Quel tono di onniscienza paternalistica la irritò. Ora che zio Felix se n'era andato, sembrava che Ronnie si sentisse il "capofamiglia" di una famiglia composta soltanto da Alison.

«Immagino che tu sarai esposto costantemente al pericolo nell'Edificio Temporaneo X42 o dovunque si trovi il tuo ufficio!».

Un attimo dopo già malediceva la sconsideratezza della sua lingua. Un'espressione rivelatrice di amarezza attraversò il volto di Ronnie, che abbassò gli occhi sui suoi piedi. La guerra gli aveva portato la sua prima esperienza di frustrazione, una ferita che aveva continuato a infettarsi. Fino ad allora aveva sempre fatto ciò che desiderava. Il nuoto era il solo sport che gli piacesse, e sapeva nuotare più veloce di quanto camminasse, con delle scarpette da bagno appositamente costruite per nascondere la deformità agli sguardi dei curiosi. La sua vivida intelligenza gli aveva fatto conseguire sempre i massimi risultati a scuola e al college e gli aveva procurato presso un'agenzia di brokeraggio di Wall Street un lavoro di grande responsabilità e particolarmente ben pagato per una persona così giovane. Aveva una quantità di amicizie, maschili e femminili. Sapeva pilotare un aereo e parlava correntemente tre lingue straniere. Il suo stato di salute generale era eccellente. Non aveva mai subito un intervento chirurgico né aveva mai avuto una malattia grave. Vista e udito erano perfetti. Quando si era in sua compagnia, tale era la vitalità che irradiava e così acuto il suo spirito che ci si dimenticava della sua menomazione. Ma ogni volta che aveva cercato di arruolarsi in un settore dell'esercito o della marina, era tornato a casa dalla visita medica con una faccia bianca e gli occhi in fiamme, rifiutandosi di parlare della cosa con chiunque, persino con zio Felix. Era stato in occasione di una di queste crisi di collera che due anni prima se n'era andato ad Aultonrea, rimanendovi da solo per diversi mesi. Alla fine aveva trovato un posto all'Ufficio Economia Strategica, dove svolgeva un lavoro di guerra che si diceva fosse importante. Zio Felix aveva detto ad Alison che nessuno tranne Ronnie, con la sua eccezionale competenza in campo economico e la sua conoscenza delle lingue europee, poteva svolgere così bene quel lavoro. Ma Ronnie lo detestava, perché era il simbolo del suo primo desiderio frustrato. Tra i suoi amici era sempre stato un leader. Ora erano tutti nei campi di addestramento o all'estero, e lui era stato lasciato lì, ogni giorno più irrequieto e amareggiato. Non cercava neppure di nascondere l'invidia che provava per i soldati e i marinai e gli ufficiali subalterni. Negli ultimi tempi non era riuscito a celare nemmeno la sua ostilità per gli ufficiali superiori, a cui attribuiva la colpa dei rigidi regolamenti che lo avevano escluso. Gli piaceva sottolineare che tutti i grandi comandanti della storia al momento delle loro maggiori imprese oggi sarebbero stati classificati inabili: Cesare epilettico; Nelson senza una gamba e un occhio; Napoleone tormentato dall'ulcera gastrica. Eppure, aggiungeva, nessuno di loro era mai stato sorpreso a sonnecchiare come i nostri alti papaveri a Pearl Harbor!

«No, non sono esposto al pericolo». La sua voce era minacciosamente pacata. «Ma mi arrivano molte cose all'orecchio. L'UES lavora con varie branche dell'Intelligence».

«Ah, sì?». Alison non aveva mai saputo esattamente in che cosa consistesse il lavoro di Ronnie.

«"Economia Strategica" significa osservare i mercati mondiali per vedere che il nemico non si procuri materie prime per la produzione bellica da noi o da paesi neutrali. I rapporti dei nostri agenti nei paesi neutrali, nei paesi occupati e persino nei paesi nemici arrivano in continuazione sulla mia scrivania. Non chiediamo a questi uomini in che modo si procurano le informazioni, basta che se le procurino. Esattamente come la polizia non chiede a un informatore come sa quello che sa, basta che lo sappia. Tutti quegli agenti mettono a repentaglio la vita tutte le ore di tutti i giorni. Alcuni di loro perdono ogni considerazione per la vita degli altri. Noi, che dobbiamo la nostra libertà a questa loro perdita di umanità, non abbiamo il diritto di condannarli. Io li ammiro ma… non voglio vederti immischiata con loro. Il gioco è troppo duro».

«Che cosa diavolo intendi dire?».

«Il colonnello Armstrong ti ha chiesto se sei mai stata in Germania».

«Hai sentito anche questo?». Alison era stupefatta.

«Sono venuto alla porta quando eravate sulle scale. Non mi piace, Alison; non mi piace per niente. Abbiamo solo la sua parola che non ha trovato il cifrario nello studio di zio Felix. Può averti interrogata con l'unico scopo di scoprire quanto ne sapevi. Sai chi è Carlo Freschi?».

«No. Dovrei?».

«Forse no. Non c'era molto su di lui nei giornali. Era un operatore radio italiano che lavorava per una compagnia aerea di Roma su una rotta tra il Portogallo e il Brasile, prima che il Brasile entrasse in guerra. La madre era americana. Lui aveva letto Croce e deciso che non approvava il fascismo, ma i suoi superiori fascisti non lo sapevano. I tedeschi usavano quella linea per far uscire diamanti industriali e altra merce di contrabbando dal Brasile. Freschi aveva accesso a uno dei cifrari tedeschi. Uno dei nostri agenti lo convinse a darlo a noi. La Gestapo si mise sulle sue tracce. Terrorizzato, si rivolse al nostro uomo. L'agente gli procurò un passaggio su una nave che andava dal Brasile a New York. Non raggiunse mai New York. Finì in mare. Un incidente, secondo il diario di bordo».

«E invece non fu un incidente?».

«Tu cosa credi?».

«Credo che un uomo della Gestapo l'abbia fatto fuori…».

«Questo è quello che diciamo noi. Sai che cosa dicono i tedeschi?».

Alison scosse la testa, così senza fiato da non riuscire a parlare.

«Dicono che lo abbiamo fatto fuori noi».

Lei ritrovò la voce. «Che menzogna mostruosa!».

«Lo è?».

«Deve esserlo».

«Non saprei. Ma non posso fare a meno di chiedermelo... Vedi, dal nostro punto di vista Freschi sapeva troppo. Sapeva chi erano i nostri agenti in Brasile. Conosceva altre cose, tra cui uno dei nostri cifrari. La Gestapo gli avrebbe tirato fuori tutto se lo avesse preso. Aveva parenti in Italia che avrebbero potuto arrestare. Non era un uomo coraggioso. Lo aveva dimostrato tagliando la corda».

«Ma *noi* non avremmo mai...». cominciò Alison sdegnata.

«Ah, no?». Ronnie la interruppe bruscamente. «Potendo salvare una decina di altre vite, per noi più importanti della sua? È una decisione che sul campo di battaglia un generale deve prendere dieci volte al giorno: una vita contro venti o cento. Tu non capisci che cos'è la guerra. Noi la guerra non l'abbiamo chiesta, ma ora che ce l'abbiamo dobbiamo giocare sporco quanto i nostri nemici pur di salvarci la pelle».

«Non ci credo! Noi non siamo come loro!».

«Non parlare come una bambina. Se un uomo sta cercando di ammazzarti con tutti i mezzi a cui può ricorrere – se sta cercando di cavarti gli occhi e di trasformarti i reni in un ammasso sanguinolento – tu reagisci con tutti i modi possibili, per quanto sporchi. Se sei un soldato e puoi evitare che cento dei tuoi uomini vengano fatti a pezzi dalle mitragliatrici pugnalando alle spalle una sentinella, la pugnalerai alle spalle in quattro e quattr'otto come sgozzeresti un maiale. La guerra sulle linee del fronte è questo. E per gli uomini che chiamiamo agenti non ci sono linee del fronte. La loro guerra è dappertutto».

Alison taceva, ripensando agli occhi spietati e irrequieti del colonnello Armstrong che le erano parsi così alieni la prima volta che l'aveva visto.

«Vorrei che zio Felix non si fosse fatto coinvolgere in questa faccenda». Le sopracciglia si erano nuovamente avvicinate. «È una cosa poco sana per i dilettanti... E sai qual è un'altra cosa che mi disturba? Come hanno fatto le agenzie di stampa a sapere *così presto* che zio Felix era morto? Il telefono è squillato quando il dottor Denby era appena uscito di casa. Come se i giornalisti fossero accampati davanti alla porta, tutti pronti, in attesa che succedesse qualcosa!».

Se l'intenzione di Ronnie era quella di far vacillare il senso di sicurezza di Alison, c'era riuscito in pieno. «Che cosa pensi che dovrei fare?», gli domandò.

«Dimenticati di aver mai sentito parlare di un cifrario. Dimenticati del colonnello Armstrong. Va' ad Aultonrea. e...». I suoi occhi trattennero quelli di lei con la loro brillante intensità. «E non dire a nessuno dove stai andando».

4

IL PRIMO GIORNO

Il treno stava correndo lungo il fiume quando Alison chiuse gli occhi. Quando li riaprì vide che stavano procedendo in una galleria di foglie, gialloverdi al sole, verdeazzurre nell'ombra. Un terrapieno nascondeva ogni altra cosa. Il rumore monotono del treno in corsa si frazionava nei suoni che lo componevano: lo stridore delle ruote, il sibilo del vapore, la vibrazione del metallo e del vetro. Rallentò, si scosse, e si fermò completamente. Silenzio. Fiori di carota selvatica e steli di coda di topo spuntavano lungo il ciglio ghiaioso. Perché si fermava in mezzo a un bosco? Un guasto alle macchine? Si accigliò contrariata. Non voleva arrivare ad Aultonrea con il buio.

«Scende a Fernwood?». Il controllore si appoggiò alla poltrona accanto.

«Sì».

«Farebbe meglio a sbrigarsi». La sua cadenza strascicata non trasmetteva il minimo senso di urgenza. «È questa. E ci fermiamo solo due minuti».

Cappellino di sbieco su un occhio, giacca penzolante appoggiata sulle spalle, borsetta in una mano e guanti nell'altra, fece di corsa il corridoio. Il controllore aveva la sua valigia. La gettò dallo sportello. Lei scese gli alti gradini fino a un tracciato di sassi tra i binari e il terrapieno. Tre vagoni più avanti stava una banchina di legno senza tettoia. Nessuna traccia di un facchino o del capostazione. Nessun altro passeggero scendeva dal treno. Dietro la banchina, un uomo stava scaricando alcune casse dal carro-bagagliaio. Un fischio. La locomotiva tossì una volta, poi un'altra, e poi ancora, a intervalli più brevi. Lei gridò. «Ho un cane nel bagagliaio!».

Il controllore indicò lungo i binari. L'uomo dei bagagli stava facendo scendere una ispida forma nera da cui pendeva un guinzaglio. Legò la cinghia a una delle casse che aveva scaricato e tornò con un salto sul vagone. Si sentì di nuovo il fischio. Alison si mise a correre. I colpi di tosse della locomotiva si trasformarono in un rimbombo continuo e il treno si mise in movimento sferragliando, agitandole la gonna con lo spostamento d'aria. Argo fece un balzo scostandosi dal frastuono. Per fortuna il guinzaglio resse allo strappo. L'ultimo vagone rimpicciolì lungo le rotaie fino a sparire dietro una curva con uno scrollone, come scodinzolando.

Di nuovo silenzio. Ripide pendici alberate da ogni lato. Non un segno di un taxi o di un telefono pubblico. In pochi secondi era stata catapultata dal treno – piccola città in movimento dotata di tutti i comfort della civiltà – alla natura più selvatica. Aveva dimenticato quanto silenzio potesse esserci tra i boschi.

Si sedette su una cassa, cercando di tranquillizzare Argo mentre riprendeva fiato. Attraverso lo schermo delle foglie giunse il brontolio della marcia bassa di un motore. Una strada sterrata dietro la banchina si inerpicava tortuosa attraverso i boschi. Si alzò sperando in un taxi, ma fu uno snello furgone dal profilo aerodinamico quello che vide avanzare sotto i bassi rami degli alberi per poi fermarsi al lato della piattaforma di legno. "Varesi e Figli, Coloniali di qualità", dicevano le lettere nere sullo smalto grigio della fiancata. Un uomo alto in calzoni di cotone, maglione e berretto scese dal posto di guida e si diresse verso le casse da imballaggio.

«Sa dirmi dove posso trovare un taxi?».

L'uomo si fermò. Lei vide un volto dall'espressione grave, abbronzato, il naso a becco, gli zigomi alti e le guance scavate. Gli occhi erano nascosti dall'ombra della visiera del berretto. Riusciva a coglierne il luccichio, non il colore o l'espressione. Le labbra sottili si mossero rigide come contrariate dallo sforzo muscolare di dar forma alle parole. «Non ce ne sono».

Alison lo guardò più attentamente. L'uomo non mostrava di averla riconosciuta. Lei era sicura di non averlo mai visto, eppure... era altrettanto sicura di averne già sentito la voce. Perché avrebbe dovuto ricordare una voce e dimenticare un nome e una faccia? Certo, erano tante le cose che aveva dimenticato di Fernwood. Non aveva neppure riconosciuto la stazione quando il treno si era fermato.

Un pensiero improvviso la colpì. «Questa è la stazione di Fernwood, giusto?».

«Sissignora». Di nuovo le labbra si mossero riluttanti, come se parlare fosse doloroso.

«Devo andare ad Aultonrea. Quel cottage che sta a quattro miglia dopo Little Clove. Dieci miglia da Fernwood. C'è una corriera?».

«Una al giorno. Già passata».

Alison guardò le ombre che si allungavano. «Vorrei arrivarci prima che si faccia buio. Potrebbe darmi un passaggio fino a un garage? Le pagherò la tariffa normale del taxi».

Il viso dell'uomo rimaneva impassibile come un piatto di rame. «Posso portarla a Little Clove. Io sto andando lì. Cinque dollari».

«Oh, sarebbe un grande aiuto». Era tale il sollievo che non badò al fatto che i taxi di Fernwood di solito prendevano due dollari per quel tragitto.

«Sua?».

Lei annuì. Lui prese la valigia, la infilò nel retro del furgone. Le casse la seguirono. Si infilò dietro al volante. Lei salì dall'altro lato e prese Argo in grembo. Mentre il veicolo faceva retromarcia e girava, lei diede un'occhiata furtiva al profilo dell'uomo. Sembrava l'indiano che stava sui vecchi penny. Nessuno avrebbe potuto dimenticare un viso così caratteristico. Era sempre più sicura di non averlo mai visto. Eppure era altrettanto sicura di averne sentito la voce – chissà quando, chissà dove. Il problema continuava a rigirarle nella mente.

«Lei ha conosciuto mio zio, Mr Mulholland, quando viveva ad Aultonrea?».

«Nossignora».

Il motore protestò rabbioso quando il furgone affrontò un tratto particolarmente ripido.

«Mio cugino è stato qui due anni fa. Forse ha conosciuto lui?».

La visiera del berretto rispose negativamente. Il camioncino raggiunse la cresta della collina, svoltò su una strada in piano, asfaltata, e prese velocità. Il villaggio di Fernwood fu un lampo di negozietti e sgargianti cartelloni pubblicitari. Poi i boschi si chiusero di nuovo su di loro.

«Strano», disse Alison. «Di Fernwood non ricordo assolutamente nulla. Eppure sono stata ad Aultonrea tre anni fa».

«A quel tempo la ferrovia arrivava a Little Clove. Forse era scesa lì».

Il ricordo la raggiunse improvviso. «Era quello il nome della stazione!».

«Ce l'abbiamo ancora la stazione a Little Clove. Ma niente binari».

«Come mai la ferrovia non ci arriva più?».

«Non conveniva. Troppa gente ci veniva in macchina. Allora l'azienda ha tirato via le rotaie. Ora c'è il razionamento della benzina. La gente non ci viene più in macchina e però non ci sono più nemmeno i treni. Il posto è morto. Gli alberghi chiusi. I cottage deserti».

Era il discorso più lungo che avesse fatto, e più lei ascoltava più si convinceva di aver già sentito da qualche parte quella voce svelta e aspra. «Lei faceva le consegne ad Aultonrea tre anni fa, quando io ero lì?».

Pensò che non le avrebbe risposto. Gli occhi che lei non poteva vedere erano fissi sulla strada davanti a loro. Alla fine le labbra si mossero. «Nossignora. Tre anni fa vivevo in montagna».

Non spiegò altro. Lei cedette al contagio del silenzio. Aveva sentito parlare di *déjà vu*, la sensazione irrazionale di aver già visto un luogo sconosciuto, di aver già vissuto una situazione. Poteva esistere anche un *déjà entendu*, l'analoga illusione di aver già udito da qualche parte un suono ignoto?

Si lasciarono il bosco alle spalle passando su uno spazio aperto di terreno irregolare da pascolo. Davanti a loro una catena di monti, ammassati come una successione di fortezze contro il cielo, sembrava bloccare la strada. Svoltarono entrando in una stretta gola chiusa tra due ruvide pareti rocciose. Ora stavano salendo lungo una cornice scolpita sul fianco della montagna. A sinistra la roccia saliva nuda per decine di metri. A destra scendeva a strapiombo dal ciglio della strada in un burrone mascherato dalle felci. L'uomo scalò la marcia mentre superavano un tornante dopo l'altro, ognuno più scosceso del precedente.

«Capitano molti incidenti su questa strada?», azzardò Alison.

«Un sacco». Come al solito, non diede particolari.

La strada fece un'altra curva a gomito e si mise in piano. Avevano raggiunto la cima di un monte. In basso si vedeva una manciata di case bianche sparse a casaccio in una valle che l'ombra riempiva fino all'orlo. In basso, a ponente, il cielo azzurro attraversava per gradazioni impercettibili i toni chiari di verde e giallo. La catena montuosa al di là della valle nuotava in un mare di luce dorata. I raggi radenti dell'ultimo sole mettevano in evidenza uno per uno gli alberi sul fianco del monte ciascuno nel suo piccolo contorno d'ombra. A quella distanza l'effetto era quello di un fregio di alberi incisi in bassorilievo su un grande muro verde.

«Little Clove!», esclamò Alison. «Be', non è cambiata neanche un po'!».

«Adesso dove si va?», domandò il conducente.

«Se potesse accompagnarmi dove posso noleggiare un'auto...».

«Forse è meglio che la porto nel posto dove sta andando». Anche adesso parlò senza voltare la testa. «Da che parte?».

«Vada dritto attraverso il villaggio e prenda la strada che sale verso la montagna. Le dirò io dove fermarsi».

Alison avvertì un gelo improvviso mentre si immergevano nell'ombra della valle. La discesa era così ripida che l'uomo dovette nuovamente cambiare marcia. Una grezza staccionata di tronchetti cintava la strada sopra il burrone. A una svolta stretta la ruota posteriore sfiorò lo steccato. Alison guardò in basso. Giù, giù, un filo d'acqua correva tra i massi frastagliati.

«Bel salto», mormorò.

«Neanche tanto». Il suo tono era uniforme. «Saranno centocinquanta metri».

Gli lanciò una rapida occhiata. Non c'era il minimo sorriso sulle sue labbra. Ancora quattro dita e la ruota posteriore sarebbe finita oltre il ciglio. Quell'uomo era completamente privo di immaginazione? O per un montanaro un salto di centocinquanta metri era cosa di tutti i giorni? Come attraversare la Quinta Avenue col rosso per un newyorchese?

Il ruscello incrociava il villaggio ad angolo retto rispetto alla strada. Un ponte di legno tremò sotto le loro ruote mentre passavano ad andatura sostenuta. Cinque o sei metri più sotto l'acqua scura spumeggiava in un bacino roccioso.

Di nuovo Alison tentò di imbastire una conversazione. «Dev'essere vecchio, questo ponte».

«E anche debole». Fece una pausa, come se stesse valutando se fare o meno lo sforzo di andare avanti, poi aggiunse laconico: «Ha solo tre gambe. Per questo sono passato veloce».

Anche questa volta lo guardò per capire se scherzasse, ma la sua espressione era indecifrabile. Forse le montagne dispensano parte della loro immobilità alla gente che le abita?

Da vicino le case bianche erano malandate, ma ciascuna di loro sorgeva in mezzo a un ampio giardino che digradava fino al fiume, e ognuna aveva il suo piccolo pontile dove era ormeggiata una canoa o una barchetta a remi. Passarono in un lampo la "zona commerciale" di Little Clove – drogheria, benzinaio, edicola, bar e ufficio postale – qualche metro di Lexington Avenue sistemato nel cuore dei boschi. Nel punto in cui la strada si biforcava, Alison intravide per un momento un grosso edificio basso di un color giallo senape. Un manifesto malridotto annunciava *La Lega dei Superamericani*.

«Non c'era un cinema l'ultima volta che sono venuta qui», commentò lei.

«Quello lì non è un cinema». Il veicolo stava già arrampicandosi sulla montagna alle spalle del villaggio. «La vecchia stazione dei treni. Hanno lasciato che una manica di svitati la usasse come circolo».

«Quindi è il circolo che si chiama Lega dei Superamericani?», domandò lei.

«Si chiamava. Non ci sono riunioni da dopo Pearl Harbor».

«Ah, quel genere di svitati?».

Lui fece di sì con la testa. «Sempre a parlare di "giustizia cosmica", chissà poi che diavolo è».

Alison si voltò a guardare. Attraverso le cime degli alberi vide i tetti del villaggio addossati uno all'altro al piede della montagna su cui stavano salendo. L'unico tetto giallo spiccava come un foruncolo in suppurazione. Giustizia cosmica... Alison pensò che quella mentalità balorda, arrogante, appassionata di misteri che da anni andava proclamando che le opere di Shakespeare le ha scritte Bacone, che gli inglesi sono la tribù perduta di Israele, e che la risposta a ogni mistero dell'universo è nascosta nelle piramidi egizie, stava ora invadendo la politica. Ora in effetti le pareva di ricordare che una qualche "lega" di quella sorta aveva aperto sezioni in tutte le grandi città nel 1940 e nel 1941, ma non si era mai resa conto che questa malattia della politica si fosse diffusa in paesini montani remoti come Little Clove.

Fecero una curva e il villaggio fu escluso dalla vista. La strada continuò in piano per qualche centinaio di metri in mezzo a campi arati circondati dalle montagne. Giunti a una casa isolata lei esclamò: «Alt! Un attimo solo, per favore. Devo prendere le chiavi».

Al di là del piccolo cancello, un vialetto portava a una veranda chiusa dalle zanzariere. Dietro lo schermo scuro qualcosa si mosse. Alison raggiunse il cancelletto mentre la porta della veranda si apriva. Una donna le venne incontro con piglio sicuro lungo la stradina, una donna robusta, con un abito di cotone a fiori. Fece un cenno all'uomo al volante. «Ciao, Matt». Sorrise ad Alison. «Salve, Miss Tracey! È proprio un piacere rivederla!».

«Anch'io sono felice di vederla, Mrs Raines. Come sta?».

«Bene. Papà Raines, mio marito, le sta prendendo le chiavi. Abbiamo avuto il telegramma di Mr Ronnie questa mattina. Ci è dispiaciuto tanto di sapere di suo zio. Quello è il suo cane? Accidenti, quel cane quattordici anni deve averli tutti! Mr Ronnie non viene quest'anno?».

«Non credo. È a Washington, lavora per la guerra».

«Ci siamo tanto affezionati a Mr Ronnie quando è venuto qui, da solo, due anni fa». Di colpo qualcosa bloccò il flusso delle parole. I suoi occhi piccoli e un po' curiosi corsero al furgone e tornarono su Alison. «Non è venuta in macchina?».

«No».

«Se l'avessi saputo, papà e io saremmo venuti a prenderla alla stazione. Quest'anno di taxi non ce ne sono proprio». La sua fronte liscia si contrasse dandole un'inedita espressione ansiosa. «Se ne starà tutta sola, su in montagna?».

«Sì. A parte Argo». Alison accarezzò le lunghe orecchie del cane. «Sarà lui l'uomo di casa».

«Non le peserà la solitudine?».

«Non credo. Mio cugino è stato qui da solo, no?».

«S-sì. Ma lui aveva l'automobile e... per un uomo è un po' diverso».

«Mio zio non ha comprato lo chalet da una donna che ha vissuto qui sola per anni?».

«Miss Darrell? Sì. Ma lei era vecchia e poi lei...».

«E poi lei?».

La porta schermata si aprì di nuovo.

«Ecco papà Raines», disse Mrs Raines.

Un uomo corpulento di mezza età stava venendo lentamente per il viottolo. I suoi occhi erano allegri ma non sorrideva ad Alison. Ebbe la sensazione che sorrisi e facce cupe dovessero apparire ugualmente superflui a quel temperamento flemmatico e posato.

«Miss Tracey? Eccole le chiavi del cottage». Gliele depose nella mano. «Credo che lassù troverà tutto quello che le serve per stanotte. Mamma Raines ha fatto lei stessa le pulizie, ha messo le tendine e rifatto i letti. Abbiamo lasciato una latta di petrolio sulla veranda di levante e qualcosa nella ghiacciaia: dovrebbe bastare per uno o due giorni. Il telefono non è allacciato. Non ero sicuro se lo volesse o no».

«Oh, no, non credo che mi servirà». Alison stava pensando al costo. «Siete stati molto gentili a fare tutto questo per me. Ma mi faccia sapere quanto le devo. Come faccio per il ghiaccio?».

«Ci penso io, due volte alla settimana».

«E la spazzatura?».

«Dovrà bruciarla. C'è un inceneritore».

«Pa'!», intervenne Mrs Raines. «Lo sai che Miss Tracey è qui senza macchina? E che va a vivere nel cottage tutta sola?»,

«Ah, sì?». Ci voleva qualcosa di più del comportamento eccentrico della gente di città per alterare la monumentale gravità di Mr Raines.

«Mi sa un po' di... malinconico, per una ragazza...». La voce di Mrs Raines si spense incerta.

«Oh, non è detto», rispose Mr Raines. «Miss Darrell ha vissuto qui sola per anni».

«Ma Miss Darrell era una vecchia signora e dopotutto lei...».

Un'improvvisa, brusca occhiata di sottecchi del marito fermò la lingua di Mrs Raines. Se non l'avesse visto, Alison non lo avrebbe creduto capace di una simile rapidità.

«Cosa diceva di Mrs Darrell?», insisté.

Un tozzo polpastrello, arrossato da anni di piatti lavati, strofinò una stecca del cancelletto. «Oh, lei... aveva con sé una cameriera... fino a quell'ultimo anno...».

Alison ebbe la netta sensazione che non era quello ciò che Mrs Raines aveva cominciato a dire.

«Sono sicura che me la caverò anche senza cameriera», disse fermamente.

Mr Raines la guardò, gli occhi socchiusi contro il sole. «Se poi decide che invece il telefono lo vuole, basta che me lo faccia sapere. Può mandarmelo a dire da Matt. Immagino che le farà lui le consegne».

Alison si voltò a guardare Matt, che durante l'intera conversazione non aveva detto una parola. «Lei fa le consegne fin su in montagna?».

«Come no? Se non è più di uno o due miglia. Tanto fino dai Raines ci devo arrivare. Adesso dove?». Mise in moto.

«Sempre dritto». Alison stava risalendo al suo posto. «Le dirò io dove svoltare».

Il furgone seguitò a prendere una curva dopo l'altra, salendo a spirale sul monte per un altro miglio. Gli alberi si chiudevano su di loro da ambo i lati.

«Giri qui!», esclamò Alison.

Lasciarono la strada asfaltata per uno sterrato irregolare che attraversava il cuore del bosco. I massicci tronchi nodosi degli alberi si levavano come colonne, fila dopo fila, a sostegno del tetto di foglie. Il sottobosco ne nascondeva le radici.

«Ora a sinistra!».

Imboccarono una pista ancora più stretta, poco più di un sentiero, così ripida da sembrare quasi perpendicolare. Alison vedeva il fianco del monte come una mosca che cammini su una parete. Riusciva quasi a sentire l'attrazione trascinante della forza di gravità. Il piede di Matt era pronto sul pedale del freno. I rami bassi grattavano il tetto del furgone, frustavano il parabrezza.

«Eccoci!».

I freni stridettero. Una serpentina di gradoni scavati nel terreno e coperti di selci saliva a un cottage che dava l'impressione di essere arrivato in volo davanti a quella parete quasi verticale e qui essersi posato fortuitamente, come l'Arca che aveva posto gli ormeggi sul monte Ararat. E non era molto diversa da un'Arca giocattolo: squadrata, con un tetto a punta che spioveva sulle verande da tre lati, sollevati rispetto al terreno come pontili sull'acqua. Le tegole, chiazzate del grigio dei licheni, del verde del muschio e del marrone della terra, si fondevano con i colori degli alberi che si assiepavano così dappresso da ogni lato da far sembrare la costruzione una parte organica del bosco più che un'intrusione dell'artificio. Una bignonia non potata da due anni si gettava con le sue liane fiorite a coprire il portico occidentale come una cascata verde. Le erbacce cresciute a dismisura cancellavano ogni traccia del prato e delle aiuole. I boschi si andavano riappropriando di qualcosa che era sempre appartenuto a loro. In quel primo momento fu Alison stessa a sembrare l'intrusa. Non si muoveva foglia nel sole del tardo pomeriggio. Neppure il verso di un uccello spezzava quel silenzio incantato.

«*Né s'ode alcun uccello*», citò a mezza voce.

«È di mattina il momento che si sentono», rispose Matt, che prendeva sempre tutto alla lettera. Stava esaminando il posto con aria di scarsa approvazione. «Ci sono già stato in fondo a questa strada». Era la prima volta che faceva un commento di sua iniziativa. «Ma non ho mai saputo che c'era una casa quassù. Ci sono tante di quelle piante che dalla strada uno non la vede. Ha un'aria parecchio... solitaria».

«Oh, non mi sentirò sola!». Ad Alison sembrò che lo stesse dicendo per la centesima volta. Tirò il guinzaglio di Argo. Corsero insieme su per i gradini fino alla veranda. Parve che il silenzio rabbrividisse e si ritraesse dal rumore forte e sordo dei tacchi sul pavimento di legno. La grande chiave era arrugginita ma fece girare la serratura con un solo cigolio di protesta. I due battenti della grande portafinestra si spalancarono. Dopo l'aria intiepidita dal sole e profumata di pini all'esterno, quella dentro casa sembrò fredda, pesante e viziata.

«Lasci aperta la porta, per favore. Può mettere giù il bagaglio dove vuole».

Impassibile, Matt la prese in parola e scaricò la valigia accanto alla porta d'ingresso. «Io domani faccio il giro di consegne», annunciò. «Che cosa le serve?».

«Se aspetta un attimo guardo quello che c'è in cucina».

Attraversò l'ampio soggiorno, superò una porta a battente. La veduta dalla finestra della cucina era bloccata dal declivio erboso che saliva subito dietro la casa. Fece scattare il chiavistello della porta posteriore e l'aprì. Dall'arco della porta poteva vedere il prato che terminava in una fila di alberi contro il cielo.

Un rapido esame della dispensa le mostrò che Mrs Raines aveva provveduto solo al minimo indispensabile. Tornò in soggiorno, togliendosi cappello e giacca. «Avrò bisogno di parecchie cose. Due costolette di agnello. Un mazzo di asparagi. Una lattina di zuppa di pomodori. Mezzo litro di panna. Un cespo di lattuga. Un chilo di pesche. Biscotti per cani. Marmellata: di ribes, se ce n'è. E due pompelmi. Credo che sia tutto».

Solo dopo aver dettato l'ordinazione si rese conto che avrebbe potuto fare una scelta meno dispendiosa. I mesi passati all'eccellente tavola di zio Felix l'avevano viziata. La prossima volta, si ripromise, avrebbe ordinato cose molto semplici come… be', come le rape, che detestava.

Prese la borsetta. «Quanto le devo per il passaggio?».

«Sempre cinque dollari, anche se siamo andati più avanti di Little Clove».

In borsa c'erano solo pochi spiccioli. Aprì la lampo della tasca laterale della valigia dove teneva il resto dei trecento dollari che Ronnie aveva ritirato da Denby. Li aveva tenuti in biglietti da dieci perché a Little Clove non c'era la banca e sapeva che sul posto le sarebbe stato difficile cambiare banconote di taglio maggiore.

«Ha da darmi il resto?».

Matt non rispose. Lei alzò lo sguardo. Non stava guardando lei. Stava guardando il voluminoso rotolo di banconote che aveva in mano. Ventotto biglietti da dieci facevano un rotolo proprio grosso. Se uno non sa che tutte le banconote sono da dieci può pensare che quelli che ha davanti agli occhi sono un bel po' di quattrini. Il pomo d'Adamo di Matt andò su e giù mentre deglutiva. Si passò la punta della lingua sulle labbra.

«Magari potrà farseli cambiare in paese», suggerì Alison. «Così mi porta il resto domani. E si tenga un dollaro per il disturbo». Gli mise due biglietti in mano, ripose il resto nella valigia e chiuse la lampo.

«Grazie». Studiò i biglietti con attenzione, poi li ripiegò con il tocco carezzevole dell'uomo che ama il denaro in sé più ancora delle cose che quel denaro potrebbe procurargli. I suoi occhi erano ancora nascosti nell'ombra della visiera del berretto ma in quell'ombra lei vide un lampo. Pensò: *Adesso mi vedrà come una miniera d'oro! Forse un dollaro di mancia era troppo.*

«Lei ha conosciuto Mrs Darrell?», domandò Alison.

«Nossignora. Era prima che venissi qui. Ma ho sentito parlare di lei».

«E che cosa ha sentito?».

Qualcosa parve brillare molto al di sotto della superficie dei suoi occhi schermati. Era come guardare in uno stagno fangoso e vedere la sagoma di una trota guizzare per un istante, sobbalzando perché fino a quel momento non ci si era resi conto che là dentro c'era vita.

«Oh», biascicò lui, «niente di che».

«Miss Darrell è morta?».

«Nossignora». Di nuovo qualcosa si agitò dietro gli occhi. «Non è morta. Ci si vede». Girò sui tacchi.

Dalla veranda, Alison seguì con gli occhi il suo corpo lungo e agile scendere i gradini. Che strano tono aveva usato. *Non è morta.* Quasi come se pensasse che sarebbe stata molto meglio se *fosse* morta.

Il furgone si inerpicò fin quasi in verticale nel far manovra sul ripido tratto del sentiero, spingendo il muso sotto i rami bassi come un grosso lucido coleottero che striscia tra i fili d'erba. In fondo al viottolo il veicolo si arrestò un istante mentre Matt cambiava marcia, poi svoltò e sparì dietro gli alberi che nascondevano la strada. Per qualche momento il rumore del suo transito le giunse portato dall'aria immobile della montagna. Poi anche quel suono sfumò in lontananza e lei si trovò sola nel silenzio assolato e senza vento di una perfetta giornata estiva.

Fece un profondo respiro. Tutti gli egocentrici piaceri dell'eremitaggio erano ormai a sua disposizione. Poteva prendersi la camera da letto migliore della casa e la pesca più grande del piatto senza perdersi in sciocchezze su riguardi e buone maniere. Che cantonata aveva preso l'uomo quando era diventato un essere sociale e barattato l'innocente egoismo dell'animale per i dubbi privilegi della cooperazione e della competizione! Di certo era la solitudine a fare dell'Eden un paradiso, ed era la società, non la conoscenza o la fatica, a fare della terra un inferno. Se fosse arrivata Eva per prima nel giardino dell'Eden, non avrebbe mai commesso il terribile errore d'Adamo di chiedere compagnia.

Mentre si voltava verso il soggiorno, lo sguardo di Alison cadde su Argo. «Finalmente soli!».

Il cane scodinzolò e lasciò ricadere le orecchie come tremila anni prima aveva fatto il suo omonimo predecessore al suono della voce di Ulisse.

«Chissà cosa dirà Ronnie quando scoprirà che alla fine ti ho rapito!».

Argo si mosse verso di lei. Una sedia, uno sgabello e un tavolo stavano sulla sua strada. Passò rasente a ognuno dei mobili. Lei gli mise la mano sotto la gola di seta, guardò nei suoi occhi offuscati. «Come fai a trovare la strada se non vedi un bel niente? Procedi a memoria?».

Argo si sedette con un piccolo tonfo sul pavimento.

«O forse un pochino ci vedi?».

Prese i fiammiferi dalla borsetta e ne accese uno. Portò la fiammella a poca distanza dagli occhi del cane. Lui allungò il collo in quella direzione, arricciando il naso. Sentiva l'odore del fosforo che bruciava, percepiva il calore, ma la luce non produsse alcuna reazione nelle pupille o nelle palpebre. Era completamente cieco.

Lei soffiò sulla fiamma, lasciò cadere i resti carbonizzati del fiammifero in un portacenere. «Adesso organizziamoci per la pappa».

Argo dimenò il posteriore e la coda si agitò più rapidamente, come se avesse imparato a connettere il suono "pappa" con la sensazione estatica del gusto.

Per fortuna nella cucina a petrolio non c'era un forno che la tentasse a compiere azzardati esperimenti culinari. Mentre l'acqua per le patate bolliva esplorò la casa, aprendo ogni porta e ogni finestra. Quattro camere da letto, due bagni, corridoio e cucina erano disposti a L sui lati occidentale e settentrionale dello chalet. L'angolo interno della L era occupato dal grande soggiorno, con le finestre esposte a est e a sud. Al piano di sopra c'erano due camere mansardate e un locale di deposito. Fuori, sotto i gradini della veranda, una porta conduceva allo spazio chiuso ricavato sotto il portico anteriore, dove venivano riposti gli attrezzi da giardino e la legna. Scelse la camera nell'angolo sudovest della casa – l'unica altra stanza che condivideva con il soggiorno l'esposizione a mezzogiorno – e tolse dalla valigia le poche cose che aveva portato con sé.

Ora che il sole e l'aria fresca entravano nelle stanze Alison cominciò a sentirsi come se stesse campeggiando all'aperto. Con tutte le porte e le finestre aperte, il cottage era quasi una casa senza mura e il tetto sembrava poco più consistente di una tenda o dell'intreccio delle chiome degli alberi nel fitto del bosco. A differenza di molte case, questa semplicemente non riconosceva il confine tra dentro e fuori. Le foglie secche finivano sul pavimento svolazzando attraverso le finestre aperte. Gli insetti entravano e uscivano con la libertà con cui strisciavano o volavano per i boschi. Ancora una volta ebbe la curiosa sensazione che il cottage fosse una parte organica del bosco, condividendo lo spirito delle forme di vita selvatica che si nascondevano silenziose nei loro nidi e nelle loro tane.

Aveva pensato di cenare in soggiorno. Ma uscendo dalla cucina il suo sguardo fu richiamato dalla porta d'ingresso. Incorniciava una scena ferma e composta come un quadro di paesaggio: le montagne a onde successive, a perdita d'occhio, immense e immobili contro un cielo in cui l'oro stava mutandosi in rame. *La tua porta di casa si apre sull'infinito*: una fantasticheria a New York, qui un'ovvietà.

Portò fuori il vassoio, al tavolo della veranda. Il cielo a ponente era come se un invisibile pittore avesse spruzzato una goccia di pigmento rosa su un acquerello di celesti e gialli mentre la carta era ancora umida. Rapido come una vampa il nuovo colore si insinuava in ogni cosa, cambiando l'azzurro in lavanda, il lavanda in lilla, il lilla in viola. Persino le torpide montagne furano toccate dalla magia per un momento. Questo le riportò alla mente ricordi del monte Imetto e di Atene, "città coronata di violetto". Quante volte aveva sentito zio Felix dire che fu proprio all'ora del tramonto, quando la luce sull'Imetto si fa viola, che Socrate bevve la sua cicuta.

Improvvisamente il rosa scomparve, le montagne si appiattirono scure contro il cielo che sbiadiva. Nella mezza luce gli alberi lungo il viottolo apparivano grigi e immateriali come un bosco incantato. A quell'altitudine ogni illusione di calore andava via con il sole. Alison tornò in soggiorno e avvicinò un fiammifero ai tronchetti di betulla che Mrs Raines aveva sistemato nel focolare. Argo si distese sul tappeto davanti al camino dove poteva sentire il riverbero del fuoco.

In cucina era già buio. Accese una lampada a petrolio perché le facesse luce mentre lavava i pochi piatti, quindi la portò in soggiorno. Le ombre sui pannelli di legno di pino alle pareti replicavano la danza delle fiamme nel focolare e riempivano la stanza di un movimento silenzioso. La porta di casa aperta inquadrava il fianco scosceso della montagna, nero sullo sfondo del cielo blu carico, punteggiato di stelle. Mentre si scaldava le mani fredde davanti al fuoco i suoi occhi si posarono sulla mensola della cappa del camino.

Sulla lastra di pietra sgrezzata a scalpello facevano mostra di sé oggetti raccolti da zio Felix nel corso dei suoi viaggi. Un frammento di vaso proveniente dal cumulo del campo di battaglia di Maratona dove, ancora adesso, i viandanti notturni affermavano di udire le grida dei soldati e lo scontro degli eserciti. Un vaso minoico dipinto che mostrava una processione di giovani sacerdotesse, il seno scoperto al di sopra dei vitini di vespa e delle sottane svolazzanti, con serpenti vivi che si contorcevano intorno alle loro braccia flessuose.

Secondo zio Felix il fascino dei greci stava nella loro miscela di sofisticato intellettualismo e ingenua superstizione. Non va mai dimenticato, diceva sempre, che a separare lo stato selvatico dal periodo della loro massima civiltà c'era solo qualche generazione. Molto tempo dopo l'epoca di Platone, la venerazione di Zeus-Licaone nell'arretrata Arcadia contemplava rituali di cannibalismo. Quegli dei che avevano ispirato le più alte espressioni mondiali di poesia e scultura mostravano nei loro attributi originari di corna e zoccoli quanto recentemente il pensiero greco fosse emerso dal culto totemico degli animali. Persino quegli dei che gli scultori greci raffiguravano come totalmente umani avevano ciascuno il proprio epiteto zoologico, indice della sua origine totemica: Poseidone il Cavallo, Zeus il Lupo, Dioniso il Toro.

E lì, all'estremità della mensola, si trovava una delle divinità più antiche, metà umana e metà animale.

Alison esaminò attentamente la piccola immagine. La statuetta era alta poco meno di trenta di centimetri, scolpita nel lattiginoso marmo pario che non ingiallisce con il tempo perché non contiene ferro. Rappresentava un ragazzo dal corpo snello, completamente nudo ma in qualche modo non indecente. Era uno choc per l'occhio, seguendo la linea elegante delle cosce e delle gambe, vederle terminare in un paio di polpacci irsuti e negli zoccoli fessi della capra o dell'ariete o del toro. Il suo volto era vivido, vigile, senza sorriso.

Sfiorò delicatamente la superficie patinata dal tempo, liscia come cera. «Sembri così giovane», bisbigliò. «Ma sei tanto, tanto vecchio. I tuoi zoccoli sono quelli di un toro? O di un caprone? Sei Dioniso, dio del vino e dell'estasi, del dramma, della resurrezione? O Pan, dio dei boschi e delle montagne, del bestiame, della musica?».

Il ciocco di betulla nel focolare mandò uno schiocco sonoro e una spruzzata di faville rosse si sparse sul tappeto. Argo tirò su la testa. All'ondeggiare delle fiamme un'ombra obliqua attraversò rapida il volto del dio. Per un attimo parve che sorridesse.

C'erano due librerie, da una parte e dall'altra del camino, e altri libri sul tavolo. Zio Felix viaggiava sempre con le valigie piene più di libri che di indumenti. Scorrendo i primi scaffali vide che erano tutti testi greci. Si trovava dunque isolata lassù per tutta l'estate con nient'altro da leggere se non la biblioteca di un grecista? Se solo avesse pensato di portare con sé qualche libro! Se del greco moderno conosceva il minimo indispensabile per poter chiedere acqua calda e asciugamani negli alberghi di Atene e Candia, quel poco di greco antico che aveva studiato a suo tempo era ormai bell'e dimenticato. Dei libri sul tavolo raccolse il primo che vide stampato in inglese. Era una guida alla Creta moderna.

Mentre si sistemava in una poltrona tra la lampada e il fuoco il libro si aprì a pagina 103, come se fosse stato aperto molte volte in quel particolare punto. Il secondo paragrafo della pagina era segnato con una linea verticale tracciata a matita lungo il margine:

> *Molti, per quanto entusiasti possano essere della vita in campagna durante il giorno, cadono nella malinconia all'approssimarsi del buio. Il fioco lume della fumosa lucerna a petrolio, il verso del gufo, i pipistrelli che svolazzano qua e là, il silenzio che avvolge tutto li induce a desiderare la luce elettrica e la gaiezza delle città...*

Sollevò gli occhi. La sua lampada a petrolio non faceva fumo. Non c'era traccia di un solo pipistrello, nessun verso di gufo, ma effettivamente il silenzio notturno, lì, sembrava di un'intensità insolita. Anche nei sobborghi cittadini relativamente tranquilli c'era sempre qualche sporadico rumore: i tacchi di un passante, il rombo di un'auto in transito, il cicaleccio della radio di un vicino, le voci di un gioco di bambini. Lì invece c'era una tale assoluta assenza di suoni che ci si trovava a tendere l'orecchio per cogliere un rumore, uno qualunque, per quanto fievole, con la sensazione irrazionale che il silenzio fosse fatto per essere rotto, che qualcosa prima o poi dovesse spezzarlo.

Abbassò di nuovo lo sguardo sul libro. Chi aveva segnato quel passo? E perché?

Certo non Zio Felix. Lui aveva un riguardo quasi maniacale per l'integrità fisica di un libro. Per lui sottolineare un paragrafo, strappare una pagina, scribacchiare appunti sui margini erano tutti atti vandalici. Andò al frontespizio. Il libro era stato pubblicato nel 1906. La pagina precedente si voltò e lei si trovò il risguardo davanti agli occhi. L'inchiostro ormai sbiadito tracciava le lettere in una grafia sottile come una ragnatela. *Sophia Darrell, giugno 1907.*

Alison tornò al paragrafo segnato. Il tratto di matita appariva vecchio e impallidito. Erano passati più di dodici anni da quando Miss Darrell viveva lì...

Alzò di nuovo gli occhi. La notte era tutt'intorno al cottage, premeva contro porte e finestre come uno spirito maligno tenuto a bada solo dal cerchio magico della luce della lampada. Si alzò e andò alla porta. Sotto il cielo stellato i boschi erano immersi in un'oscurità così impenetrabile che sembrava qualcosa di positivo, non negativo: non la semplice assenza di luce, ma la presenza di qualcos'altro, vigile e in attesa, che poteva passare all'azione da un momento all'altro. Le venne la strana idea che qualcuno la stesse osservando dal nero del bosco. Guardando dalla luce verso il buio non poteva vedere nulla, mentre chiunque stesse osservando dall'oscurità verso la luce poteva distinguerla perfettamente, lì sulla soglia, una traccia evidentissima nel flusso pieno che irradiava dal camino e dalla lampada. Le porte e le finestre che aveva lasciato aperte per permettere al sole di entrare in casa la facevano sentire esposta e vulnerabile ora che il sole se n'era andato, e non le era più possibile vedere ciò che si trovava al di là di quelle porte e di quelle finestre quando guardava fuori.

Con gesti misurati chiuse entrambi i battenti della porta anteriore e fece scorrere l'antiquato catenaccio. Andò alla porta sul lato orientale e chiuse anche quella. Passò in cucina, accostò e chiuse con il catenaccio la porta posteriore. Fece anche il giro delle camere da letto, richiudendo le finestre orientate a nord e a ovest. Rimanevano solo quelle del soggiorno esposte a sud e a est, e la finestra a sud e la porta a ovest della camera da letto adiacente. Queste le lasciò aperte per far passare l'aria. La porta a ovest nella camera era protetta da una zanzariera con un gancio all'interno. Dava su una veranda da riposo che distava quasi due metri dal terreno sottostante, priva di scalini o di altre vie d'accesso dall'esterno.

Tornata in soggiorno, esaminò i libri sul tavolo cercandone uno abbastanza noioso per farla addormentare. *Aneddoti delle selve – I miei vent'anni nell'industria neozelandese del legname* di Archibald Williamson, Auckland, 1909, si presentava soporifero almeno quanto una camomilla. Forse era stato pubblicato a quello scopo. Difficile immaginare qualche altra ragione per darlo alle stampe. Mentre leggeva sorrise all'idea di come cambiassero le mode letterarie. Oggi il libro sarebbe stato intitolato *Ho abbattuto alberi* o *Ho vissuto tra i Maori* e avrebbe avuto la patinata rifinitura di un revisore professionista, ma nel 1909 Mr Williamson era stato lasciato libero di farneticare a volontà con quel suo stile grezzo, dando fiato ai suoi pregiudizi e illustrandoli con fiacchi fatterelli tirati per le lunghe. Le lettere sulla pagina cominciavano a confondersi e le sue palpebre ad appesantirsi… quando, d'un tratto, si ritrovò completamente sveglia. Era arrivata a un altro passaggio leggermente evidenziato con un tratto di matita verticale:

Uno dei membri più simpatici del Circolo dei Viaggiatori era Henry Fellowes, per gli amici Harry, che aveva vissuto molti anni in una piantagione di alberi della gomma in Malesia. Più volte ho cercato di convincere Harry ad accompagnarmi nei miei giri dei campi dei boscaioli ma lui s'è sempre rifiutato. La muta staticità delle foreste della nostra grande Nuova Zelanda lo opprimeva con un'irrazionale sensazione di paura non lontana dalla claustrofobia. Avrei prestato scarsa attenzione a questa bizzarria se non fosse stata condivisa da tanti dei nostri esploratori. In tutti i miei anni di mercante di legname non sono mai riuscito a indurre una di queste guide a rimanere nella selva per più di tre giorni di seguito. Loro compito era inoltrarsi da soli nella foresta vergine tracciando una pista e contrassegnando gli alberi che i taglialegna avrebbero poi abbattuto. Se ogni esploratore fosse stato disposto a rimanere sul territorio per una settimana o dieci giorni, i costi di produzione si sarebbero ridotti sensibilmente. Ma si rifiutavano di farlo anche davanti alla promessa di un salario più alto. Benché tutti uomini robusti, abituati alla vita all'aperto, in piena salute e di saldo intelletto, adducevano scuse degne di esteti neuropatici. «Non sopporto il silenzio», e «Dopo tre giorni comincio a sentire delle cose». Neppure lo scherno riusciva a farli vergognare tanto da sottrarsi a queste debolezze. Era una paura assurda, come quella di un bambino per il buio, eppure costava a tutte le compagnie del settore considerevoli somme che si sarebbero potute impiegare in maniera più produttiva...

Alison chiuse il libro. Il silenzio primordiale di quelle foreste vergini in Nuova Zelanda non poteva essere più assoluto di quello che incombeva sui boschi che la circondavano adesso. *Non sopporto il silenzio... Comincio a sentire delle cose.* Che cos'avevano sentito nel silenzio, questi uomini sani, equilibrati? E chi aveva segnato questo passo peculiare su cose che si sentivano nella solitudine dei boschi? Aprì il libro al risguardo. Di nuovo vide la ragnatela di quella firma: *Sophia Darrell.*

Il fuoco era un mucchietto di braci rosse fumiganti sotto un ceppo carbonizzato. Ridusse in cenere la brace con l'attizzatoio, spinse il ciocco in fondo al focolare e rimise al suo posto il parascintille. Accese una candela, girò la manopola della lampada a petrolio e soffiò nel tubo di vetro spegnendo la fiammella azzurrina. Chiuse le finestre del soggiorno e portò la candela accesa nella camera da letto. Argo saltò sul letto, ai piedi, e si accucciò sistemandosi per la notte.

Faceva freddo in quella stanza, dove non c'era stato il fuoco. Tirò la tendina davanti alla finestra a sud per la forza dell'abitudine, si svestì in fretta, e spense la candela con un soffio mentre si coricava.

La sonnolenza si fece strada nella sua mente, lenta come una torpida marea, rilassante come un bagno tiepido.

Anche in stato di sonno, il corpo di un individuo che appartiene a una specie che ha dovuto combattere per farsi strada lungo la scala dell'evoluzione in un ambiente ostile non è mai completamente privo di conoscenza. L'oscurarsi della mente pensante non influisce su quell'altra mente, più antica del pensiero, che regola il battito cardiaco e la temperatura e il respiro e presiede ai sogni. Quando gli occhi sono chiusi esso pone le sue sentinelle nelle membrane e nei delicati labirinti minutamente equilibrati delle orecchie, che sono sempre svegli e sensibili ai suoni entro la loro gamma di vibrazioni. Un minimo fremito dei timpani... e Alison si svegliò trovando il proprio corpo già mobilitato in difesa. Già ogni muscolo era teso, ogni nervo pronto a ricevere sensazioni o a dare inizio all'attività. I polmoni aspiravano ossigeno dall'aria più rapidamente, il cuore pompava più velocemente il sangue ossigenato, le ghiandole endocrine versavano nel flusso accelerato del sangue le fiale di prezioso cordiale che il corpo secerne per la propria stimolazione. Quindi la coscienza prese il sopravvento, ipercritica come un comandante che esamina l'operazione di emergenza lanciata sul campo a sua insaputa.

Che cosa l'aveva svegliata? Guardò fisso il buio, ascoltò il silenzio. Il suono si ripeté. Un secco fruscio crepitante: un uomo che ripiega un giornale, o una donna che cammina a passi svelti in una sottoveste di taffettà o – esalò un profondo sospiro di sollievo – una brezza vagabonda che smuove un mucchio di foglie secche.

Te l'avevo detto, disse la Coscienza. *Non fare niente senza prima consultarmi.*

I suoi sensi tesi si rilassarono ma il cuore, preso l'avvio, continuava a martellare, un po' come il cavallo da corsa che seguita a correre dopo aver superato il traguardo. Non aveva più sonno. Cercò a tentoni i fiammiferi sul tavolino e riaccese la candela.

Così doveva apparire la camera da letto di una delle protagoniste dei libri di Jane Austen, pensò. Un piccolo letto con le quattro snelle colonnine, un cassettone con un fregio di foglie d'acanto incise lungo la fascia, tendine e testiera del letto di chintz color panna punteggiato di roselline, il lavabo in ferro battuto con il piano di marmo e con il catino e la brocca di ceramica verde e bianca: il tutto ammorbidito dal dolce chiarore del lume di candela e dalle sue ombre vellutate.

Guardò verso il fondo del letto. Come una pozza di inchiostro nero, Argo giaceva completamente abbandonato. Anche nel sonno il suo orecchio, più percettivo di quello di lei, sapeva distinguere tra un rumore di passi e le foglie morte agitate dal vento.

Anche se solo una zanzariera copriva la porta che dava sulla veranda occidentale, sembrava che nella stanza ci fosse un'atmosfera opprimente e senza aria. Che sciocchezza aver tirato le tende davanti alla finestra a sud, quando non c'era nessuna casa da cui potessero guardare dentro! Mise le pantofole, infilò le braccia nella vestaglia verde mela e attraversò la stanza fino alla finestra. Scostò le tende e prese una profonda boccata di aria fresca.

La luna era alta sopra le montagne addormentate, una luna gobba, asimmetrica come una faccia con una guancia gonfia. Ogni arbusto, ogni cespo d'erba lungo i gradoni gettava una sua controfigura d'ombra, netta e nera sulla pietra sbiancata dalla luna. Le tegole grigie del tetto della rimessa in fondo alla scala erano quasi bianche. Più giù le ombre si radunavano fitte sotto gli alberi lungo il viottolo d'accesso. La strada sottostante era invisibile. Nessun raggio di luna penetrava nei boschi che cingevano i gradini e il viottolo da ogni lato. Non c'era luce né ombra, solo la notte stessa, un nero privo di ogni riconoscibile gradazione di tono. Nessun segno di vita, nessun rumore di movimento. Forse quel suono nel silenzio se l'era immaginato lei, come pure gli esploratori neozelandesi.

Si ripeté: un fruscio improvviso, secco. Non era la sua immaginazione. Era troppo netto e preciso, e adesso lei era completamente sveglia.

Strano che il vento si muovesse in una notte che appariva così immobile. Tutte le ombre proiettate dalle erbe e dai cespugli si stagliavano sugli scalini rischiarati dalla luna immote come pennellate in inchiostro di china. Lentamente il messaggio dell'occhio risvegliò le associazioni immagazzinate nel cervello. Non c'era vento.

Qualcuno stava camminando sulle foglie secche nel bosco buio al di là dello spazio aperto illuminato dai raggi di luna di fronte alla casa.

Un senso di totale isolamento la travolse. Nessuna casa raggiungibile correndo o anche gridando; non un collegamento telefonico; nessun altro nel cottage a parte un vecchio cane cieco. Miglia e miglia di territorio boscoso si estendevano tra lei e qualsiasi altro essere umano. Poteva urlare fino a sgolarsi e nessuno l'avrebbe udita. Era sola e quindi vulnerabile. Tutte le difese della civilizzazione erano di natura sociale. L'eremita ritiratosi dalla società doveva sbrigarsela da solo. Se qualcosa di male fosse giunto fin lì non ci sarebbe stato nulla per fermarlo. Il freddo e smorto occhio della luna avrebbe guardato dall'alto, imperturbabile, come faceva da tre milioni di anni di sangue e di terrore, da quando l'uomo aveva cominciato ad abitare la terra.

Frammenti di articoli di giornali dimenticati le attraversarono la mente come un montaggio cinematografico: *La donna viveva da sola... trovata strangolata... scomparsi oggetti di valore... la polizia ha rimarcato l'incoscienza della scelta di una donna di vivere da sola in un cottage isolato...*

Ma nessuno sapeva che lei era lì da sola, a parte Ronnie e i Raines e... improvviso e vivissimo come un razzo che esplode, ricordò lo sguardo di Matt che occhieggiava all'ombra della visiera del berretto fissando avidamente il grosso rotolo di denaro che lei aveva estratto dalla borsa quel pomeriggio. Lui sapeva che lei era lì. E se fosse tornato...

La sua immaginazione galoppava come un cavallo imbizzarrito. Risolutamente tirò le briglie. Non poteva essere una semplice brezza sul lato di ponente della casa?

Tornò in camera. La candela era sulla linea di ogni eventuale corrente d'aria che provenisse dalla porta schermata della veranda. La fiammella stava dritta e immobile quanto le ombre delle erbacce sui gradini illuminati dalla luna davanti alla finestra a sud. Non c'era brezza né da sud né da ovest, eppure il rumore veniva certamente dal lato sudovest della casa. Altrimenti non avrebbe potuto sentirlo, in quella stanza.

Non poteva essere stato un animale dei boschi? Uno scoiattolo, un riccio, un gatto selvatico? Più su, in montagna, c'erano gli orsi. Una volta, in inverno, un orso si era spinto fino al villaggio in cerca di qualcosa da mangiare. La diceva lunga sulla natura umana l'idea che un orso che si aggirasse intorno al cottage le paresse molto più tranquillizzante del pensiero della presenza di un'altra persona.

Argo aprì la bocca e fece un elaborato sbadiglio, rivelando due piccole macchie nere sulla rosea volta corrugata del palato: un capriccio della pigmentazione che l'aveva sempre divertita.

«Bel cane da guardia che sei!», gli bisbigliò. «Se abbaiassi almeno un po' non sarebbe male».

Lui dimenò la coda tamburellando il fondo del letto in risposta alla sua voce. Si stirò, abbassò il muso sulle zampe con un breve sospiro, e si rimise a dormire.

Attraversando la stanza, lei si avvicinò alla porta a zanzariera. La casa stessa schermava la veranda dalla luce della luna, ma il barlume della candela raggiungeva fioco il pavimento. Al di là del parapetto poteva discernere vagamente la prima linea dei tronchi degli alberi. Poi veniva il buio totale di un bosco selvaggio, selvaggio come quando per la prima volta i bianchi avevano scacciato gli indiani. Anche se quella porta era l'unico accesso alla veranda laterale, sarebbe stato possibile per un uomo in buona forma fisica scalare la ringhiera dalla parte del bosco. Anche se chiusa, la porta sarebbe stata una fragile barriera, perché il pannello superiore conteneva due lastre di vetro. Le case moderne affidavano la protezione alla minaccia di pene severe per le effrazioni. Le loro portefinestre, le porte a vetri e le serrature e i catenacci inconsistenti non erano fatti per sostenere un assedio.

Tornò al comodino accanto al letto e guardò l'orologio che vi aveva deposto. Erano appena le due e venti. Occorreva sopportare in qualche modo ancora quattro lunghe ore di buio prima che tornasse la luce del giorno.

L'idea di dormire era completamente sfumata. Meglio accendere la lampada e cercarsi un altro libro. La bustina dei fiammiferi l'aveva infilata nella tasca della vestaglia. Ora le sue dita, nel cercarla, entrarono in contatto con qualcos'altro: carta. Sulla carta c'erano delle lettere. Si accostò alla fiammella della candela cercando di discernere le parole, ma erano illeggibili, ammassate com'erano in gruppi impronunciabili: IFBK YXQI VGVZ PBLO RAFD XCTF DL...

Ancora una volta le parve di sentire la voce del colonnello Armstrong: *Accadono cose di ogni genere a chi possiede il segreto di un cifrario.*

Si sentì di nuovo, quel fruscio secco e netto.

Ora era più distinto: così distinto che era sicura della sua direzione. Proveniva da ovest. Qualcuno stava camminando tra il sottobosco e le foglie secche in mezzo agli alberi fuori della veranda laterale. Non c'era nulla di furtivo nel movimento. La persona che camminava lì non cercava di nascondere la propria presenza. Non aveva paura. Questo significava che sapeva che lei era sola in casa. Si stava avvicinando. Per questo il suono si faceva più distinto. Per quanto sforzasse la vista non riusciva a vedere alcuna forma né movimento nel buio. Per quanto sforzasse l'udito non poteva udire il suono di un passo. Ma sentiva di tanto in tanto lo spezzarsi di un rametto e il fruscio costante di qualcuno o qualcosa che si muoveva con decisione e rapidità tra le foglie cadute e i rami bassi appena fuori dal suo campo visivo. Quale legittima necessità poteva portare qualcuno in quel bosco a quell'ora della notte?

Improvvisamente il suono cessò. Non sfumò in lontananza. Si interruppe quando era più forte. Chiunque fosse, qualsiasi cosa fosse, si era fermato all'angolo di sudovest della casa per cercare di vedere e ascoltare lei, così come lei stava cercando di vedere e ascoltare. Un comportamento simile era più umano che animale?

Cercò di mettersi a discutere con se stessa. *Questo non sta succedendo a me. Cose del genere a me non capitano. Altri – incoscienti, gente stupida di cui si legge in oscuri trafiletti sui giornali – finiscono ammazzati per qualche dollaro o per un cifrario da campo segreto, di solito perché si espongono a rischi inutili o fanno amicizia con gente equivoca. Ma cose del genere a me non capitano. Io non mi espongo a rischi inutili, non conosco gente equivoca. Non faccio male a nessuno. Dio non permetterebbe che una cosa del genere succedesse proprio a me. Amo troppo la vita.*

Dal bosco venne uno schiocco secco come se qualcuno avesse messo il piede su un ramo morto nello spostare il peso da una gamba all'altra. Fu un derisorio segno di punteggiatura al suo ragionamento. *Pensi di essere immune da tutti i mali che sono eredità della carne? Come fai a distinguere chi è "gente equivoca" e chi no? Guardandoli? Sei sicura di non conoscerne nessuno? Sei sicura di non aver mai corso rischi inutili? Pernottando da sola in uno chalet isolato? Mostrando a uno sconosciuto un bel rotolo di soldi? E dicendo a un altro sconosciuto che avevi visto una copia di un messaggio scritto in un nuovo cifrario? C'è qualche motivo per cui qualcuno dovrebbe considerare la tua vita più preziosa di quella di Carlo Freschi? Lui o quelli che compaiono in oscuri trafiletti sui giornali amavano la vita meno di te? C'è qualche motivo per cui Dio dovrebbe proteggere te quando lascia che tanti altri muoiano così miseramente? Sei così ingenua da credere che qualche angelo custode si dedichi a sgombrare il tuo cammino dai rovi mentre tutti gli altri vengono lasciati a graffiarsi e sanguinare? E poi, sai, questo sta proprio succedendo: che ti piaccia o no.*

Chiuse la porta laterale e girò la chiave nella toppa. Era il caso di togliere la chiave? Se la lasciava nella serratura poteva essere ruotata dall'esterno con un paio di pinzette. Se la toglieva, si poteva forzare la serratura con un pezzo di fil di ferro. Forzare la serratura avrebbe richiesto più tempo. Tolse la chiave. Chiuse la finestra a sud e tirò il chiavistello. Poi accese la lampada e la portò in soggiorno, lasciando la candela accesa in camera da letto e la porta di comunicazione aperta. Argo saltò pesantemente giù dal letto e la seguì, soffice e pasciuto e nero come il bambino di pece del racconto di Fratel Coniglietto. Viziato animale di compagnia, più civile di tanti essere umani e quindi del tutto inadatto alle funzioni primitive di un cane, quelle della sentinella e del cacciatore, Argo probabilmente si sarebbe messo a scodinzolare davanti a un vagabondo malintenzionato e sarebbe fuggito in preda al terrore al rumore di un sorcio.

Depose la lampada sul tavolo, chiuse e assicurò tutte le finestre del soggiorno. Ora ogni porta e finestra della casa erano chiuse a chiave o con il chiavistello. Non avrebbe più potuto sentire il fruscio se fuori fosse ripreso, ma chi avesse cercato di introdursi nel cottage avrebbe dovuto far rumore. Lei avrebbe avuto a disposizione un margine di preavviso molto maggiore. E che cosa doveva fare se l'avesse sentito? Impugnare l'attizzatoio e fuggire? O scappare fuori e nascondersi nel bosco? Darsela a gambe poteva anche essere poco nobile ma aveva le sue attrattive. Un qualche impulso claustrofobico glielo faceva apparire più opportuno che aspettare in quella casetta dove con grande facilità poteva ritrovarsi intrappolata.

Mani e piedi le si erano fatti di ghiaccio. Riaccese il fuoco. Poi prese il messaggio cifrato dalla tasca. Più studiava quelle lettere incoerenti e più si sentiva sicura che quello era proprio il messaggio cifrato che era caduto dal Plutarco dello zio Felix dopo la sua morte. Ricordò distintamente quello che aveva detto a Hannah: *Solo carta straccia. Lo getti pure nel cestino.* Come aveva fatto il messaggio a tornare nella tasca della vestaglia? Non le era neppure venuto in mente di guardarci quando lo stava cercando con Armstrong.

Quando l'aveva scritto, il messaggio, lo zio Felix? Mentre era a letto poche ore prima della morte, scrivendo con la sua stilografica e usando il Plutarco come scrittoio? Perché l'aveva scritto in cifra, presumibilmente con il suo cifrario che nessuno era in grado di leggere? Quale segreto si annidava sotto quel groviglio di lettere apparentemente privo di senso?

Era proprio ciò che le serviva in quel momento: un problema puramente razionale che riempisse tutto il campo della sua attenzione cosciente, un antidoto alla sua immaginazione autoeccitata. Se solo avesse saputo qualcosa di più sulla crittografia... ma doveva esserci qualche manuale di crittanalisi nel cottage dello zio Felix. Di nuovo passò in rassegna il tavolo e le librerie. Sollevandosi in punta di piedi, scoprì uno scaffale in alto pieno di testi sulla crittanalisi, ognuno con l'ex libris dello zio Felix all'interno della copertina. Ne prese quattro a caso: Langie, Givièrge, Gaines e Pratt. Cominciò con il Givièrge: di sicuro la difficoltà aggiunta di una lingua straniera avrebbe tenuto completamente occupata la sua mente.

Ma per quanto s'impegnasse a concentrarsi, era sempre consapevole dei dubbi e delle paure che ribollivano subito sotto la superficie della coscienza. Strinse i denti e tirò avanti, frase per frase, pagina per pagina. A poco a poco quelle emozioni persero il loro vivo bollore riducendosi a un fremito meno violento. Il battito del cuore rallentò, le estremità presero calore. Cercò di confrontare il messaggio di zio Felix con gli esempi di messaggi formulati con altri cifrari forniti dai manuali. Al suo occhio non allenato sembravano tutti uguali, ma questo non era possibile, perché ciascun autore assicurava che gli esempi dati potevano essere facilmente risolti, e il colonnello Armstrong aveva detto che lui non era riuscito a risolvere il cifrario di zio Felix. Era suo dovere spedire quello scritto al colonnello Armstrong? O era più saggio seguire il consiglio di Ronnie e dimenticarsi anche di aver mai sentito parlare di un cifrario? Non aveva nessuna voglia di incontrarsi di nuovo con il colonnello Armstrong. Avrebbe iniziato a sospettare se gli avesse scritto che non sapeva come il messaggio le fosse finito in tasca.

Lo sguardo le cadde sulle fiamme che guizzavano nel camino. In un istante potevano liquidare definitivamente l'intera imbarazzante faccenda.

Si era quasi alzata quando ebbe lo choc. Questa volta non un sommesso fruscio, ma veri e propri passi, forti ed energici, che salivano i gradini anteriori, tacchi di duro cuoio che rimbombavano sul pavimento di legno della veranda anteriore, un passo sconosciuto, lento e deciso, che si avvicinava sempre di più, arrestandosi giusto davanti alla porta d'ingresso.

Il cuore si trasformò in un compatto pezzo di ghiaccio che sembrò straziarle il petto e frenare la circolazione. Sta accadendo davvero. Non è la tua immaginazione. È reale. Non puoi sfuggire. Che cosa conti di fare? Arriverai viva fino in fondo? Ricadde sulla sedia e rimase seduta immobile aspettando di sentir bussare o il rumore di un vetro infranto.

Non venne nessuno dei due suoni. Infine, rigidamente, voltò la testa. Una tendina di lino ricamato velava la lastra di vetro sul pannello superiore del battente della portafinestra, e con essa ciò che si trovava al di là. Chiunque fosse lì fuori non poteva vedere dentro e lei non poteva vedere fuori. Ma lei poteva sentire. Tese l'orecchio per cogliere un altro suono, uno qualsiasi, anche il più flebile dei sussurri.

Non accadde nulla. Aveva ogni nervo teso come un elastico tirato fino al punto di spezzarsi. La fronte le si era coperta di sudore freddo. La nausea le salì alla testa e le vennero le vertigini.

Guardò l'orologio: le tre. Guardò Argo. Questa volta aveva alzato la testa, le orecchie ritte.

Le venne in mente la storiella del nevrotico che grida al vicino del piano di sopra: «Per l'amor del Cielo, deciditi a lasciar cadere l'altra scarpa!». Lei avrebbe voluto gridare: «Per l'amor del Cielo, butta giù quella porta!».

Ancora non accadde niente. Il silenzio si era chiuso su di lei come le mura di una prigione. In quel silenzio sembrava che i suoi stessi pensieri riecheggiassero forte come urla. Alla fine i nervi tesi cedettero. Balzò in piedi, rovesciando sul pavimento i libri che aveva in grembo. Corse alla porta anteriore. Qualsiasi pericolo era meglio di quell'incertezza, qualsiasi spavento meno pauroso della paura dell'ignoto. Le dita gelide, tremanti, maneggiarono brancolando la serratura. Spalancò la porta: non le importava più niente, neppure se là fuori si fosse trovata la Morte stessa.

Ma non era la Morte. Era qualcosa di più sinistro. La veranda e gli scalini e il vialetto erano pallidi nel chiaro di luna, e vuoti. Lì non c'era nessuno.

5

IL SECONDO GIORNO

Il tepore le sfiorò la guancia come una carezza. Un uccello cantava. Aprì gli occhi. La luce del sole frizzante come champagne inondava il letto dove si era trascinata per dormire, spinta dallo sfinimento poco prima dell'alba, quando il cielo buio e la terra ancor più buia avevano preso una tinta grigio piombo. Ora, in questa sfolgorante mattina assolata, provò con tutto il cuore un senso di vergogna. Grazie al cielo nessuno tranne Argo sarebbe mai venuto a sapere come avesse trasalito a ogni ombra, sobbalzato a ogni suono inatteso nell'oscurità e nell'isolamento della notte, come un cavallo che s'impenna davanti a un innocuo pezzo di carta sul ciglio della strada o un bambino che ha paura del buio. Doveva essere stato quel buio a spaventarla, perché nel momento in cui il cielo era impallidito facendosi grigio e le masse d'ombra si erano mutate in comunissimi alberi e cespugli, si era addormentata senza problemi. Il fruscio? Qualche animale notturno richiamato presso il cottage dall'odore del cibo. I passi sulla veranda? Qualche altro rumore naturale distorto dalla combinazione di un fenomeno acustico e un'immaginazione eccitata. Un picchio, forse. Ma di sicuro non un essere umano, visto che nessuno aveva cercato di entrare in casa. Che scopo poteva avere arrivare sulla veranda fino alla porta d'ingresso e poi sparire così silenziosamente da non farle udire il minimo suono della ritirata?

Risolutamente mise da parte ogni pensiero della notte che l'aspettava alla fine di quella giornata. Non poteva permettere che una paura puramente soggettiva le rovinasse l'intera prospettiva dell'estate. Anche se non era arrivata alle dieci ore di sonno consigliate dal dottore, sentiva che l'aria di montagna stava già facendo effetto. Da quando si era svegliata non aveva mai tossito, ed erano mesi che non si sentiva così bene. L'aria fresca, il cibo sano preparato in casa, la tranquillità e il sole erano esattamente ciò che desiderava e di cui aveva bisogno. Finanziariamente si era bruciata i ponti alle spalle: il biglietto del treno, indumenti pesanti e altri rifornimenti avevano lasciato il segno nel suo già esiguo capitale. Doveva accantonare qualcosa per finanziare la ricerca di lavoro a New York, l'autunno prossimo. Era troppo tardi per cambiare programma. Qualunque cosa accadesse lì, ormai non poteva permettersi di andare da nessun'altra parte. Ma non sarebbe successo nulla. Doveva semplicemente imparare a controllare la sua fervida immaginazione.

Era una giornata insolitamente calda per quell'altitudine. Fece una doccia fredda, indossò una camicia e un paio di calzoncini, mise i sandali e fece colazione sulla veranda anteriore. Solo quando ebbe finito l'ultima tazza di caffè si accorse che la radio e il giornale del mattino le mancavano. Andò in soggiorno a prendere penna, inchiostro e carta da lettere. Tornò in veranda per scrivere a Ronnie. Poi su un'altra busta scrisse l'indirizzo del colonnello Armstrong presso il Ministero della Guerra e vi infilò il messaggio cifrato. Scrivere la lettera di accompagnamento fu più difficile:

Caro colonnello Armstrong,
l'ultimo messaggio di mio zio, con ogni apparenza scritto con il suo nuovo cifrario, è ricomparso in maniera inaspettata, per cui glielo accludo...

Il colonnello Armstrong le avrebbe creduto? O avrebbe pensato che lei il messaggio l'aveva sempre avuto? Come poteva spiegarne l'improvvisa riapparizione, quando lei stessa non sapeva darsene ragione? Prese un altro foglio.

Caro colonnello Armstrong,
con grande stupore ho appena trovato nella tasca della vestaglia il messaggio cifrato di cui le parlavo…

La persona più disponibile del mondo avrebbe mai creduto a una storia così improbabile? E il colonnello Armstrong era tutt'altro che disponibile! Verità e plausibilità erano nemiche da sempre, ma le toccava trovare il modo per rendere plausibile la sua storia se voleva evitare un altro interrogatorio da parte del colonnello, ancora più spiacevole dell'ultimo.

Caro colonnello Armstrong…

Oh, Signore, che cosa poteva dire?

Accese una sigaretta e scese i gradini fino al prato invaso dalle erbe selvatiche per godere a pieno del sole. Quasi suo malgrado, la curiosità l'attirò verso il lato di sudovest della casa, dove aveva sentito il rumore la notte precedente. Inutile cercare orme. Le foglie morte tappezzavano il fondo del bosco e scricchiolavano sotto i suoi piedi. Il suono che produceva avanzando era proprio quello che aveva sentito nella notte. Un animale, si disse per la centesima volta. Ma gli animali dei boschi non si muovono silenziosamente? Le foglie avrebbero prodotto un suono così udibile sotto il peso di una volpe o di un porcospino, ben più leggeri di un essere umano?

Si fermò e si voltò a guardare la casa. Dal bosco aveva una visione chiara della veranda laterale e della portafinestra che dava nella camera da letto. Chi fosse passato di lì la notte prima avrebbe potuto vederla chiaramente quando si trovava davanti alla finestra illuminata.

Qualcosa di freddo le toccò la caviglia nuda. Sussultò violentemente e si voltò. Era solo il povero, cieco Argo che cercava di starle dietro seguendone il rumore e l'odore. Ma le sue zampe non avevano prodotto alcun suono sulle foglie secche.

Procedette, con Argo alle calcagna che annusava sonoramente. Ora avevano cominciato a salire. Entrarono in un folto di pini dove non c'era sottobosco, solo un tappeto sdrucciolevole di aghi bruni. Il terreno digradava fino a una pozza di acqua scura e stagnante e rimontava dall'altra parte verso un grande spuntone roccioso erto sull'acqua. Tra gli aghi di pino e il bordo dell'acqua c'era un tratto di fango, cedevole come creta umida. Qui si vedevano quattro orme in due paia, ogni paio ravvicinato e un po' confuso, come se qualcuno fosse scivolato sulla melma viscida. Le studiò a lungo. Troppo grandi per un cane, una volpe o un porcospino. Troppo rotonde e tozze per un essere umano. Sembravano impronte di zoccoli lasciate da un grosso ariete o una capra, forse da uno dei cervi che vivevano nei boschi a quota più elevata. Ma sicuramente i passi sul tavolato di legno della veranda avevano un suono umano.

Attraverso i tronchi poteva vedere il profilo del monte dietro la casa, verde contro il cielo azzurro. Costeggiò lo stagno, inerpicandosi sulla salita. Qui il terreno era di nuovo coperto dalle foglie morte, per cui non c'erano altre orme. Chiunque poteva passare di lì senza lasciare tracce.

Vedendo che il sottobosco s'infittiva a mano a mano che si allontanava dal cottage, piegò a destra, lasciò il bosco ed entrò nel prato scosceso che aveva notato la sera prima dalla finestra della cucina. Quando raggiunse la fila di alberi in cima, i cespugli le bloccavano la visuale. Si spinse avanti in mezzo a essi, ignorando le spine che le graffiavano le gambe nude. Sulla cresta dell'altura si fermò stupita.

Il terreno sprofondava nuovamente sotto di lei, poi risaliva dall'altra parte in un'altra parete. Tre anni prima in quella valletta crescevano gli alberi. Ora era stata completamente disboscata. Sul fondo della gola era annidato un piccolo cottage tutto nuovo, dipinto di un bianco smagliante e con le persiane verdi. Dal comignolo usciva del fumo e c'erano panni ad asciugare appesi a una corda da bucato. Scoppiò quasi a ridere. Aveva creduto di essere sola nel cuore di un bosco selvaggio… e lì, da sempre, aveva avuto un vicino appena oltre la cima della collina più prossima! Ora tutto si spiegava. Questo vicino, o questa vicina, chiunque fosse, stava passeggiando nel bosco la notte passata, per portare a spasso il cane o guardare la luna. La strana forma delle orme vicino allo stagno si spiegava probabilmente con il fatto che erano confuse.

L'intensità della sensazione di sollievo rivelò ad Alison quanto la paura l'avesse tenuta in tensione. Ora che era tutto finito, poteva ammettere con se stessa che era stata davvero terrorizzata.

Rimase ferma per qualche tempo a guardare la casa. Non si scorgeva un sentiero o un vialetto da cui raggiungerla. Evidentemente quello che vedeva era il retro, mentre la porta anteriore era rivolta verso un'altra strada più in alto sulla montagna. Una siepe racchiudeva il cortiletto della cucina dov'erano stesi i panni. Riusciva a vedere un prato e delle aiuole fiorite sul lato occidentale della costruzione. Una tenda bianca svolazzava a una finestra aperta del primo piano. C'era qualcosa di particolarmente rassicurante nella scena familiare di un comignolo fumante e degli astri rosa che fiorivano in una curata aiuola rettangolare. Tutti questi piccoli particolari erano simboli di una normalità e di una quotidianità che mai quanto adesso le era giunta gradita. Con dei vicini così confortevolmente domestici a solo mezzo miglio dal suo cottage, la notte seguente non avrebbe avuto nessuna paura, qualsiasi cosa accadesse.

Si voltò e iniziò la discesa con il cuore leggero. A metà strada guardò indietro. Lo schermo degli alberi e dei cespugli si era richiuso, nascondendo completamente alla vista la casetta bianca, come per un'esperta opera di mimetizzazione. Da quel punto sembrava che il bosco si estendesse fino alla cima del monte senza traccia di abitazione umana.

Svoltò l'angolo di sudovest della sua casa. Argo, sempre trotterellando alle sue calcagna, cominciò a ringhiare. Lei guardò in alto. Sulla veranda anteriore c'era un militare, con lo sguardo fisso sul tavolo. Alison era così sicura della sua privacy che aveva lasciato lì il messaggio cifrato accanto ai biglietti appena abbozzati per il colonnello Armstrong. Si mise a correre verso i gradini.

Al rumore dei suoi passi, l'uomo in divisa alzò la testa. Quando venne avanti uscendo dall'ombra al sole, il color polvere dei suoi capelli si mutò in polvere d'oro.

«Ciao Argo, non mi riconosci?».

Il cane smise di ringhiare e inclinò la testa da un lato esattamente come un essere umano che cerca di identificare una voce che gli suona vagamente familiare.

Alison si bloccò, fissando quei seri occhi azzurri in un volto abbronzato. «Geoffrey!».

«Alison, ciao!». Sorrise apertamente. «Non ho potuto fare a meno di continuare a leggere quando l'occhio mi è caduto su questo messaggio cifrato di Vigenère. Da quando ti interessi alla crittografia? E chi è questo colonnello Armstrong? La tavola è tutta coperta di lettere non finite che iniziano con "caro colonnello Armstrong". È davvero così caro?».

«Non è caro proprio per niente». Salì gli scalini rammaricandosi di non aver messo l'abito nuovo di lino anziché quei vecchi short e quella camicetta sbiadita. «Come sapevi che ero qui?».

«Non lo sapevo». Geoffrey si sedette sul parapetto della veranda. «Ho chiamato casa tua quando sono passato per New York ma mi hanno detto che eri fuori. Poi ieri sera ho visto la luce accesa qui e stamattina sono venuto a indagare».

«Allora eri tu nel bosco questa notte? Non hai idea di quanto mi hai spaventato! Perché non hai bussato quando sei salito sulla veranda?».

Gli occhi azzurri la studiarono con un'espressione un po' strana. «Non ero nel bosco stanotte. E ti assicuro che non sono salito sulla veranda».

Senza volerlo, Alison abbassò lo sguardo sui piedi di lui. Anche con gli stivaletti militari erano troppo lunghi e stretti per aver lasciato orme che in qualche modo potessero assomigliare a quelle che aveva visto in riva allo stagno.

«Ma non hai appena detto che hai visto la luce accesa...?».

«Da dove siamo noi si vede sempre quando qui è illuminato, dalle finestre del piano superiore. Si vede come un puntino tra gli alberi. Quando c'è vento e i rami si agitano, luccica a intermittenza come una stella. Non lo sapevi?».

«No, non avevo idea che la mia luce si potesse vedere da così lontano». Il sole aveva perso un po' del suo calore e della sua brillantezza. «Io però ho sentito qualcuno. Poteva essere Yolanda? È con te?».

«Sì, ma stanotte non era fuori. E nemmeno Gertrude, la cuoca che abbiamo portato da New York. Ha paura a girare per il bosco di notte. E non c'è nessun altro con noi. Che cosa hai sentito, esattamente?».

«Una specie di fruscio, uno scalpiccio... come qualcuno che camminasse sulle foglie secche o tra i cespugli sul lato di sudovest della casa».

«Sarà stato un animale», rispose Geoffrey alzando le spalle.

«Ma poi ho sentito dei passi umani sulla veranda. Non poteva essere un animale. Erano forti, secchi e lenti, come un rumore di tacchi di cuoio. Non uno zampettio soffice e rapido come di un quadrupede. E poi sono andata alla porta e... e là fuori non c'era nessuno».

«Questo dimostra che ti sei sbagliata».

La sua logica stringente irritò Alison. «Non mi sono sbagliata! L'ho sentito distintamente come sento adesso la tua voce. Penso che potrebbe essere stato qualcuno che passava di lì, ha visto la luce accesa e si è meravigliato, credendo che il cottage non fosse abitato. Sai chi abita in quella casetta nuova oltre la cima della collina?».

«Intendi dire la casa nella gola dietro le finestre della tua cucina? Una certa Mrs Phillimore. È arrivata due anni fa».

«Quando Ronnie era qui! E non mi ha detto che avrei avuto una nuova vicina! Che tipo è?».

«Non la conosco, ma ho sentito dire che non è esattamente del genere di Ronnie: una donna anziana che vive sola in una situazione non particolarmente florida. Difficile che se ne vada in giro per i boschi di notte».

«Allora dev'essere stato... qualcun altro». Alison si attenne alla propria spiegazione razionale del rumore di passi. «Chi altro vive qui in montagna adesso?».

«Be', i Raines stanno a un paio di miglia da qui. Raines ha delle terre quassù e ogni tanto viene a ispezionare la sua proprietà, ma è difficile che lo faccia di notte. Poi c'è un tale che fa le consegne per la drogheria, Matt qualcosa... Griggs, mi sembra. Abita in una baracca dalle parti della fattoria dei Raines, che gliela danno in affitto. Ma non penso proprio che se ne vada in giro per i boschi di notte dopo aver guidato il suo furgone per tutto il giorno. E le altre case sono chiuse. Per cui, devi esserti sbagliata».

«E qualche vagabondo?», chiese Alison riluttante. La gente si prendeva immancabilmente gioco delle donne sole che mostravano di aver paura dei vagabondi.

«Quassù non ci arrivano mai. Troppo lontano dalla ferrovia, troppo freddo di notte, troppe strade in salita e niente da raggranellare. Le donne di casa delle fattorie di queste montagne hanno la pelle dura, non gli darebbero niente».

«Ma, Geoffrey, qualcuno dev'essere stato. Io quei passi li ho sentiti, davvero».

Scettico, Geoffrey si mise a ridere. «Eri spaventata e te li sei immaginati. Fosse stato un malintenzionato, Ronnie sarebbe venuto fuori e lo avrebbe fermato».

«Ronnie è a Washington».

«Vuoi dire che te ne stai qui tutta sola?», chiese lui.

Alison fece di sì con la testa.

«Nemmeno Hannah o una delle cameriere?».

«No. È così fuori del comune? Miss Darrell abitava qui da sola. E tu hai detto che questa Mrs Phillimore vive sola».

«Lei sta sulla strada principale». Geoffrey iniziò a prendere sul serio quella faccenda. «Se senti ancora qualcosa, fammi un colpo di telefono. Sarò qui in dieci minuti».

Alison non poté fare a meno di pensare che in dieci minuti ne possono succedere di cose. Con una vocina disse: «Non mi sono fatta collegare il telefono».

«E si può sapere perché?». Geoffrey, che non sapeva cosa volesse dire essere a corto di denaro, era sconcertato. «Cosa fai se ti rompi una gamba o ti capita qualcosa? Farai meglio a fartelo collegare immediatamente».

«Credo che lo farò». Gli occhi di Alison si fermarono sul nastrino verde della campagna in Italia che portava cucito sulla giubba. Avrebbe voluto saperne qualcosa, ma non aveva voglia di chiedere. Aveva letto da qualche parte che non ne parlavano volentieri.

Lui stava seguendo con lo sguardo una vespa che aleggiava sopra le briciole rimaste dalla colazione. «Mi dispiace per tuo zio», disse brevemente. «Sta cambiando tutto. Mi fa sentire più vecchio».

Ci fu un silenzio imbarazzato. *Sta cambiando tutto*... Cercava forse di dirle che i suoi sentimenti per lei erano cambiati? Due anni e mezzo di separazione e di esperienze divergenti si ergevano tra loro come una barriera tangibile. Era diventato un estraneo. Lei non sapeva più che cosa accadesse dietro quei seri occhi azzurri. Né provava il dolce turbamento che aveva sempre avvertito in sua presenza. Non si può essere innamorati di un estraneo.

Cercò di lanciare una corda al di là di quel burrone. «Mi era spiaciuto moltissimo di trovarmi fuori. Quell'ultima volta che hai telefonato».

«Non era niente di importante». La corda era caduta giù nel burrone. «Avevo solo qualche ora di permesso».

E questo fu tutto.

«Mi piacerebbe sapere come sono andate le cose laggiù... se hai voglia di parlarne», azzardò infine.

«Niente di particolare. Ne avevo fin sopra i capelli di razioni K. Avrei pagato dieci dollari per un bicchiere di latte fresco».

Avrebbe voluto chiedergli: *tornerai lì?* Ma per qualche motivo non ci riuscì. Frugò nella mente cercando qualcosa, qualsiasi cosa, per spezzare il silenzio. «Sei contento di aver scelto il Corpo Segnalatori?».

«Non è male. Anche se quello che facevo era roba di routine. Come questo». Toccò con un dito il messaggio cifrato.

«Quello non è precisamente routine», disse Alison. «Lo ha scritto zio Felix prima di morire e da allora nessuno è riuscito a decifrarlo».

«Assurdo», ribatté Geoffrey. «È evidentemente un Vigenère, e tutti i Vigenère si possono risolvere».

«E allora risolvilo!», replicò piccata Alison.

Geoffrey si sedette al tavolo della veranda, si avvicinò penna e inchiostro e si servì liberamente della preziosa carta monogrammata di Alison, come fosse un qualsiasi scartafaccio. Alison si sedette sul gradino superiore, assorbendo i raggi del sole e osservandolo all'opera. Dopo una ventina di minuti Geoffrey posò la penna.

«C'è qualcosa di strano. Sei sicura che sia davvero un messaggio cifrato? Non saranno solo lettere messe alla rinfusa?».

«Forse non dovrei dirtelo, ma... quando è morto, Zio Felix stava lavorando a un suo cifrario per l'esercito. Evidentemente si tratta di questo. E si direbbe indecifrabile».

«Non può esistere un cifrario indecifrabile!», insisté Geoffrey. «A meno che non sia fatto con una macchina».

«Questo non è fatto con una macchina. Non riesci a scioglierlo?».

«Probabilmente ci riuscirei se avessi più tempo». Si accigliò. «C'è sotto qualche trucco, immagino. Ha tutto l'aspetto di un comune Vigenère. Solo che non cede ai metodi consueti dell'analisi Vigenère».

«Che cos'è un Vigenère?».

«Doppia sostituzione».

«Non ti seguo. Cos'è la doppia sostituzione?».

Geoffrey riprese la penna e si mise a scrivere rapidamente. Poi spinse il foglio dall'altra parte del tavolo. Lei allungò il braccio e lo prese senza alzarsi. Aveva riportato tutte le lettere dell'alfabeto in una tabella.

	A	B	C	D	E	F	G	H	I	J	K	L	M	N	O	P	Q	R	S	T	U	V	W	X	Y	Z
A	a	b	c	d	e	f	g	h	i	j	k	l	m	n	o	p	q	r	s	t	u	v	w	x	y	z
B	b	c	d	e	f	g	h	i	j	k	l	m	n	o	p	q	r	s	t	u	v	w	x	y	z	a
C	c	d	e	f	g	h	i	j	k	l	m	n	o	p	q	r	s	t	u	v	w	x	y	z	a	b
D	d	e	f	g	h	i	j	k	l	m	n	o	p	q	r	s	t	u	v	w	x	y	z	a	b	c
E	e	f	g	h	i	j	k	l	m	n	o	p	q	r	s	t	u	v	w	x	y	z	a	b	c	d
F	f	g	h	i	j	k	l	m	n	o	p	q	r	s	t	u	v	w	x	y	z	a	b	c	d	e
G	g	h	i	j	k	l	m	n	o	p	q	r	s	t	u	v	w	x	y	z	a	b	c	d	e	f
H	h	i	j	k	l	m	n	o	p	q	r	s	t	u	v	w	x	y	z	a	b	c	d	e	f	g
I	i	j	k	l	m	n	o	p	q	r	s	t	u	v	w	x	y	z	a	b	c	d	e	f	g	h
J	j	k	l	m	n	o	p	q	r	s	t	u	v	w	x	y	z	a	b	c	d	e	f	g	h	i
K	k	l	m	n	o	p	q	r	s	t	u	v	w	x	y	z	a	b	c	d	e	f	g	h	i	j
L	l	m	n	o	p	q	r	s	t	u	v	w	x	y	z	a	b	c	d	e	f	g	h	i	j	k
M	m	n	o	p	q	r	s	t	u	v	w	x	y	z	a	b	c	d	e	f	g	h	i	j	k	l
N	n	o	p	q	r	s	t	u	v	w	x	y	z	a	b	c	d	e	f	g	h	i	j	k	l	m
O	o	p	q	r	s	t	u	v	w	x	y	z	a	b	c	d	e	f	g	h	i	j	k	l	m	n
P	p	q	r	s	t	u	v	w	x	y	z	a	b	c	d	e	f	g	h	i	j	k	l	m	n	o
Q	q	r	s	t	u	v	w	x	y	z	a	b	c	d	e	f	g	h	i	j	k	l	m	n	o	p
R	r	s	t	u	v	w	x	y	z	a	b	c	d	e	f	g	h	i	j	k	l	m	n	o	p	q
S	s	t	u	v	w	x	y	z	a	b	c	d	e	f	g	h	i	j	k	l	m	n	o	p	q	r
T	t	u	v	w	x	y	z	a	b	c	d	e	f	g	h	i	j	k	l	m	n	o	p	q	r	s
U	u	v	w	x	y	z	a	b	c	d	e	f	g	h	i	j	k	l	m	n	o	p	q	r	s	t
V	v	w	x	y	z	a	b	c	d	e	f	g	h	i	j	k	l	m	n	o	p	q	r	s	t	u
W	w	x	y	z	a	b	c	d	e	f	g	h	i	j	k	l	m	n	o	p	q	r	s	t	u	v
X	x	y	z	a	b	c	d	e	f	g	h	i	j	k	l	m	n	o	p	q	r	s	t	u	v	w
Y	y	z	a	b	c	d	e	f	g	h	i	j	k	l	m	n	o	p	q	r	s	t	u	v	w	x
Z	z	a	b	c	d	e	f	g	h	i	j	k	l	m	n	o	p	q	r	s	t	u	v	w	x	y

«Oh, sembra una tavola pitagorica!», esclamò Alison. «Solo che invece dei numeri ci sono le lettere».

«Questo è il famoso Tableau Vigenère», spiegò Geoffrey. «Blaise de Vigenère visse alla corte dei Valois in Francia intorno alla fine del Cinquecento. Me lo immagino sempre in corsetto e gorgiera di pizzo inamidato, con le labbra sorridenti, malignamente rosse sopra una barbetta nera a punta. I suo amici lo descrivevano come una persona "spiritosa, perspicace, intelligente e viziosa". S'interessava di magia nera, che a quel tempo comprendeva due arti assai pratiche: i metodi di avvelenamento e la crittografia. Inventò l'unico sistema di cifratura davvero originale nella storia di questo campo: la doppia sostituzione. Lo chiamava "la cifra indecifrabile"».

«Perché, se può essere risolta?».

«Perché a quel tempo, e per molte generazioni ancora, resisté a ogni metodo di analisi conosciuto. Prima di Vigenère, tutti i cifrari potevano essere interpretati perché nel corpo di una lingua determinate lettere come la E e determinati gruppi di due o tre lettere come AN o THE, detti digrammi e trigrammi, si presentano con maggiore frequenza di altre lettere o altri gruppi. Per esempio, in un testo inglese, la E compare in media con una frequenza del 13 per cento. Risolvendo un messaggio che sia stato cifrato con il metodo della trasposizione – che è una semplice ridisposizione delle lettere del messaggio in chiaro – basta rintracciare nel testo le più comuni formazioni di digrammi e trigrammi finché non emerge il messaggio originale. Nel tradurre un messaggio cifrato con la sostituzione semplice – dove una lettera del messaggio sta al posto di un'altra lettera del testo in chiaro – si sa che la lettera che nel testo cifrato costituisce il 13 per cento del testo probabilmente sta al posto della E, e via via si risale alle altre lettere. La ricorrenza media di una lettera o digramma in un testo normale è detta "frequenza", ed esistono tabelle di queste frequenze per tutte le lettere e gruppi di lettere in ogni lingua. In inglese, per esempio, l'ordine di frequenza delle singole lettere è: E T A O N R I S H D L F C M U G Y P W B V K X J Q Z.

«Già prima di Vigenère, vi fu qualche rudimentale tentativo di sopprimere nel testo cifrato le frequenze più palesi del messaggio in chiaro, usando più di una lettera come sostituto di cifra per le lettere maggiormente frequenti del testo di partenza – come la E, la T e la A. Il merito del cifrario a doppia sostituzione di Vigenère sta nel fatto che nel messaggio cifrato vengono nascoste tutte le frequenze di lettere e gruppi di lettere nel testo in chiaro. Supponiamo che il tuo messaggio sia...».

«*Attacco immediato*», suggerì Alison.

«Perché *Attacco immediato*?».

«È l'esempio preferito del colonnello Armstrong. E poi si addice anche al personaggio».

«Ma chi è questo colonnello Armstrong?», chiese Geoffrey con un certo calore. «Te l'ho già chiesto prima, ma non mi hai risposto».

«Oh... è solo un amico dello zio Felix».

«Mai sentito nominare. Corpo Segnalatori?».

«No. Intelligence, credo».

«Credi? Non ne sei sicura?».

«Be', lui ha detto Intelligence».

Geoffrey aggrottò la fronte. «Di norma chi sta nell'Intelligence non va in giro a dirlo».

«Lui sì».

«Sarà una spacconata. E va bene, il tuo messaggio in chiaro è *Attacco immediato*. Per cifrare questo messaggio in Vigenère si sceglie una parola chiave – poniamo: *crittografia* – e si scrive il messaggio in chiaro e la chiave uno sopra l'altra. Così». Geoffrey scribacchiò in fretta su un altro foglio monogrammato e lo fece scorrere sul tavolo.

chiaro: A T T A C C O I M M E D I A T O
chiave: C R I T T O G R A F I A C R I T

«Come vedi, non è necessario che chiave e testo di partenza siano della stessa lunghezza», proseguì. «Se la chiave è troppo lunga se ne taglia la coda, se è troppo corta si ripete dall'inizio fino a far combaciare il numero di lettere dei due testi. Per procedere alla cifratura, si prende la tabella Vigenère e si cerca la prima lettera del chiaro – in questo caso la A – sulla fila di lettere dell'alfabeto che si trova in cima al quadro. Poi si cerca la prima lettera della chiave – in questo caso C – nella colonna verticale dell'alfabeto a sinistra della tabella. In seguito si trova il punto nella tabella in cui s'intersecano la colonna A e la linea C. La lettera che compare nel punto d'incontro – in questo caso un'altra C – sarà la prima lettera del messaggio cifrato. Si ripete il procedimento con ogni coppia di lettere – chiaro e chiave – per produrre ciascuna lettera della cifratura. La seconda coppia di lettere, T e R, incrociate sulla tabella producono la seconda lettera del messaggio cifrato: K. La terza coppia, T e I, porta alla lettera cifrata B. E così via fino a cifrare l'intero messaggio, che sarà C K B T V Q U Z M R M D K R B C.

«Adesso cominci ad afferrare l'idea? Nel messaggio cifrato tutte le comuni frequenze delle lettere del messaggio in chiaro sono mascherate o distorte. A, la terza lettera in ordine di frequenza nella lingua, compare tre volte nel messaggio di partenza ATTACCO IMMEDIATO, mentre nel testo cifrato ciascuna di queste A è rappresentata da una lettera diversa – C, T e R. Viceversa, due lettere che normalmente hanno ordini di frequenza molto diversi, la E e la M, sono rappresentate dalla stessa lettera, la M. Ogni lettera in cifra è figlia del matrimonio di una lettera della chiave e di una lettera del testo in chiaro. O, per usare un'altra immagine, il messaggio cifrato è la triplice stratificazione di chiave, chiaro e cifra.

«Per decifrare un Vigenère basta invertire il processo di cifratura. Si scorre la colonna verticale dell'alfabeto a sinistra della tabella fino a trovare la prima lettera della parola chiave. Questa lettera si trova all'inizio di una riga orizzontale di lettere nella tavola. Si segue la linea orizzontale fino a raggiungere la prima lettera del messaggio cifrato. Come tutte le lettere del quadro, questa lettera si trova all'intersezione tra una riga e una colonna. Sali con l'occhio lungo la colonna, fino alla lettera che sta in cima, e questa è la prima lettera del messaggio in chiaro. Se vuoi rendere più agevole l'intero procedimento, puoi usare il cosiddetto righello St Cyr anziché la tabella Vigenère. Rispetto alla tabella il righello è come un regolo calcolatore rispetto alla tavola pitagorica».

Di nuovo Geoffrey si mise a scrivere su un foglio di carta da lettere di Alison, che questa volta attraversò la veranda per leggere ponendosi alle sue spalle.

indice
ABCDEFGHIJKLMNOPQRSTUVWXYZ
cursore
ABCDEFGHIJKLMNOPQRSTUVWXYZABCDEFGHIJKLMNOPQRSTUVWXYZ

«L'alfabeto singolo in alto prende il nome di indice». Gli occhi di Geoffrey erano fissi sulla carta davanti a sé. «Quello doppio che sta sotto si chiama cursore. Il cursore è mobile mentre l'indice resta fisso. Nel cifrare il messaggio si individua la prima lettera della parola chiave sull'alfabeto del cursore e lo si sposta finché la prima lettera della chiave si trova direttamente sotto la prima lettera dell'alfabeto dell'indice. Poi si cerca la prima lettera del messaggio in chiaro sull'alfabeto dell'indice. Direttamente sotto quella lettera si trova una certa lettera dell'alfabeto del cursore, e questa è la prima lettera del messaggio cifrato. Si ripete il procedimento con ogni coppia di lettere della chiave e del chiaro per ricavare la lettera che dà il testo cifrato. Il risultato è lo stesso che si ottiene usando la tavola, ma la procedura è molto più rapida e precisa.

«Per decifrare si trova la prima lettera della chiave nell'alfabeto del cursore, lo si fa scorrere in modo che questa lettera si trovi sotto la prima lettera dell'alfabeto dell'indice e poi si guarda la prima lettera del messaggio cifrato nell'alfabeto del cursore. Sopra questa c'è una lettera dell'alfabeto dell'indice, ed è la prima del messaggio in chiaro. Si ripete il procedimento con ogni coppia di lettere, della chiave e del testo in cifra, finché si sia estratto l'intero messaggio in chiaro. Qualcuno, al posto del righello, preferisce usare due dischi rotanti imperniati al centro».

«Cielo!», esclamò Alison. «Se si riesce a rappresentare la tabella quadrata in forma circolare, non vuol dire che ci si sta avvicinando alla quadratura del cerchio?».

«Più che altro alla cerchiatura del quadrato», rispose Geoffrey. «Una macchina da cifratura è semplicemente un'elaborazione meccanica dello stesso dispositivo. Su una macchina, gli alfabeti di indice e cursore possono essere messi in relazione in modi troppo complessi perché la mente umana sia capace di afferrarli e ricordarli. E proprio per questo il messaggio cifrato che ne risulta è troppo complesso perché un crittanalista nemico possa violarlo».

«Anche senza una macchina, per me il Vigenère è già abbastanza complicato!», sospirò Alison. «Non riesco a immaginare come sia mai stato possibile forzare un messaggio così creato!».

«Non è stato possibile per circa trecento anni. Poi, nel 1863...». Alzò lo sguardo, spostando lentamente gli occhi lungo il braccio e la spalla di Alison fino al collo e al viso. D'un tratto parve rendersi conto della sua vicinanza. «Di' un po', come abbiamo cominciato questa storia?».

Alison si accorse che stava arrossendo. *Starà sicuramente pensando che l'ho fatto apposta. Come tutti gli uomini.* Non era

Balzac a dire di uno dei suoi personaggi femminili che si muoveva deliberatamente in un modo tale che l'abito le ricadesse formando pieghe suggestive? Come se una donna potesse controllare le forme casuali che vanno e vengono in un vestito! Io a Geoffrey non stavo neppure pensando quando mi sono messa a guardare da sopra la sua spalla. Stavo solo cercando di vedere meglio questo righello di St Cyr. Ma ormai lui questo non lo crederà mai.

Si era raddrizzata e aveva fatto un passo indietro. Lui si alzò e le prese le mani.

«Alison, io...».

«Disturbo?».

Al suono di quella voce chiara e bassa si separarono bruscamente.

Yolanda Parrish era ferma nel vialetto sotto la veranda.

L'eleganza di Yolanda era tutta un'illusione ottica, il trionfo della suggestione sulla realtà. Con nulla su cui costruire se non un'onda naturale nei capelli color topo e una figura così magra da essere quasi scheletrica, la sua indomabile volontà di piacere creava un'illusione di leggiadria ingannevole come un miraggio. Alison conosceva altre donne che, benché dotate di un ben più ricco repertorio di attrattive fisiche, erano considerate scialbe. Gli occhi grigi nel lungo ovale pallido del suo viso erano piccoli e vicini. La pelle bianca esangue era punteggiata di lentiggini. La piccola bocca ricordava un roditore, una bocca che più che mordere sembrava sempre pronta a mordicchiare e rosicchiare. Le labbra erano sottili e come piegate in un'espressione di asprezza. Eppure, nonostante tutti questi difetti, Yolanda faceva colpo. Nessuno la definiva "incantevole" o "bella" e neppure "graziosa", ma una gradevolezza di base sembrava sottintesa quando Yolanda veniva descritta come "eterea" o "fragile". Sotto una superficie di beneducato distacco coltivava un'insolenza micidiale, più devastante della scurrilità di un teppista da strada. Altre donne avevano paura della luce di beffarda malignità in quegli occhi freddi, ghiaccio luccicante sotto uno smorto sole invernale. Nei confronti degli uomini, Yolanda era più rispettosa. Malgrado questo, aveva raggiunto la trentina senza sposarsi. Forse, in fatto di matrimoni, gli uomini preferivano qualcosa di più sostanzioso e meno fragile. O forse la stessa Yolanda era troppo eterea per nutrire interesse in questioni tanto terrene come il matrimonio e la maternità.

Quale sorella maggiore di Geoffrey, era la padrona di casa di uno spazioso attico a Manhattan e di una confortevole dimora estiva qui in montagna. Messi insieme, i loro redditi rendevano possibile un tenore di vita che separatamente nessuno dei due si sarebbe potuto permettere. Un matrimonio di Geoffrey avrebbe mandato all'aria quella situazione. E lo stesso avrebbe fatto un matrimonio di Yolanda, a meno che non fosse riuscita ad assicurarsi un marito con gli stessi introiti di Geoffrey.

Probabilmente era per questo che nessuna ragazza in età da marito riusciva a passare molto tempo sola con Geoffrey prima che Yolanda facesse la sua comparsa. La cosa poteva anche avere qualche relazione con il fatto che, di tutte le lettere indirizzate a Geoffrey, quelle che mostravano una grafia muliebre avevano la misteriosa tendenza ad andare smarrite prima di raggiungere il loro destinatario. Con le telefonate le cose non andavano diversamente: se dall'altro capo del filo c'era una voce femminile, la linea tendeva immancabilmente a cadere quando Yolanda la passava a Geoffrey. Tutto ciò era fatto con tanta abilità e disinvoltura, con una tale aria di devozione fraterna, che Geoffrey stesso non si rendeva conto di essere sorvegliato come la vergine figlia di un grande di Spagna del diciottesimo secolo.

Non ultima delle doti di Yolanda era una fragilità e delicatezza squisitamente femminili che in sua presenza metteva a disagio le altre donne facendole sentire volgari, chiassose e sciatte, per quanto curate e discrete fossero in realtà.

Nell'attimo in cui Yolanda comparve nel vialetto, Alison sentì ancora più acuto l'imbarazzo per la sua camicia sbiadita, i calzoncini sgualciti e i sandali scalcagnati che, non aspettando visite, aveva indossato quella mattina. Yolanda da parte sua era impeccabile nel suo abito senza maniche in candido tessuto zigrinato con una cintura scarlatta e sottile quanto le sue labbra dipinte di scarlatto.

«Neanche un po'». Yolanda la faceva sentire così rozza che Alison decise di esserlo fino in fondo. «Non c'era proprio bisogno che ti prendessi il disturbo di seguire Geoffrey fin quaggiù. Mi sta solo tenendo una lezione di crittografia».

«Seguire... Geoffrey?». Le sopracciglia erano rade e biondicce, ma s'inarcarono risentite. «Non so di cosa parli, Alison. Facevo una passeggiata giù per il monte in cerca di mele selvatiche. Per caso ho notato che la porta della tua cucina era aperta, e così sono scesa a vedere se eravate qui».

Com'è brava a dire le bugie!, pensò Alison. *Sicuramente sapeva che ero qui. Deve aver visto anche lei la luce ieri sera, come Geoffrey.*

«Sei sicura di non essere passata di qui ieri sera?», domandò Alison. «Ho sentito qualcuno nel bosco».

«Ah, davvero? Ma non ero io». Il sorrisetto beffardo che Alison trovava insopportabile stava curvando le labbra di Yolanda. «Come mai non hai chiamato chiedendo chi era?».

«Non lo so». Alison esitò. «Non so perché ma mi dava una sensazione strana. Non so esattamente che sensazione fosse».

«Di certo non poteva essere... paura, no?». La sua voce morbida assaporò la parola *paura* con tanta ironia che Alison arrossì. «Sei qui tutta sola?», riprese Yolanda.

«Nemmeno una domestica», intervenne Geoffrey. «A me pare un'assurdità».

«Tu sei sempre alla ricerca di compagnia, Geoff, come un cagnolino», fu l'informazione che Yolanda diede al fratello. «Ma ci sono persone – specialmente donne – che invece preferiscono vivere da sole, per tutta la vita». Il tono gentile faceva sembrare che Alison combinasse in sé i tratti meno gradevoli della zitella stagionata e della nevrotica reclusa.

«Io ho Argo». Come sempre, con Yolanda, Alison si trovò costretta a mettersi sulla difensiva.

Senza la minima simpatia, Yolanda scrutò il cane che se ne stava sdraiato al sole su un gradino. «Immagino sia una bella seccatura non poter mai spostare i mobili».

«Come sarebbe?», esclamò Geoffrey.

Alison lo guardò sorpresa. «Non lo sai? È così che riesce a muoversi in giro per casa».

«Non capisco».

«Quando Argo ha perso la vista, quattro anni fa, zio Felix si è accorto che il cane era ancora capace di trovare la strada in una stanza che conosceva a memoria, purché i mobili non cambiassero di posto. In città, zio Felix teneva sempre Argo in camera sua e l'arredamento lì non veniva mai spostato, nemmeno di un dito. Un giorno, quando arrivai per la prima volta a New York, mi capitò di spostare di qualche centimetro una poltrona nella camera di zio Felix. Lui mi spiegò tutta la questione e mi fece ricollocare la poltrona esattamente dov'era prima. Aveva fatto dei segni con il gesso sul tappeto per indicare il punto esatto».

«Credo di non essere mai stato nella sua camera da letto», disse Geoffrey. «Ma so che aveva l'abitudine di portare Argo con sé a passeggio nel parco».

«Al guinzaglio», precisò Alison. «Argo non ha problemi quando ha il guinzaglio a guidarlo. Ce la fa anche senza, se cammina molto vicino alla persona che è con lui e affidandosi all'udito e all'olfatto. Ma quando è solo, sbatte contro ogni ostacolo, a meno che non si trovi in una stanza in cui i mobili sono mantenuti nella posizione che ricorda».

«Non ho mai capito perché tuo zio non ha fatto sopprimere quella bestia quando è diventata cieca», mormorò Yolanda.

Alison sorrise al ricordo. «Diceva che sono tanti i cani che servono da occhi per persone cieche che gli sembrava giusto che per una volta fosse un uomo a servire da occhi per un cane cieco. Pensavo che mi sarebbe toccato riaddestrare Argo quando l'avessi portato quassù, ma non ha mai urtato contro nessun oggetto nel cottage».

«Non hai spostato niente da quando sei arrivata?».

«No. Ed è stato solo in tre stanze: soggiorno, camera da letto e cucina. Ma sembra quasi impossibile che riesca a ricordare la disposizione dei mobili dopo tre anni lontano da qui».

«Non è poi così strano», rispose Geoffrey. «Dopotutto, si tratta di una memoria motoria, come battere a macchina senza guardare i tasti, e la memoria motoria negli animali è più sviluppata che negli esseri umani. Pensa a come il piccione viaggiatore ritorna sicuro al suo nido senza nessuna indicazione. E a come il cavallo del lattaio si ferma automaticamente a ogni casa dove il lattaio effettua le consegne. Probabilmente è una forma di automatismo, come il sonnambulismo negli umani. Hai mai cercato di trovare un brano in un libro che hai letto a suo tempo, senza ricordare il numero di pagina o la posizione nel racconto, eppure ricordavi perfettamente che era su una pagina di destra verso l'alto? Il principio è lo stesso. Un senso cieco, subconscio della direzione, più che un ricordo consapevole».

«Come siamo colti stamattina», commentò Yolanda strascicando la voce. «Crittografia, psicologia animale... conosciamo a menadito tutti gli argomenti più astrusi».

Ha proprio un talento per svilire il prossimo, rifletté Alison. *Quello che stava dicendo Geoffrey su Argo mi interessava, e ora lei, con poche parole, gli ha chiuso la bocca facendolo sentire un pretenzioso pedante. Come fa a sopportare di averla intorno tutti i santi giorni?*

In questo caso sembrò sopportarla con tutta calma. Mantenne il viso inespressivo e non replicò. Ma Alison pensò che quell'impassibilità dovesse costargli un notevole sforzo di autocontrollo.

Cercò qualcosa da dire per rompere il silenzio e lanciò la prima cosa che le venne in mente. «Yolanda, tu hai conosciùto Miss Darrell quando viveva qui?».

Le sopracciglia rossicce ebbero un guizzo come se il brusco cambio di argomento avesse sconcertato Yolanda per un attimo. «L'ho vista un paio di volte. Non l'ho conosciuta bene».

«Com'era?».

«Una vecchietta con i capelli bianchi. Più o meno come ci s'immagina una maestra in pensione». La voce blanda sembrava prendersi gioco dell'intero mondo accademico. Se l'insegnamento fosse stato un'attività molto remunerativa, Yolanda avrebbe parlato in modo diverso.

«Sembra ieri quando tuo zio è venuto qui a comprare il cottage», intervenne Geoffrey. «Io avevo sedici anni, Yolanda venticinque, e nostra madre era ancora viva. Aveva saputo da lei che Aultonrea era in vendita. Lui e il suo avvocato sono rimasti da noi per il tempo necessario a perfezionare il passaggio di proprietà della casa e del terreno. Naturalmente ci furono una quantità di rinvii e di intralci burocratici. I tribunali sono sempre molto scrupolosi in casi del genere».

«Tuo zio prese tutto in blocco», aggiunse Yolanda. «Non solo il mobilio e i libri di Miss Darrell, ma persino piatti, pentole e biancheria da letto. Dopotutto, dove stava andando lei non ne aveva bisogno».

Una strana inflessione nella voce di Yolanda turbò Alison... e forse era proprio quello che lei voleva. «"Dove stava andando"? Perché, dove è andata?».

Yolanda fece una risatina leggera e tintinnante. «Davvero, Alison, devo dire che non sei per niente curiosa. Non ti eri mai informata su Miss Darrell?».

«Perché avrei dovuto?». Di nuovo Yolanda aveva portato Alison sulla difensiva. «Lei se n'era già andata quando io sono tornata in America e ho visto per la prima volta Aultonrea. Nessuno mi ha detto niente di lei. Soltanto ieri sera, quando ho trovato alcuni suoi libri in casa, ho cominciato a chiedermi che tipo fosse e cosa ne fosse di lei».

Gli occhi chiari, scintillanti di Yolanda si posarono sul volto di Alison come se qualcosa nell'espressione della ragazza le provocasse un particolare godimento. *Mi odia quanto io odio lei*, pensò Alison.

«Non sai che fine ha fatto Miss Darrell? Sul serio?».

«No».

Yolanda formò un lento sorriso. «Miss Darrell è in manicomio. È impazzita».

«Impazzita», bisbigliò Alison sgomenta. «Come? Perché?».

Il ronzio lontano di un'auto che s'inerpicava sulla montagna li raggiunse nel silenzio. Istintivamente si voltarono tutti e tre a guardare lungo il vialetto, sotto la sua arcata di alberi, verso il tratto di strada che lo incrociava ad angolo retto. Dopo un lampo metallico tra i tronchi degli alberi, il furgone della drogheria comparve e si immise nella stradina che saliva al cottage. Il muso del veicolo che avanzava sotto i rami bassi ricordò nuovamente ad Alison un coleottero che striscia nell'erba. Il furgone curvò e si fermò in cima al vialetto. Una figura alta in maglione e berretto salì a due a due i gradini scavati nella roccia.

«Buongiorno, Matt». Alison fece il possibile per rendere vivace e disinvolta la propria voce.

«'Giorno». Il cenno del capo di Matt incluse tutti e tre. Poi guardò Alison. «Dormito bene, signora?».

Il suo tono pareva assolutamente rispettoso, ma Alison lo guardò bruscamente. Non c'era molto da vedere. La sua bocca era senza sorriso come sempre, gli occhi ancora nascosti nell'ombra della visiera.

«Benissimo, grazie», rispose con brio. «L'aria di montagna è proprio quello che fa per me».

Lo sguardo di Matt passò sui boschi. «Un poco isolato. E troppo tranquillo. Personalmente mi piacciono i vicini e il chiasso e le luci. Più allegria».

Alison si trovò a prestare orecchio al suo passo lento e pesante che attraversava il pavimento di legno della veranda. Erano quelli i passi che aveva sentito quella notte? Le sembrava che fossero stati ancora più lenti, e meno pesanti.

Depose sul tavolo una grossa borsa di carta. «Costolette di agnello, asparagi, zuppa, panna, lattuga, pesche, biscotti per cani, pompelmi. Marmellata di ribes non ce n'era, gliel'ho portata di lamponi. Ho guardato anche nella sua cassetta, ma non c'era posta».

«Oh». Alison cercò di mascherare la delusione. Aveva sperato di ricevere una lettera da Ronnie. Ma sì, evidentemente aveva molto da fare.

Tirò fuori la lettera che aveva scritto a Ronnie quella mattina. «Potrebbe imbucarmela?».

«Sicuro». Era così laconico di natura? O aveva qualche motivo per temere che lei riconoscesse la sua voce?

Alison guardò le facce che le stavano intorno. Tutte e tre ora erano serie: quella di Yolanda pallida e impenetrabile; quella di Geoffrey franca e aperta; quella di Matt impassibile, come sempre celata dall'ombra della visiera del berretto. Una di quelle facce, così serie alla luce del giorno, mascherava forse un ghigno malevolo lasciato libero solo con la copertura delle tenebre, quando cadeva la notte? Era di uno di quei tre la presenza al cottage la notte prima? Finché non l'avesse scoperto, Alison non sarebbe stata a suo agio con nessuno di loro.

Matt si tolse un mozzicone di matita da sopra l'orecchio e un taccuino giallo dalla tasca posteriore. «Per i prossimi tre giorni non facciamo consegne quassù. Benzina scarsa».

Alison cercò in fretta di farsi venire in mente tutto quello di cui avrebbe potuto aver bisogno di lì a tre giorni. Matt scrisse ogni cosa, imperturbabile.

«E una stecca di sigarette... una marca qualsiasi», concluse. «E, se non è troppo disturbo, mi piacerebbe avere ogni tanto il *New York Times*. Ah, potrebbe dire a Mr Raines che ci ho ripensato e l'allacciamento del telefono lo vorrei?».

«Certamente».

«E un'ultima cosa: potrebbe chiedere a Mrs Raines se conosce in paese una donna delle pulizie che possa venire a darmi una mano una volta alla settimana?».

«Sta bene».

«Non la troverai», disse Yolanda con una gaiezza che riservava alle difficoltà in cui si trovavano gli altri. «Se non hanno loro qualche lavoro di guerra, ce l'hanno i mariti, e quindi non hanno bisogno di soldi».

Matt si voltò a guardare Yolanda come se fosse una nuova e strana specie di insetto. «Vedrò quello che posso fare», disse ad Alison. «Nient'altro?».

«No, questo è tutto. E grazie. Non so proprio come farei senza di lei».

In silenzio si toccò il berretto e si avviò giù per i gradini.

«Tipo singolare, vero?», disse Yolanda mentre lui era ancora a portata di voce. «Non credo proprio che mi piaccia. Ma dove l'avrà pescato, Varesi?».

«È arrivato in paese tre o quattro giorni fa in cerca di lavoro», rispose Geoffrey. «Varesi era contentissimo. Oggi come oggi è praticamente impossibile trovare un civile in grado di guidare un furgone».

«Dovrebbe essere impegnato nel lavoro di guerra!», ribatté Yolanda. «Molto strano che un uomo fisicamente abile debba finire in questo paesino sperduto in cerca di lavoro».

Gli occhi di Alison seguirono il furgone finché questo non sparì dietro gli alberi. «Sei sicuro che sia qui solo da qualche giorno? Mr Raines gli dà del tu, e la sua voce ha qualcosa di familiare. Mi è parso di averla già sentita quando sono stata qui tre anni fa».

«Tutti gli danno del tu», rispose Geoffrey. «Varesi mi ha detto che è qui da pochi giorni, e io sono sicuro di non averlo mai visto prima. Un profilo come quello non lo si dimentica facilmente. Ha l'aria di avere sangue indiano nelle vene».

«Se ce l'avesse, probabilmente non sarebbe qui in montagna», obiettò Yolanda. «Gli indiani hanno sempre il terrore che i demoni infestino le rupi e le cime dei monti. Ho letto che i primi cacciatori di pellicce olandesi arrivati qui incontrarono grandissime difficoltà a convincere i trapper indiani a inoltrarsi nelle regioni più selvagge delle montagne, e lì, ovviamente, si trovavano le pelli migliori».

Alison parlò in tono leggero.

«Era un demone quello che ha preso possesso di Miss Darrell?».

«Senza dubbio». Yolanda era divertita. «Nel medioevo tutti i casi di possessione diabolica erano in realtà una qualche forma di schizofrenia, no?».

«Adesso chi è che fa sfoggio di cultura?», mormorò Geoffrey.

«Però non mi avete ancora detto come e perché Miss Darrell ha finito per perdere la ragione», ricordò loro Alison.

«Temo che ora non ci sia il tempo». Yolanda diede un'occhiata al suo bell'orologio d'oro rosso tempestato di piccoli rubini, e si alzò. «È una storia lunga. Fattela raccontare una di queste volte da Mrs Raines. Andiamo, Geoffrey? Non dobbiamo arrivare tardi a pranzo o perderemo Gertrude. Già così detesta abbastanza la montagna».

Geoffrey si alzò obbediente. Che strana cosa passare attraverso tutte quelle battaglie, ammazzamenti, morti improvvise in Sicilia, e poi tornare a casa da... Yolanda!

«Ci rivedremo... presto», disse ad Alison, con un vago tono di scusa. «Perché non vieni su a cena domani sera?».

Yolanda sbatté le palpebre. Le labbra sembrarono assottigliarsi ancora di più.

«Be', mi farebbe molto piacere!». Questa volta fu Alison a sorridere malignamente, ma non era esperta quanto Yolanda e l'effetto non fu altrettanto incisivo. «A che ora?».

«Più presto che puoi... prima del tramonto, così non ti toccherà di camminare nel bosco con il buio. Naturalmente a casa ti riaccompagno io».

«Sì, vieni presto, Alison». Yolanda mise insieme una pregevole imitazione di sorriso. Alison pensò: *Se troverà il modo di impedirgli di accompagnarmi da solo a casa, sta sicura che lo farà, dovesse pure venire anche lei. Comunque io da sola nel bosco di notte non ci vado, non se ne parla proprio.*

Solo dopo che si furono avviati su per la salita dietro la casa, Alison, sgombrando il tavolo della veranda per il pranzo, si accorse che si era dimenticata di dare a Matt la lettera per il colonnello Armstrong. Il messaggio cifrato lo aveva ancora lei. E Matt non sarebbe tornato prima di tre giorni.

Chissà come me la cavo a risolvere un messaggio con il metodo Vigenère, si chiese. *Tra quei libri di crittanalisi ci saranno tutte le spiegazioni che servono. Potrebbe essere divertente provarci, finché non avrò modo di spedire il messaggio.*

Dopo pranzo portò tutti i libri di crittanalisi sulla veranda anteriore e si accinse al lavoro con carta e matita.

Con orrore, Alison scoprì ben presto che il problema era di tipo matematico. La matematica era sempre stata il tormento della sua esistenza. Il fatto che la vita quotidiana si basasse su due fattori matematici – tempo e denaro – non faceva altro che farle sembrare la vita ancor più irreale. Non c'era da stupirsi che la più grande di tutte le opere di fantasia, *Alice nel paese delle meraviglie*, l'avesse scritta un matematico. Alice cominciava i suoi più sfrenati voli di fantasia con le parole *Facciamo finta che*. I matematici partono per i loro voli con l'analogo *Assumiamo che*.

«Che diritto avete di assumere qualcosa?», protestava con i suoi insegnanti. «Non c'è nessuna verità che possa essere evidente di per sé. Perché dovrei credere che i raggi di un cerchio sono tutti uguali tra loro: solo perché me lo dite voi?».

Fu solo dopo che ebbe finito la scuola, quando s'imbatté in qualche libro che affrontava le altezze stratosferiche della matematica superiore, che cominciò a pentirsi di aver passato gran parte delle lezioni di geometria a trasformare figure di sfere e di curve sinusoidali in caricature dell'insegnante, persona parecchio in carne. Con gioia aveva scoperto che nel nuovo mondo della matematica superiore non esistevano "verità evidenti di per sé" ma solo "postulati". Qui era possibile proiettare una curva che non avesse tangenti, la parte poteva essere più grande del tutto, e materia e relazione di causa ed effetto si riducevano entrambe a un punto dove finalmente svanivano del tutto, confermando il suo sospetto che fossero entrambe illusioni. Un mondo del genere valeva la pena di essere esplorato, a costo di sgobbare un po'. Purtroppo, però, era troppo tardi. Il cancello era sbarrato dall'ignoranza della matematica.

Ora, a prima vista, avrebbe detto che lo stesso sbarramento l'avrebbe tenuta fuori dal mondo della crittanalisi.

Chiaramente, finché in un cifrario c'era un fattore matematico, lo si poteva risolvere solo tramite un procedimento matematico. Vigenère si sbagliava se pensava di aver eliminato tutti i fattori matematici dal suo cifrario quando aveva eliminato la frequenza delle lettere. Il reticolo di lettere intessuto sul telaio della sua tabella proiettava esso stesso una curiosa ombra matematica, e quest'ombra poteva essere usata per violare il cifrario, perché i numeri sono astratti e quindi manipolabili più facilmente delle lettere. La sequenza alfabetica dava a ogni lettera una coordinata numerica: 0 per la A, 1 per la B, e così via fino a 25 per la Z; oppure 1 per A, 2 per B e così via fino a 26 per la Z. La tabella Vigenère la si poteva scrivere in numeri non meno che in lettere. Non solo questo, ma ogni digramma aveva una coordinata numerica basata sul numero di lettere nell'alfabeto tra le due lettere che costituivano il digramma. Così ST equivaleva a 1, SV a 3, e VT o a 24 o a – 2, a seconda se si contava verso destra o verso sinistra. La continuità di questo alfabeto circolare che rappresentava la tabella quadrata sembrava alla mente matematica di Alison un altro caso di quadratura del cerchio.

Del perché la coordinata di un digramma cifrato dovesse essere sempre la somma delle coordinate dei digrammi della chiave e del chiaro accoppiati per produrlo, e perché digrammi di lettere diverse ma di coordinate identiche potessero nell'analisi essere trattati come identici, Alison non aveva la minima idea. Ma erano quelli alcuni dei fattori matematici nel cifrario Vigenère che Kasiski aveva scoperto, e che aveva usato per risolverlo. Un terzo fattore matematico era il numero di lettere nella parola chiave usata per la cifratura. Cifrando un messaggio di trentanove lettere in chiaro con la parola chiave di dodici lettere *crittografia*, la parola chiave andava ripetuta durante il processo di cifratura quando si arrivava alla tredicesima, alla venticinquesima e alla trentasettesima lettera del messaggio in chiaro. Una cifra basata su una parola chiave di dodici lettere come questa si diceva dotata di un "periodo" di 12. Il numero di lettere tra i digrammi ripetuti in un messaggio cifrato era di norma un indizio sul periodo del cifrario. Kasiski e Kerckoffs, con una passione morbosa per i calcoli più intricati che li rendeva detestabili ad Alison, usarono tutti questi fattori numerici per riordinare in gruppi le lettere di un messaggio cifrato Vigenère, ciascun gruppo corrispondente alla riga nella tabella da cui le lettere erano state prese. Se il messaggio in chiaro fosse *Attacco immediato* e la chiave *crittografia*, la B e la seconda M del messaggio cifrato CKBTVQUZMRMDKRBC sarebbero state prese entrambe dalla linea della tabella che inizia con la I, e quindi andrebbero entrambe nello stesso gruppo. In un messaggio lungo vi sarebbero venti o trenta lettere cifrate prese da ciascuna riga della tabella, e l'analisi matematica potrebbe raggrupparle di conseguenza. In altri termini, Kasiski e Kerckoffs riducevano ogni singolo problema di una doppia sostituzione a molteplici problemi di sostituzione semplice, e poi li risolvevano con il vecchio metodo, consultando le tavole di frequenza delle lettere.

Alison conosceva troppo bene i propri limiti per sperare di potersi servire di questo metodo matematico per violare il messaggio cifrato dello zio Felix. Oltretutto, il colonnello Armstrong doveva aver già tentato i metodi matematici senza successo, dato che quelli erano i sistemi classici per l'interpretazione di ogni forma di Vigenère. Lei non era così presuntuosa da immaginare di avere la minima probabilità di violare un cifrario su cui Armstrong non era stato capace di avere la meglio. Eppure...

Proseguì nella lettura. Poteva esistere qualche altro metodo di analisi, meno matematico, e il fatto che un ultimo messaggio di zio Felix, scritto sul letto di morte, si trovasse celato sotto il groviglio di lettere sulla pagina che aveva davanti costituiva un potente incentivo. Per la prima volta Alison si rendeva conto pienamente della singolarità del fatto che zio Felix avesse scritto quell'ultimo messaggio in cifra. C'era qualcosa nell'originale in chiaro che lui voleva tener nascosto a qualcuno? A chi? E perché?

Fino a quel momento aveva supposto che lo zio Felix stesse semplicemente scrivendo un altro messaggio cifrato per sperimentare il metodo di cifratura appena inventato. Ma non era un po' strano che lo facesse in piena notte? Soprattutto considerando che Armstrong aveva già i messaggi di prova da sottoporre ad analisi.

Improvvisamente smise di voltare le pagine. Quello che sperava di trovare l'aveva trovato: un metodo di analisi che non dipendesse dalla matematica. Era il metodo delle parole probabili, ideato da Bazeries. Questi basava il suo sistema sul fatto che le tre lettere – di chiaro, chiave e cifrato – usate da Vigenère nella cifratura formano, sul righello o sulla tabella, un triangolo rettangolo. Ovviamente, una volta che si disponga di due angoli e di un lato di un triangolo rettangolo, per ricavare il resto basta una semplice costruzione geometrica. O, per metterla in termini algebrici, è semplice risolvere un'equazione con due incognite (chiave e chiaro) e un valore noto (cifra) a condizione che si sia in grado di stimare il valore di una o di entrambe le incognite con un ragionevole grado di approssimazione.

Un crittoanalista politico o militare ha sempre un qualche indizio sul contenuto originario del messaggio cifrato che sta cercando di risolvere. Per esempio, se stai cercando di interpretare un messaggio intercettato spedito da un ufficiale dell'artiglieria tedesca, puoi presumere che nel chiaro siano presenti termini relativi all'artiglieria e che la parola chiave potrebbe essere presa dalla storia o dalla letteratura tedesca.

Supponiamo che la parola che con più probabilità potrebbe comparire all'inizio del chiaro sia *Herr* e che il primo gruppo di lettere nel cifrato sia YMOR. Usando un regolo St Cyr si procede come si farebbe per un'ordinaria operazione di cifratura o di decifrazione. Si trova l'ipotizzata prima lettera del chiaro, H, nell'indice; si trova la prima lettera del cifrato, Y, sul cursore; quindi si sposta il cursore finché la sua Y si trovi sotto l'H dell'indice. La lettera sul cursore che è ora sotto la prima lettera dell'indice è la prima lettera della parola chiave, posto che sia corretta l'ipotesi che H è la prima lettera del chiaro. Si ripete questa operazione con le lettere di ognuna delle parole che si ritiene possano rappresentare la prima parola del chiaro finché non si sia estratto un gruppo di lettere che formano una chiave coerente e si interpreta l'intero messaggio cifrato.

Alison fu molto contenta leggendo che questo metodo di analisi, il meno matematico di tutti, si era rivelato il più efficace. Gli storici della crittografia sostenevano che Bazeries aveva ucciso il sistema di cifratura di Vigenère. Ora nessun esercito avrebbe più osato utilizzarlo. E allora perché zio Felix offriva una cifratura Vigenère alle forze armate degli Stati Uniti?

Certo, zio Felix era solo un dilettante. Poteva non essersi reso conto di quanto potesse essere penetrante, in mani capaci, il metodo Bazeries. Ma allora perché il colonnello Armstrong non era riuscito a forzare il sistema? Aveva detto che del messaggio in chiaro non sapeva nulla. Forse era questo il motivo per cui non gli era stato possibile utilizzare il metodo Bazeries.

La cosa si faceva interessante.

O forse lo zio Felix aveva perfezionato il Vigenère, rendendolo invulnerabile sia a Kasiski sia a Bazeries? Il colonnello Armstrong aveva affermato che solo le cifrature eseguite con un dispositivo meccanico erano impenetrabili. La stessa cosa l'aveva detta Geoffrey. E Geoffrey aveva definito una cifratura fatta a macchina come un'elaborata forma meccanica di Vigenère. In base a quale principio la macchina elaborava Vigenère? Era possibile che lo zio Felix avesse semplificato quel principio in modo tale che lo si potesse usare per eseguire la cifratura senza ricorrere a una macchina?

In ogni caso valeva la pena fare un tentativo con il metodo Bazeries, visto che dipendeva dalla conoscenza della mentalità e della situazione della persona che aveva scritto il messaggio cifrato, e che quello era un campo in cui Alison presumeva di poter competere con il colonnello Armstrong. Conosceva la mentalità e la situazione di suo zio molto più di quanto potesse mai conoscerle Armstrong.

Le occorsero pochi momenti per realizzare un regolo St Cyr con due lunghe e strette strisce di carta, una che riportava il singolo alfabeto dell'indice, l'altra con quello doppio del cursore. E ora la prima probabile parola da individuare.

A chi avrebbe indirizzato zio Felix questo messaggio? Il colonnello Armstrong stesso sembrava il destinatario più logico, essendo lui il crittanalista che stava lavorando con zio Felix. Di sicuro lo zio Felix doveva essersi reso conto che ben difficilmente qualcun altro avrebbe potuto leggere un suo messaggio cifrato con un sistema così complesso.

Ma anche se prevedeva che a leggerlo sarebbe stato Armstrong, non era possibile che il messaggio fosse ugualmente indirizzato a qualche membro della sua famiglia? A lei stessa, o a Ronnie, o anche a Hannah, con l'idea che poi sarebbe stato inoltrato tramite Armstrong? Ma allora... perché scriverlo in cifra?

Alison stilò una lista di nomi:

Colonnello Armstrong
Alison
Ronnie
Hannah

Ognuno di questi nomi poteva essere l'inizio del messaggio in chiaro. Ma ammesso che fosse una lettera indirizzata a uno di loro, non era possibile che cominciasse come tutte le lettere con *Caro/cara* o *Mio caro/Mia cara*?

Aggiunse *Mio*, *Mia*, *Caro* e *Cara* alla sua lista di probabili prime parole.

Lentamente e con grande attenzione ricostruì le otto parole sul righello lettera per lettera in combinazione con le prime lettere del messaggio cifrato: IFBK YXQI VGVZ. Ogni volta il risultato non era una parola chiave coerente ma un altro groviglio di lettere ammassate in gruppi insignificanti e impronunciabili. Il suo entusiasmo per Bazeries stava iniziando un po' a smorzarsi. Il metodo si stava rivelando tedioso quasi quanto quello di Kasiski. E poi zio Felix doveva essere senz'altro a conoscenza del metodo Bazeries. Di certo, se lo aveva dichiarato inespugnabile, il suo cifrario non poteva essere risolto così facilmente con un metodo risaputo.

Smise di fare congetture sul messaggio originale e cominciò a riflettere sul percorso mentale con cui zio Felix poteva aver progettato un cifrario a prova di scasso. Ben presto le sue idee divennero così confuse che dovette metterle nero su bianco per chiarirle. Per un po' non vi fu altro suono sulla veranda che quello del pennino che grattava la carta.

> *Tutti i metodi di analisi Vigenère dipendono da due fattori numerici: il numero di volte in cui la parola chiave è ripetuta nel procedimento di cifratura e la sequenza numerica delle lettere nell'alfabeto. Il metodo Kasiski-Kerckoffs si basa interamente su questi fattori. Il metodo Bazeries si basa largamente su di essi. Anche se si riesce a imbroccare la prima o le prime parole, sarebbe difficile estrarre il resto del chiaro o la chiave se non c'è l'aiuto della ripetizione e della sequenza alfabetica in qualche parte del righello o della tabella.*
>
> *Quindi, per realizzare un Vigenère inaccessibile, occorre eliminare questi fattori matematici: la ripetizione della chiave e la sequenza alfabetica.*
>
> *DOMANDA: Come si può eliminare l'uno e l'altro fattore senza creare una cifra troppo complessa perché una mente umana media possa ricordarla e usarla con rapidità e precisione nelle condizioni difficili di una battaglia?*
>
> *Eppure questo è quanto zio Felix afferma di aver fatto...*
>
> *ACCIDENTI!*

Alison era così assorta che non udì l'auto che si avvicinava finché questa non svoltò dalla strada sottostante e cominciò a inerpicarsi con una marcia bassa per il ripido vialetto che portava allo chalet.

Il suono la raggiunse come uno choc, mentale e fisico.

Nella sua concentrazione aveva perso così completamente il contatto con il mondo materiale da trovarsi in un terzo stato di coscienza: non il sonno, ma una condizione mentale altrettanto lontana dalla veglia. Il rumore dell'auto la riportò alla realtà con un sussulto e un brivido. La consapevolezza di ciò che la circondava tornò così repentinamente che il processo fu percepibile quanto un'improvvisa messa a fuoco dell'occhio su un particolare punto dello spazio. Non s'era accorta che il sole era tramontato. Ora veranda, strada e piante sembravano ondeggiare grigie e inconsistenti nella marea calante della flebile luce crepuscolare. Questa era l'ora in cui i boschi sembravano sempre irreali e stregati quanto la foresta di una fiaba dei fratelli Grimm.

Chi stava venendo da lei in quella vettura lunga e affusolata di un grigio argento cromato? Fosse stato Matt di ritorno, sarebbe arrivato a bordo del furgone. I Raines non avevano motivo di venire, i Parrish erano già stati lì, ed era troppo presto perché fosse qualcuno mandato dall'azienda telefonica per l'allacciamento.

Alison si alzò e si mise in cima ai gradini della veranda. L'auto fece un'ampia svolta davanti alla casa e si fermò. Una donna scese dal posto di guida e si avviò su per i gradini scavati nel terreno. Era particolarmente alta per essere una donna, e doveva essere anziana, perché solo una donna anziana avrebbe portato una sottana così lunga. Era tutta vestita di grigio, come fosse uno spettro che avesse preso consistenza dalla polvere e dalla luce del crepuscolo. Un cappello a tesa larga le nascondeva il volto e i capelli. I piedi erano lunghi e ben piantati nelle scarpe stringate senza tacco. Due avambracci magri dai polsi nodosi spuntavano dalle maniche che le arrivavano ai gomiti. Le mani nude erano grandi e muscolose, le nocche gonfie, le vene sporgenti sotto la pelle grigiastra del dorso delle mani. Portava sotto il braccio una voluminosa borsa con il telaio di legno.

«Miss Tracey?». Una voce di profondo contralto.

«Sì?». Alison abbassò lo sguardo verso il fondo della scala e vide un volto lungo e scialbo incorniciato da ciuffi grigi scompigliati sotto la falda del cappello.

«Mi chiamo Phillimore», continuò la voce profonda. «Sono la sua vicina».

«Piacere. Si accomodi, venga a sedersi nella veranda».

«Grazie». Mrs Phillimore si arrampicò lentamente e con fatica su per gli scalini, si avvicinò a una sedia a dondolo e vi si sedette a ginocchia divaricate. Alison non aveva mai visto una donna più sgraziata e grottesca. Argo parve condividere il parere. Diede una rapida annusata ai piedi di Mrs Phillimore e strisciò sotto il tavolo, con la coda a mezz'asta.

«È occupata?». Occhi avidi percorsero rapidamente le carte sul tavolo della veranda.

«No, no, si figuri». Alison raccolse i fogli in una pila, sistemandovi sopra un libro a mo' di fermacarte. Quegli occhi avevano riconosciuto la tabella Vigenère? Difficile dirlo. Avevano una velata fissità da pesce che ne distorceva l'espressione.

«Sigaretta?». Mrs Phillimore tirò fuori un portasigarette di legno d'olivo.

«No, grazie». Qualsiasi cosa le avesse offerto Mrs Phillimore, Alison l'avrebbe rifiutata.

La donna si strofinò un fiammifero sulla coscia, raccolse le grosse mani intorno alla fiammella mentre si accendeva una sigaretta, si gettò il fiammifero usato alle spalle, tra i cespugli. Accavallò una gamba sull'altra esponendo una caviglia lunga e secca coperta da una calza grigia di rayon, tornò ad adagiarsi contro lo schienale della sedia, con la sigaretta che le pendeva dal carnoso labbro inferiore. C'era qualcosa di un po' strano, anzi più di un po', in questa serie di azioni. Ad Alison venne in mente un'idea così grottesca che le fu difficile prenderla seriamente in considerazione.

«Immagino che si starà domandando il motivo della mia

visita», rombò il vocione. «Matt mi ha detto che aveva problemi di servitù».

«Gli ho chiesto se poteva trovarmi una donna delle pulizie disposta a venire una volta alla settimana», precisò Alison.

«Già». Mrs Phillimore allacciò le mani intorno al ginocchio accavallato. Lunghi peli castani le spuntavano sul dorso dei polsi e sugli avambracci. «Non la troverà, sa. Non ce ne sono. Pensavo che magari potrei darle io una mano».

«Lei?». Alison era stupita.

«Porco diavolo, e perché no?».

Alison era abituata alle ragazzine che imprecano per sembrare grandi e dure, ma non aveva mai sentito usare quell'espressione con tanta disinvoltura da una signora dell'età di Mrs Phillimore.

«Oggi come oggi bisogna essere buoni vicini, no?». Il tono con cui pronunciò quella frase faceva pensare che Mrs Phillimore detestasse profondamente la politica del buon vicinato. «Sarò sincera. Io vivo con una piccola pensione. Non molto, ma quanto basta per pagare l'affitto e mettere qualcosa in tavola. Per me non sarebbe male riuscire a racimolare qualcosa di extra. A casa mia i lavori li faccio io. Perché non dovrei farne un po' anche dei suoi? Mi farebbe piacere venire una volta alla settimana a passare un po' in giro lo straccio della polvere».

«È molto gentile da parte sua», prese tempo Alison. Pochi momenti prima aveva pensato che avrebbe accettato qualsiasi cosa si presentasse sotto forma di donna delle pulizie; ma ora non sopportava il pensiero di trovarsi da sola nel cottage per qualche tempo con quella persona singolarmente sgradevole. Che cosa poteva inventarsi per declinare l'offerta senza offenderla? «Non avrò bisogno di nessuno ancora per diverse settimane», disse infine. «Restiamo intese che le farò sapere tramite Matt quando avrò bisogno di lei?». *E non glielo farò sapere mai*, aggiunse tra sé.

Ma qualcosa le faceva pensare che non si sarebbe liberata così facilmente di Mrs Phillimore.

«Mi sta bene. Però faccia alla svelta. Qualche quattrino mi farebbe proprio comodo». Le labbra esperte di Mrs Phillimore formarono un preciso anello di fumo.

«Quanto chiederebbe?».

«Quello che dice lei, carina».

E con questo la decisione era presa. Alison avrebbe svolto personalmente tutti i lavori di casa, si sarebbe persino messa a strofinare il pavimento della cucina piuttosto che prendere a servizio una donna del genere. Era evidente che non era una domestica. Chi aveva mai sentito una domestica dare della "carina" alla potenziale datrice di lavoro, e offrirsi di lavorare per "quello che dice lei"? L'auto grigia e cromata parcheggiata sul vialetto rappresentava denaro. E anche la casa bianca che Alison aveva visto dalla cima dell'altura dietro il cottage. Una donna in grado di permettersi quella macchina e quella casa non poteva aver alcun motivo normale per cercare lavoro come domestica. Il motivo doveva essere un altro. Che il suo interesse fosse ficcare il naso in giro per il cottage? O voleva semplicemente tener d'occhio Alison? Entrambe le idee erano poco gradevoli.

«Caldo, eh?». Mrs Phillimore tolse un fazzolettone bianco di seta dalla borsa e si mise a sventolarsi. «Suo cugino quest'anno non viene su?».

«Credo di no».

«Che bravo giovanotto». Le spesse labbra si aprirono in un sorriso che mostrava i lunghi denti gialli stranamente simili a una doppia fila di semi in un frutto spaccato. «L'ho conosciuto quando è venuto qui per la prima volta due anni fa. Si è ritrovato con un bel gruzzolo, a quanto ho sentito, grazie alla morte dello zio».

Alison non sapeva proprio come rispondere a questa singolare forma di condoglianze.

«Certo che è proprio un piacere avere dei vicini come si deve come voi».

Nemmeno adesso Alison trovò una risposta, avendo pensato giusto in quel momento che la vicinanza di Mrs Phillimore era una piaga per Aultonrea.

«Una delle ragioni per cui sono venuta quassù è per stare alla larga dal tipo di gente che s'incontra nelle grandi città come New York», tirò avanti imperterrita Mrs Phillimore. «Troppi stranieri pieni di idee di riforme sociali estranee al nostro paese. Se vuole sapere cosa penso, c'è molto da imparare da Hitler su come ha sistemato riformatori di quella razza».

La cosa era scivolata nella conversazione in maniera così pacata e disinvolta che ci volle qualche momento perché Alison si rendesse conto davvero di quello che aveva sentito.

«Non riesco a immaginare nessuna idea di cambiamento sociale più estranea alle nostre tradizioni di quella di Hitler», rispose.

«Ah, no?». Un certo rossore oscurò il viso smunto per un momento. «Be', carina, non ci metteremo certo a litigare su questo». Il fazzoletto di seta scivolò via dalle mani ossute e finì a terra. Dato che l'altra era molto più anziana, Alison lo raccolse. Poi le venne un'idea. Appallottolò il fazzoletto e glielo rilanciò. Nel momento in cui le cadde in grembo, lei riaccostò le ginocchia.

Il disgusto di Alison si mutò in paura. Aveva la prova che la sua idea grottesca su quello strano essere fosse la verità. Quando si getta un oggetto nel grembo di una donna, lei di norma tiene aperte le gambe per raccoglierlo con la gonna; ma quando si fa la stessa cosa con un uomo, lui istintivamente riaccosta le ginocchia, perché altrimenti l'oggetto cadrebbe tra le gambe dei pantaloni. Ogni parola e ogni gesto di "Mrs" Phillimore era stato quello di un uomo. Il modo in cui aveva acceso il fiammifero sfregandoselo sulla coscia, il modo in cui aveva messo le mani a coppa intorno alla fiammella e gettato il fiammifero bruciato dietro le spalle senza prendersi la briga di guardarsi intorno in cerca di un posacenere, il modo in cui si era seduta a ginocchia larghe come se indossasse dei calzoni, il modo in cui aveva accavallato le gambe e si era allungata all'indietro, emettendo anelli di fumo, lo stesso modo di parlare, l'insinuante familiarità di quel "carina". La voce profonda, carica, l'insolita statura, la lunga gonna che poteva nascondere le ginocchia ossute di un uomo, i peli sugli avambracci, i polsi nodosi, i grandi piedi, le mani muscolose: tutti quei tratti erano maschili. Quello era un uomo travestito per qualche motivo da donna, e Alison non poteva pensare a nessuna buona ragione per una mascherata del genere. Quella notte aveva immaginato che alla luce del giorno non avrebbe mai provato tanto spavento. Si sbagliava. Non era ancora il momento di accendere le lampade, e già adesso era spaventata. Quello che prima era solo grottesco era improvvisamente diventato sinistro.

«Meglio pensarci bene, carina». "Mrs" Phillimore si erse in tutta la sua statura. «Mi faccia sapere da Matt quando avrà bisogno di una donna di servizio. Non sono una che fa storie. Non m'importa che genere di lavoro faccio, fintanto che becco qualche quattrino. E ho idea che a lei fa piacere avere in giro qualcuno ogni tanto». Gli occhi di pesce fecero il giro dei boschi tutt'intorno alla casa. «Un po' isolata, eh?».

«Non mi dispiace stare da sola». Ma questa volta non era la verità.

Sui gradini, l'allampanata figura maschile in quell'abito incongruamente femminile si fermò e si voltò. «C'è una cosa che vorrei chiederle, tesoro».

Da una simile fonte, "tesoro" era ancora più irritante di "carina", ma Alison non ebbe il coraggio di protestare. «Che cosa?».

«Mi stavo domandando... per caso, lei... le è capitato di fare un giro nel bosco ieri notte?».

Alison scrutò in quegli occhi verdastri e velati, ma non vi scorse alcuna espressione. "Mrs" Phillimore stava facendo la furba? Aveva scelto questo metodo per nascondere il fatto che era stata lei ad aggirarsi nei paraggi del cottage la notte prima? O poteva essere che quegli occhi fossero seri quanto sembravano, e anche – sì – un po' impauriti? Anche quelle orecchie avevano sentito i passi, o almeno il crepitio secco delle foglie morte sotto un piede furtivo?

«No, stanotte non sono uscita di casa». Un guizzo di coraggio prese possesso di Alison. «E lei?».

«No, carina, nemmeno io». Inequivocabile l'espressione perplessa in quegli occhi strani. «Ma qualcuno c'era. L'ho sentito... o sentita».

Senza un'altra parola l'alta, grottesca figura scese gli scalini. Alison rimase ritta sulla veranda seguendo con lo sguardo l'auto grigia finché non sparì lungo la strada tra i boschi. Quando il silenzio tornò a calare sul cottage, fu quasi come se quello strano episodio se lo fosse soltanto immaginato in un oscuro sogno a occhi aperti. Un uomo vestito da donna: di cose del genere sono fatti i sogni... e gli incubi. Solo che nella polvere del vialetto c'erano le orme di quei grandi piedi piatti.

Mentre la cena era sul fuoco, lei serrò tutte le porte e chiuse tutte le finestre. Non che avesse paura. Figurarsi. Era solo una precauzione di buonsenso contro la pioggia o i pipistrelli o i topi... Le tende erano puramente decorative, troppo strette per coprire interamente le grandi finestre a battenti. Il nero della notte premeva contro i vetri, trasformandoli in uno specchio che nascondeva l'esterno dietro il riflesso dell'interno illuminato dal fuoco. Alison si convinse che nella camera da letto di sudovest la notte prima non era stata comoda. Non perché avesse paura di dormire in una camera al piano terra con una porta e una finestra che si aprivano quasi direttamente sui boschi, ma perché... be', perché semplicemente non le piacevano le camere d'angolo con doppia esposizione.

Rimise le sue cose nella valigia e la portò di sopra, nella camera da letto mansardata sul lato anteriore della casa. Questa stanza aveva una massiccia porta di legno che si poteva chiudere a chiave e una sola grande finestra che s'affacciava, al di là del tetto spiovente della veranda anteriore, sul vialetto e sulla strada sottostante. Ovviamente una stanza del genere sarebbe stata meno... esposta agli spifferi.

Alle nove, quando il fuoco era ormai ridotto a qualche tizzone rosseggiante, prese la lampada e salì al piano di sopra, con Argo alle calcagna. Anche se non l'avrebbe ammesso volentieri, si sentiva molto più protetta e sicura lassù, con la porta chiusa a chiave, di quanto avrebbe potuto sentirsi in una qualunque stanza del pianterreno. Da quell'altezza, la finestra aveva una visuale del vialetto più ampia di ognuna delle finestre del piano di sotto. Anche questo contribuiva al suo senso di sicurezza. Se quella notte un rumore l'avesse svegliata, avrebbe potuto vedere chi era ad avvicinarsi al cottage ben prima che arrivasse nei pressi della veranda anteriore.

Era così stanca che sprofondò nel sonno appena la sua testa toccò il cuscino. L'ultimo vago pensiero fu: *Non sono più spaventata. Stanotte dormirò come un sasso come se fossi a New York.*

Era a New York. Stava guardando il nastro luminoso del notiziario che correva intorno al palazzo del *Times* in Times Square. Riusciva a leggere chiaramente le lettere che si inseguivano lampeggiando: LA LEGA DEI SUPERAMERICANI: VOGLIAMO LA GIUSTIZIA COSMICA... ma le luci erano così vivide che gli occhi le dolevano. Sbatteva le palpebre e si strofinava gli occhi e poi – da un momento all'altro – non era più a New York. Era sdraiata su un materasso duro e stretto tra ruvide lenzuola di cotone. Ma la luce era ancora lì, sfolgorava così intensamente contro le palpebre chiuse che lei vedeva dei puntini dorati danzare su uno sfondo rosa carico. Aprì gli occhi.

La luce della luna entrava dalla finestra aperta posandosi direttamente sul suo viso. Si mosse a disagio, ricordando l'antica superstizione per cui la luna piena che colpisce il volto di qualcuno che dorme lo porta alla pazzia. Si drizzò a sedere. La luna non era ancora piena. La sua forma asimmetrica e la superficie bitorzoluta la faceva sembrare una malridotta palla d'argento calciata in giro per il cielo in un qualche gioco astrale.

Aveva una veduta in prospettiva del vialetto che scendeva fino alla strada, e della strada stessa, deserta e bianca nella luce fredda, incorniciata ai due lati dal bosco. Quanto artificiale, quanto teatrale riusciva a essere il chiaro di luna! Il vialetto era un palcoscenico illuminato con due ali oscure sull'uno e sull'altro lato, un palcoscenico lasciato libero per qualche istante per costruire un senso di suspense e di attesa nel pubblico. La scena era preparata, il sipario si era alzato, ancora un attimo e sarebbero comparsi gli attori.

Non avrebbe saputo dire esattamente quando era successo che i suoi sensi intorpiditi avevano percepito il rumore. Questa volta non era lo scricchiolio delle foglie o il suono sordo dei passi sul tavolato del pavimento. Era un cigolio intermittente, ritmico come il battito di un metronomo. *Ziiin-za – ziiin-za – ziiin-za*. Dove aveva già sentito quel suono?

Il ricordo arrivò improvviso, polverizzando quel poco di solidità nervosa che le era rimasta. Era il cigolio della sedia a dondolo sulla veranda anteriore, e lei lo aveva sentito quel pomeriggio al tramonto quando "Mrs" Phillimore vi si era seduta. Alison visualizzò all'istante quegli occhi velati e quella magra figura mascolina così innaturale nel suo cappello da donna e nella sua sottana lunga, seduta sola nella veranda alla luce della luna mentre si dondolava avanti e indietro... avanti e indietro...

Non poteva essere. Era troppo assurdo, troppo folle. Del resto, non c'era qualcosa di folle in "Mrs" Phillimore? E cos'altro poteva essere? Chi altri poteva essere seduto lì a dondolarsi avanti e indietro? Le sedie a dondolo non si muovono da sole in una notte senza vento. *Ziiin-za – ziiin-za – ziiin-za*. Alison rimase seduta con lo sguardo fisso sul tetto della veranda, chiedendosi che cosa vi fosse lì sotto.

Quel cigolio continuo, monotono, era insopportabile. Non poteva starsene ferma ad ascoltarlo per il resto della notte. Infilò la vestaglia e le pantofole. Queste ultime erano morbide, con la suola di feltro. Non produssero il minimo rumore sulla piccola e ripida scala. La luce lunare penetrava dalle finestre del soggiorno, ed era così viva che non le occorse né la lampada né una candela. Si avvicinò in punta di piedi alla finestra che dava sulla veranda.

Poteva vedere l'alto schienale della sedia a dondolo andare avanti e indietro, avanti e indietro. Il retro dello schienale era rivolto verso di lei, troppo alto per vedere chi o che cosa vi si trovasse seduto.

Se voleva vedere il sedile della sedia, doveva aprire la finestra e affacciarsi.

Solo per un momento esitò. Poi fece scorrere il chiavistello con tanta cautela e così lentamente da non emettere alcun suono, spinse il battente e mise fuori la testa.

Il sollievo fu tale che scoppiò a ridere forte. Seduto sul piano della sedia, più spaventato di lei, c'era un grosso innocuo porcospino. Evidentemente il suo peso aveva messo in moto la poltrona quando vi era saltato sopra e poi l'oscillazione del sedile lo aveva talmente impaurito che non aveva trovato il coraggio di saltare giù ma aveva continuato ad avvicinarsi e arretrare dal bordo. Il suono di una risata umana, però, fu troppo per lui. Si gettò goffamente nel vuoto, finì disteso sul pavimento, si riprese e si diede a una fuga disperata, attraverso la veranda, giù per la scala, con le unghie che ticchettavano sul legno nudo, zampettando come una pioggia leggera.

Sempre ridendo, quasi istericamente, Alison chiuse la finestra. Anche la notte prima doveva essere stato Fratel Porcospino ad aggirarsi tra le foglie secche. Lui o qualche altro animale dovevano aver lasciato le strane orme nel fango accanto alla pozza d'acqua sul retro della casa. Già – e qui la risata morì sulle sue labbra – ma i passi che aveva sentito sulla veranda?

Doveva esserci una spiegazione razionale, si disse. C'era sempre una spiegazione razionale per tutto. Se solo fosse andata prima alla porta quando aveva sentito quei passi. Se quella notte fosse rimasta al piano di sopra ad ascoltare il cigolio della sedia a dondolo si sarebbe immaginata... ogni sorta di cose. E invece non era altro che un porcospino.

In quel momento tutte le sue paure parvero immaginarie. Persino la sinistra impressione che "Mrs" Phillimore fosse un uomo vestito da donna sembrò un abbaglio provocato dall'eccessiva tensione nervosa. È noto che alcune donne, passata la mezza, prendono un'aria mascolina.

Nonostante il sollievo, l'esperienza l'aveva lasciata completamente sveglia. Di nuovo cercò negli scaffali qualcosa da leggere che le facesse venire sonno, ma questa volta non trovò nulla di indubbiamente soporifero come le avventure di un mercante di legname. Alla fine prese una copia delle memorie che lo zio Felix aveva pubblicato qualche anno addietro. Se voleva risolvere il suo cifrario attraverso la conoscenza della sua vita e delle sue abitudini mentali, era proprio quello il libro di cui aveva bisogno per stimolare i ricordi che aveva di lui.

Tornata nel sottotetto, chiuse di nuovo la porta a chiave e accese la lampada a petrolio. Questa stanza era arredata in modo più semplice delle camere del piano di sotto – una branda, un tavolino di vimini, un tappetino e un piccolo cassettone. Ma i colori del tappeto erano allegri, il letto era pulito e caldo, e lei aveva sempre avuto un debole per le mansarde. Il gioco delle ombre sul basso soffitto spiovente le dava un senso d'intimità.

Argo si acciambellò in fondo al letto e Alison aprì il libro. Erano passati mesi da quando l'aveva letto. Ogni tanto s'imbatteva in un passo che ricordava, ma per lo più era come leggere un libro per la prima volta. Lo stile di zio Felix era così caratteristico che era quasi come se le stesse parlando di persona, con la sua voce carezzevole così pronta a passare dal serio al faceto e viceversa. Dopo un po' cominciò a sentirsi insonnolita. Ancora una pagina e poi avrebbe spento la luce. Voltò la pagina. Tutto d'un tratto era perfettamente sveglia. Lo aveva già letto, quel brano, nel libro di zio Felix? Di sicuro doveva averlo letto. Ma poi doveva averlo cancellato completamente dalla memoria.

Qual era la profonda verità psicologica che si celava dietro l'enigmatico simbolo dell'arcadico dio Pan?

Molto tempo dopo che le immagini ateniesi di Zeus, Artemide e Dioniso erano diventate totalmente umane, perdendo ogni traccia di Lupo od Orso o Toro, questo Pan, originario dell'arretrata montuosa Arcadia, era ancora il "piè caprino, bicorne, del sistro amante, che tra i boschi s'aggira e gli aspri monti, con occhio acuto sorvegliando i greggi"...

Un tempo, senza dubbio, era semplicemente il dio-capra di un culto della fertilità tra le popolazioni preagricole che calcolavano la ricchezza in greggi e mandrie. Come tale era il dio di tutto ciò che pascolava e su cui si pascolava: ovini, bovini, cervi, vegetazione da foraggio. Gradualmente divenne pastore oltre che gregge, il santo patrono degli allevatori, il Grande Capraio o Pecoraio di cui ogni pastore di minor livello faceva spiritualmente parte. Poiché i pastori greci richiamavano le bestie disperse con uno strumento a fiato fatto di canne, fu naturale che il loro dio diventasse un dio dell'aria e della musica e quindi, secondo la logica dei primitivi, un dio che avesse il controllo del bello e del cattivo tempo.

Ma in che modo questo dio delle greggi e delle mandrie, il cui nome significa "colui che pascola" o "colui che bruca", divenne quel dio della paura che ancora oggi noi stessi evochiamo quando usiamo la parola "panico"?

Avete mai visto un gregge o una mandria perdere il controllo e darsi alla fuga? È come vedere un cumulo di foglie morte riportate in vita da un'improvvisa folata di vento. Sembra che una forza invisibile prenda possesso del branco fondendo gli individui in un singolo organismo che fugge all'impazzata senza riguardo per se stesso o per qualsiasi cosa si trovi sul suo cammino, benché non vi sia alcun pericolo visibile. Per i greci ogni forza invisibile era una forza divina: tutto ciò che non aveva una causa manifesta era causato da un dio. Tutte le emozioni erano divine: passione, ispirazione, estasi, e persino la paura. La parola stessa "entusiasta" vuol dire "che ha dio dentro di sé", e si può sempre riconoscere un dio in veste umana dal non umano fulgore dei suoi occhi. Quando i persiani si diedero alla fuga a Maratona, o i galli fuggirono senza motivo apparente in Macedonia, era Pan a disperdere i nemici dei suoi adoratori greci così come disperdeva gli armenti di un pastore che trascurasse il suo culto.

Quando l'uomo lascia il trambusto delle città per la pace dei boschi o delle montagne e vive solo con la propria piccolezza in un grande silenzio, impara a conoscere una paura senza nome priva di motivo apparente. Per i greci questo poteva significare una sola cosa: Pan, il dio del terrore insensato, doveva abitare nei solitari boschi e montagne. Le bestie si disperdevano attratte in quei luoghi perché udivano il richiamo ultrasonico di questo divino guardiano, che proteggeva gli animali selvatici dai soverchianti cacciatori umani con il fulmine del suo panico. Persino il miraggio era un trucco inventato da Pan per terrorizzare e confondere il viandante solitario.

Sotto il regno di Tiberio, il nocchiero greco di una nave egizia che incrociava al largo della costa dell'Epiro udì una voce provenire dal buio che lo chiamava e gridava: "Pan megas tethnéké", "*il Grande Pan è morto*". *Ma è davvero morto?*

Oggi posseggo un piccolo cottage per l'estate che sorge isolato nella tranquillità della pendice boscosa di un monte. A volte, guardando lungo un sentiero tra gli alberi, vedo fremere il fogliame del sottobosco senza che ci sia vento. Di notte sento scalpiccii concitati come se qualcuno o qualcosa si stesse aggirando tra le foglie morte intorno alla casa. Un paio di volte mi è parso di cogliere una specie di vibrazione proprio sul margine della mia soglia auditiva: un lontano, sottile sussurro di flauti fantasma. Illusione? Illusione è Pan. Con l'"illusione" disperse la schiera persiana e dipinse il miraggio all'orizzonte davanti agli occhi sbigottiti del viaggiatore. No, il Grande Pan non è morto. Vivrà finché esisteranno il silenzio e la solitudine e una grande paura della propria piccolezza nel cuore degli uomini.

Anche se sovente ho la sensazione di udire Pan, non lo vedo mai. Fortunatamente rimane sempre al di fuori del mio campo visuale. Perché gli antichi dei non trattano benevolmente i mortali che posino su di loro lo sguardo non invitati. È legge di Crono quella che dice che chiunque lo sguardo posi su qualsivoglia immortale, non volendolo il dio, caro ciò debba costargli. *Si può udire Pan impunemente. Ma vedere Pan faccia a faccia è la morte…*

Alison depose il libro. Aveva già letto queste pagine? Doveva averle lette sicuramente, ma tra i rumori del traffico e le luci splendenti di New York non le avevano fatto alcuna impressione. Fino a questo momento aveva dimenticato del tutto che Pan, il dio dei boschi e delle montagne, era anche il dio della paura.

Invano si disse che quel brano lo zio Felix doveva averlo scritto con un filo di ironia. Era un uomo scevro da ogni superstizione. Quando affermava di credere in Pan stava soltanto dedicandosi a un esercizio intellettuale, a una fantasia accademica. Ora, sola, con il buio e il silenzio dei boschi tutt'intorno a sé e le ombre che si affollavano ai margini del cerchio di luce gettato dalla lampada, non le piaceva l'idea di qualcosa nei boschi ostile all'uomo che si muovesse sul confine della sua visuale e sussurrasse sull'orlo della sua soglia uditiva. Sensazione soggettiva: ma esisteva davvero qualcuno tanto saggio da dire a che punto finisce il soggettivo e ha inizio l'oggettivo? Gli psicologi che dedicavano la vita a studiare la mente erano convinti che fosse solo materia, mentre i fisici che passavano la vita a studiare la materia ritenevano che fosse solo forza: il che, logicamente, riduceva mente e materia al vago, elastico concetto di "forza". Il libro, il letto, Alison stessa erano costituiti di elettroni, che non erano particelle come la polvere o il fumo ma semplicemente simboli per esprimere l'idea della forza nel moto molecolare. Se si potesse avere un microscopio che ingrandisca l'elettrone fino a renderlo di dimensioni visibili, non si vedrebbe nulla. Uomo e materia erano entrambi illusioni che apparivano "reali" solo quanto "reale" appare il vento, mentre in pratica il vento, nonostante tutto quel rumore e quel movimento, non esiste affatto, se non come un mutamento nella temperatura dell'aria.

Improvvisamente lo udì. Si disse fermamente che era una suggestione, una proiezione all'esterno di ciò che aveva appena letto; "reale" solo nel senso in cui un sogno sembra "reale" al sognatore. Però era nitido, e, sullo sfondo del silenzio assoluto, come un filo scarlatto su un panno nero. Non un incerto bisbiglio, ma acuto e chiaro: il tagliente, alto sibilo di un flauto. In fondo al letto, Argo si agitò e guaì nel sonno.

Con uno sforzo della volontà Alison spinse lo sguardo verso la finestra. La strada illuminata dalla luna era sempre deserta. I cespugli sui due lati la inquadravano in ricami d'ombra, immobile come un dipinto nella notte senza vento. Una singola ombra si mosse e sparì. Ma non prima che lei potesse vedere la sua forma piegata su se stessa, il suo movimento saltellante e caprino.

6

IL TERZO GIORNO

Attraverso tutti i suoi sogni correva il rapido e lieve tamburellare di zoccoli galoppanti su un cuscino di terreno erboso.

«Miss Tracey! È sveglia?».

Aprì gli occhi davanti a un cielo grigio. L'aria era fredda e portava l'odore pungente di terra umida e di bosco. Il vento da nordest fischiava acuto come un clarinetto infrangendosi contro uno spigolo della casa. Lo stesso vento traeva gemiti e scricchiolii da ogni ramo ricurvo e da ogni giovane albero come se loro fossero le corde e lui l'arco di un immenso contrabbasso. Le foglie frusciavano come la zucca riempita di sabbia di un'orchestrina di rumba. Finalmente identificò la fonte di quel tamburellare ritmato. Non il galoppo di zoccoli sovrumani ma il battito frettoloso delle gocce di pioggia sul tetto di legno.

Dalla finestra poteva vedere il tettuccio di una berlina nera giù nel vialetto. Mr Raines e un uomo in tuta da lavoro le stavano accanto, con lo sguardo alzato verso la casa.

«Ho un telegramma per lei», annunciò Mr Raines quando la vide alla finestra. «E qui c'è l'uomo della compagnia telefonica per l'allacciamento».

«Un attimo e scendo», rispose lei. «Aspettatemi pure sulla veranda».

Non riuscì a chiudere la finestra. L'umidità aveva deformato il telaio. Il vento le spruzzò una manciata di gocce fredde sul viso. Non era una mattina da camicetta e calzoncini. Tirò fuori il nuovo completo di tweed che aveva comprato per giorni come quelli. Aveva un motivo quadrettato grigio chiaro e verde mandorla. Aveva portato un golf di cachemire dello stesso verde da usare con l'abito, calzettoni grigi di lana e un paio di scarpe pesanti scamosciate di un verde più scuro.

Quando scese in veranda trovò Mrs Raines seduta sulla sedia a dondolo. Mr Raines era sul prato, le mani in tasca, e osservava l'operaio che si era arrampicato su un albero per controllare il cavo telefonico, che era avvolto a un isolatore di porcellana bianca fissato al ramo più basso.

«Ecco il suo telegramma». Mrs Raines lo tolse dalla borsetta. «Stamattina papà è stato al villaggio e gli hanno chiesto di portarlo su».

«Grazie». Alison aprì la busta.

ARRIVO LITTLE CLOVE DOMANI SERA NON VENIRE A PRENDERMI ALLOGGERÒ DA GEOFFREY

RONNIE

Le restrizioni belliche avevano cancellato il suo abituale BACI in quanto "non essenziale", ma nella sua eccitazione Alison quasi non se ne accorse. «Sta arrivando mio cugino!», esclamò rivolta a Mrs Raines. «Sarà qui stasera. L'ha spedito ieri da New York. Avrà preso il treno questa mattina».

«Be', sono proprio contenta», rispose Mrs Raines. «Saperla qui da sola non mi piaceva molto e nemmeno a papà».

Alison esitò. Era il caso di dire a Mrs Raines che Ronnie si sarebbe fermato dai Parrish? Se l'avesse fatto l'intero paese avrebbe appreso la notizia. Forse era meglio lasciar credere che non abitava più da sola. Cominciò a chiedersi come mai Ronnie stesse venendo ad Aultonrea. A New York le aveva detto che non sapeva neppure se quell'estate i Parrish erano lì o no. E perché lasciava Washington? A sentir lui sembrava che non potesse abbandonare la sua scrivania nemmeno per un giorno.

Un po' impensierita da queste riflessioni, condusse Mrs Raines in casa. «Stavo giusto per accendere il fuoco».

Mrs Raines si accomodò sul divano davanti al camino e scostò dalle spalle il soprabito invernale rivelando un abito estivo di crespo stampato. «Direi che ha una certa pratica su come si fa un fuoco». Scrutò l'edificio di carta di giornali e ramoscelli con aria di approvazione. «Certa gente di città non ci arriva proprio».

«Ho vissuto in zone della Grecia dove non c'era il riscaldamento a vapore. Se per star calda dipendi dal fuoco bisogna che impari a farlo come si deve».

«Pensavo che la Grecia fosse un paese caldo».

«Non durante l'inverno». Alison avvicinò un fiammifero acceso alla carta. «Le preparo un caffè?».

«No, grazie. Ho fatto colazione tre ore fa».

L'esca prese fuoco e le fiamme guizzarono a lambire avide i ceppi con le loro lunghe lingue gialle. Alison si sedette su un poggiapiedi, guardando il fuoco. «Mrs Raines, lei ha conosciuto Miss Darrell, vero?».

«Sì». Mrs Raines si mise immediatamente sulla difensiva.

«Ieri ho parlato con Miss Parrish, e mi ha detto che Miss Darrell aveva perso la ragione. Lei sa com'è successo?».

Le dita paffute di Mrs Raines giocherellavano con le pieghe dell'abito di crespo. «Papà non voleva che gliene parlassi. Almeno finché se ne stava qui da sola, perché il fatto di vivere da soli ha un po' a che fare con questa faccenda».

«Se non me lo dice lei lo farà Miss Parrish».

«Già, credo anch'io». Mrs Raines spianò una piega. «E poi tra poco lei non sarà più da sola. È stato… be', è stata una di quelle cose…». Mrs Raines voltò la testa verso l'altro capo della stanza. «Vede quella trave carbonizzata sul soffitto?».

Alison non l'aveva notata, ma l'ultima trave che attraversava il lato orientale del soffitto era un po' annerita. «Sì?».

«È stata la povera Miss Darrell. Voleva dare fuoco a tutta la casa. È montata sul tavolo con una lampada a petrolio accesa a piena potenza, tanto che la fiamma usciva dal tubo di vetro, e l'ha tenuta alta sopra la testa. La fiamma ha bruciato la trave. Ancora un minuto e il soffitto avrebbe preso fuoco e questo posto sarebbe andato in fumo. In fin dei conti è solo una casetta di legno, ed è molto lontana dai pompieri. Per arrivare quassù debbono fare tutta la strada dal villaggio».

«Perché l'ha fatto? Odiava il cottage fino a questo punto?».

«Oh, no, assolutamente. Questo era il problema. Era – come posso dire – la sua famiglia, in un certo senso. Vede, eravamo nel 1931, quando tutti erano a corto di quattrini. Miss Darrell dovette licenziare la cameriera e rinunciare all'appartamento di New York, e se ne venne a vivere qui da sola per tutto l'anno, inverno compreso.

«Aveva una stufa a carbone nel focolare, tappava tutte le fessure con la carta e indossava indumenti pesanti: biancheria di lana, due o tre maglioni, un giaccone di cammello. Aveva un paio di racchette da neve con cui poteva arrivare fino alla strada superiore. In inverno tenevano aperta quella strada per la corriera della scuola. Lei saliva fin lì una volta alla settimana andando incontro al furgone del negozio e prendeva le sue provviste. Forse era un modo un po' stravagante di vivere, ma a lei piaceva e poi non faceva male a nessuno, anche se diventava un po'... un po' trascurata quando l'acqua veniva chiusa per non far gelare le tubature».

«Trascurata?».

«Be', dicevano che avesse l'abitudine di lasciare i piatti sporchi nel lavandino per giorni e giorni perché era una gran seccatura andare ad attingere acqua alla sorgente con il secchio. Si diceva in paese che fosse poco pulita, ma non era vero. Uno del servizio sanitario era venuto a fare un controllo alla casa e aveva detto che era tutto a posto. Per bere comprava l'acqua minerale, bruciava personalmente la spazzatura e per il gabinetto aveva uno di quei cosi, una fossa settica.

«Vede, lei amava questo posto. Da anni sognava di avere una casetta tutta sua, e fu come un sogno che diventava realtà. Aveva usato la metà dei suoi risparmi per costruirla e credo che fosse praticamente tutto quello che avesse da mostrare per una vita di lavoro».

«E allora perché mai aveva cercato di incendiarla?».

«Be', a causa della sua famiglia. Come dicevo prima, a quei tempi i soldi scarseggiavano per tutti e anche se dei suoi Miss Darrell ne aveva utilizzati un bel po', aveva comunque una discreta rendita. Era un tipo che si direbbe un po' "tirato", e i suoi fratelli avevano messo gli occhi su quel gruzzolo. Lei stava invecchiando ma quanto alla salute era in perfetta forma. Poteva tirare avanti per altri vent'anni. I fratelli erano sposati e i figli sono spese senza fine. Lei li invitava sempre quassù per l'estate, ma a loro il posto non piaceva. Avrebbero preferito qualcosa di più vivace, come un albergo estivo. La cosa andò avanti per un paio d'anni, e poi... e poi vi fu una riunione di famiglia. Cominciarono a dire che lei stava diventando un po'... strana. Non era solo la faccenda dei piatti sporchi e del vivere qui da sola durante l'inverno. Affermavano che diceva cose strane».

«Cose strane di che genere?».

«Che... che sentiva dei suoni».

Alison sorrise. «Be', quelli li sentono tutti».

«Lo so, ma... quelli erano suoni che non sentiva nessun altro. Almeno, così dicevano i parenti. Miss Darrell aveva delle idee molto personali su... su certe cose che sono nei boschi».

«Cose?».

«Non so che cosa fossero di preciso, ma dicevano che aveva l'abitudine di parlare come se non fosse sola quando invece era sola».

«Ha mai descritto com'erano i suoni che sentiva?».

«Una volta ha detto qualcosa su una specie di mormorio. Forse era l'immaginazione. Credo si possa immaginare di tutto quando si sta soli e il bosco è muto e immobile come se... come se ti guardasse trattenendo il fiato. O forse era solo il vento che fischiava contro l'angolo della casa, come stamattina».

«Un mormorio...», ripeté Alison. «Poteva essere il fruscio delle foglie?».

«Sì, poteva». Mrs Raines era di una concretezza rassicurante. «Ma sentiva anche altre cose, dicevano. Rumore di passi e voci. Forse alla famiglia non sarebbe importato niente di quello che lei sentiva se non avesse avuto quel gruzzoletto. E invece iniziarono a dire che doveva essere messa da qualche parte, sotto controllo. I nodi vennero al pettine un'estate quando erano quassù tutti insieme. Si riunirono nella veranda a est per arrivare a una decisione una sera, dopo che lei era salita di sopra per andarsene a letto. Evidentemente pensavano che dormisse, e lei invece era sveglia, e questa casetta di legno è una specie di cassa acustica. Sentì tutto quello che stavano dicendo, ogni parola. Ovviamente lei non pensava affatto di essere pazza. Loro non lo pensano mai, vero? Pensò che i fratelli stavano mettendosi d'accordo per farla credere pazza in modo da poterle togliere questa casetta. Almeno, questo è quello che lei disse all'udienza... Commissione Mentale o quello che è.

«Se ne stava lì coricata ad ascoltare loro che la liquidavano a sangue freddo, e credo che si sia resa conto allora per la prima volta che a quelli lì non gliene importava niente di come stava lei. Decise lì per lì che potevano fare quello che volevano, ma il cottage non l'avrebbero mai avuto. Gli avrebbe dato fuoco, piuttosto. E così mentre loro stavano ancora parlando, scese giù in soggiorno e accese la lampada a petrolio e si arrampicò sul tavolo.

«Si capisce che questa era proprio la cosa che non avrebbe dovuto fare. Qualcuno dalla veranda sentì puzza di bruciato. Si precipitarono tutti dentro e la colsero sul fatto: il Signore l'aveva messa nelle loro mani. Un tentativo d'incendio era proprio quello che serviva per dimostrare che era matta, ed erano in sei o sette a testimoniare. Dopo che ebbero testimoniato, lei non ebbe più via di scampo. Appena fu rinchiusa le presero tutti i soldi e vendettero lo chalet. Ironia della sorte: lei aveva torto a pensare che volessero la casa. Erano i soldi quello che volevano. Secondo me era talmente affezionata al cottage che era convinta che chiunque altro dovesse pensarla allo stesso modo. E penso anche che davvero quelli avevano bisogno del denaro per mandare al college i ragazzi e comprare la pelliccia alle ragazze e tutte le cose per cui di solito la gente spende i soldi che gli capitano in eredità. Forse sentivano che i loro figli erano giovani e a quei soldi avevano più diritto loro che una donna vecchia e inutile come lei. E forse era vero che era matta. Si sa com'è quando un'intera famiglia si mette contro uno dei suoi membri. Più che sufficiente a far impazzire chiunque. È difficile scoprirlo, a quanto pare, anche per un dottore. Ma per la verità, se fossi stata io uno di quei nipoti o di quelle nipoti, non credo che me la sarei goduta la pelliccia o il viaggio o quello che ne fosse venuto fuori».

«I selvaggi uccidono quelli che sono troppo vecchi per essere ancora d'aiuto alla tribù. Così è più umano». Gli occhi di Alison andarono alla porta aperta, con il suo ampio tratto libero di cielo e di montagne. «Immagini come dev'essere lasciare tutto questo per una finestra con le sbarre… Si trova da queste parti?».

«Si trovava».

«Si trovava?».

«Era sul *Custer County News* di stamattina. Miss Darrell è morta in manicomio l'altro ieri notte».

Spesso Alison aveva letto del *frisson* di cui parlano i francesi, del *cauld grue* degli scozzesi. Quel genere di brivido non lo aveva mai provato personalmente prima di allora. La sensazione era come di una scossa elettrica che attraversa la spina dorsale, solo che era più fredda dell'elettricità. *L'altro ieri notte*: la notte in cui lei aveva sentito i passi sulla veranda e non aveva trovato nessuno... Miss Darrell, nella sua agonia in quell'ambiente odioso, doveva aver pensato a quell'altro ambiente che aveva amato così intensamente. Possibile che quel pensiero avesse raggiunto in qualche modo il cottage, provocando l'illusione dei passi che salivano alla porta d'ingresso? Alison era troppo prudente per suggerire una simile possibilità a Mrs Raines, incarnazione di tutto ciò che è dogmatico e convenzionale. Le Mrs Raines della storia avevano sostenuto per secoli che la terra era piatta, e che chiunque cercasse di inventare una macchina volante era un rimbambito o uno squilibrato. Era a causa di Mrs Raines e di quelli come lei che un mattino, sul prato di Kitty Hawk dove i fratelli Wright si erano staccati da terra, un cronista aveva guardato il collega che gli stava accanto e aveva detto: «Tu ce l'hai il coraggio di mandare questa storia al giornale? Perché io no!». Gli uomini dovevano avere le loro "verità di per sé evidenti" per mantenere la sanità mentale in un universo enigmatico, persino uomini di scienza come Lavoisier, che sosteneva che i meteoriti «non cadono dal cielo perché in cielo non ci sono sassi». Mettere prematuramente in discussione una qualsiasi di queste "verità" significava rischiare quella stessa strada per il manicomio che aveva percorso la povera Miss Darrell.

E oltre a essere poco ortodossa, quella teoria dell'allucinazione telepatica aveva un'altra falla: anche Miss Darrell aveva creduto di udire dei passi proprio lì, anni prima. Sicuramente c'era qualche connessione tra quella sua convinzione e l'esperienza vissuta da Alison, anche se era difficile individuare un possibile nesso a distanza di così tanto tempo.

«Per stabilire se uno è matto o no, il denaro ha un grande peso», stava dicendo Mrs Raines. «Papà Raines dice che finché una persona lavora e guadagna non viene quasi mai dichiarata pazza, a meno che non sia violenta, perché creditori e dipendenti vogliono che continui a guadagnare quattrini. Ma la povera Miss Darrell non guadagnava. Era in pensione e viveva di soldi che sarebbero andati ad altri se lei fosse stata tolta di mezzo. Io dico che una donna anziana nella sua situazione deve stare molto attenta a quello che fa. Sono troppi quelli che la vorrebbero squilibrata».

Altri passi, decisamente materiali, preannunciarono l'avvicinarsi di Mr Raines e dell'uomo dei telefoni. Con cura strofinarono le suole infangate sullo zerbino e si tolsero i berretti prima di entrare in casa. Il tecnico andò direttamente all'apparecchio e si mise ad armeggiare con un cacciavite. Mr Raines si fermò sul tappeto davanti al camino con la schiena rivolta al fuoco e lasciò che i suoi occhi girassero lentamente per la stanza.

«Le piace il cottage, Miss Tracey?», disse quando il suo sguardo tornò su Alison.

«Lo trovo incantevole».

«Mmm». Mr Raines assimilò la risposta con un viso inespressivo.

Alison sorrise. «A lei no?».

«Poco pratico», rispose lui prontamente. «I muri non sono isolati, non c'è elettricità, niente cantina, ed è a miglia di distanza da qualsiasi luogo, lungo una strada di terra battuta che d'inverno finisce sotto quasi due metri di neve. Non posso dire che mi attiri. Dice: sì, ma il panorama». Spostò gli occhi verso il cielo grigio incorniciato dalla porta aperta. «Datemi dei muri belli solidi e isolati, uno scantinato e la luce elettrica... e potete tenervelo il vostro panorama. Qui il freddo passa dal terreno attraverso il pavimento di questa stanza persino d'estate. Un sacco di case giù al villaggio offrono ogni comodità moderna e non si pagano molte più tasse di quante ne paga lei quassù».

«È solo uno chalet estivo», ammise Alison. «Ma non mi sembra freddo d'estate, e mi piacciono la veduta e l'intimità».

«Intimità?». Rigirò lentamente la parola nella mente come se gli fosse poco familiare. Alison vide che era un uomo completamente rivolto verso l'esterno di se stesso, quasi ignaro della propria individualità. L'intimità significava per lui quanto poteva significare per un selvaggio la cui vita mentale è quasi una parte organica della vita mentale della tribù. «Io sono una persona socievole», dichiarò. «Mi piace avere gente intorno. Spesso ho desiderato di vivere anch'io in paese anziché nella fattoria». Si dondolò sui tacchi, le mani in tasca. «Semmai decidesse di vendere, me lo faccia sapere».

«Ma non aveva detto che il posto non le piaceva?».

«Non mi piace la casa. Ma mi farebbe comodo il terreno. È un'isola di una quindicina di ettari proprio in mezzo alla mia proprietà. Se riuscissi a comprarla sarei proprietario di tutto questo lato della montagna».

«E che cosa ne farebbe?».

«Lo dividerei in lotti e ci costruirei parecchie casette moderne come quella che ho tirato su due anni fa per Mrs Phillimore. Appena finita la guerra, potrei venderle alla gente di città a cui piace il panorama, e mi sistemerei per bene. Magari potrei costruire una specie di casinò o di locale per rendere la cosa più attraente. Porterei l'elettricità e l'acqua corrente dappertutto, costruirei buone strade. Sarebbe davvero una cosa di prim'ordine».

«Sì, ci credo».

«E un belvedere in cima al monte». Mr Raines si stava lasciando trascinare da una prospettiva così attraente. «Con un distributore di bevande. E farei pagare cinquanta centesimi a tutti quelli che vanno su per la montagna. Il solo legname avrebbe un notevole valore».

«Papà ha grandi idee», disse Mrs Raines, orgogliosa del marito.

«Provi a parlarne con suo cugino, Miss Tracey». Mr Raines parlò come se conoscesse il contenuto del telegramma che aveva consegnato, e Alison non ne fu per niente sorpresa. Sapeva come andavano le cose nei piccoli centri. L'addetto al telegrafo probabilmente aveva detto a Mr Raines: «Porteresti su a Miss Tracey questo telegramma che dice che stasera arriva il cugino?». Il carattere privato di un telegramma era estraneo alla mentalità dei paesani quanto l'intimità in un cottage.

«Gli dica che gli pagherò una bella somma per il terreno», proseguì Mr Raines. «Ma per lo chalet non pagherò niente perché non mi serve e perché lui non potrebbe venderlo a nessun altro».

Il tecnico sollevò il ricevitore. «Pronto, Jenny?», si rivolse alla centralinista. «Sono Jim, è una prova. Ora attacco e poi tu mi richiami». Riagganciò la cornetta. Lo squillo risuonò forte e fuori luogo nel silenzio del bosco, evocando immediati ricordi di New York. «A posto, Jenny, ci vediamo». L'uomo riattaccò di nuovo. «Ci penso io a farla mettere sull'elenco», disse ad Alison. «Il suo numero è Little Clove 814».

Quando furono andati via, si servì una robusta colazione di frittelle e bacon davanti al fuoco e poi si dedicò nuovamente al cifrario. Presto dimenticò ogni cosa sulla penuria di carta mentre copriva una pagina dopo l'altra di calcoli e diagrammi. Sentiva le pulsazioni del sangue nella testa, vedeva le cifre danzarle davanti agli occhi, e ancora le ultime parole dello zio Felix rimanevano sigillate in quelle lettere incomprensibili: IFBK YXQI VGVZ PBLO.

D'un tratto, come un pupazzo a molla, un'idea spuntò nella sua mente dai sotterranei del subconscio, dove probabilmente era andata sviluppandosi da qualche tempo.

Sfogliò le pagine dei manuali. Nessuno dei messaggi cifrati che gli autori davano come esempi sembrava confermare quell'idea. Eppure… era così semplice. Perché non ci aveva mai pensato nessuno? Quel corso intensivo di crittografia a cui si stava sottoponendo aveva falsato il suo giudizio? O aveva ragione a pensare che un cifrario basato su quell'idea avrebbe eliminato la ripetizione della parola chiave a cui si ricorreva per risolvere un Vigenère con il metodo Kasiski-Kerckoffs? Lo zio Felix aveva ideato un cifrario basato sulla stessa idea che aveva avuto lei? In quel caso, non vedeva come lo si sarebbe potuto violare con l'analisi matematica. La sua sola speranza era il metodo delle parole probabili di Bazeries, ma come l'avrebbe applicato, se non aveva il minimo indizio riguardo al contenuto del messaggio in chiaro?

Carta e penna non le servivano più. Voleva pensare, e quando camminava pensava sempre meglio di quando rimaneva ferma. Portò tutti i fogli ricoperti di calcoli nella sua camera sotto il tetto e li chiuse in valigia. Il messaggio cifrato lo ripose nella tasca della borsa chiusa dalla lampo. Poi infilò un impermeabile sopra l'abito e scese al piano di sotto dove agganciò il guinzaglio al collare di Argo. «Andiamo, vecchio mio, stai ingrassando. Hai bisogno di movimento, e io pure».

Argo discese lentamente e pesantemente i gradini anteriori, come un anziano obeso tirato fuori dalla sua poltrona preferita su ordine del medico. Il cielo era ancora basso e grigio ma la pioggia era cessata e l'aria era fresca e dolce come rugiada. Lungo il viottolo il fango frenava l'andatura di Alison risucchiando sonoramente le suole delle sue scarpe. Ogni tanto il vento scuoteva i rami di qualche albero sopra di lei e una spruzzata di gocce di pioggia le arrivava sul capo scoperto. Il giorno prima le foglie erano tutte grigie di polvere. Oggi la pioggia e il vento le avevano lucidate facendole emergere nel loro verde brillante di prima estate. Il bosco sembrava godersi la pioggia come un essere umano si gode un bagno o una bevuta.

Arrivata al punto in cui il vialetto confluiva nella strada si fermò. Era qui che quella notte aveva visto muoversi l'ombra mentre tutte le altre ombre erano immobili. Non c'erano orme. Ci aveva pensato la pioggia, levigando ogni irregolarità del terreno e correndo in rivoli per ogni solco.

A destra e a sinistra la strada offriva la stessa visuale: un lungo, dritto, stretto corridoio tra pareti di alberi. Andando a destra si ripercorreva il tragitto che aveva fatto con Matt il primo giorno, giù per la montagna verso la fattoria dei Raines e il paese. A sinistra si apriva un territorio inesplorato di cui aveva solo un ricordo vaghissimo. L'ombra si era mossa da destra verso sinistra. Svoltò a sinistra.

Era passato così tanto tempo da quando aveva trascorso quel periodo in campagna che ogni particolare del bosco ora esercitava un nuovo fascino su di lei: le pigne, le castagne d'India, le ghiande, le piccole chiazze di muschio verde smeraldo, la fragile carne bianca dei funghi che subito cedevano sotto il piede, bordati di bruno o di un vago color corallo, il disotto della cappella organizzata in sottilissime pieghe a fisarmonica.

Arrivò a un incrocio. A destra, a sinistra o dritto? A sinistra si sarebbe ritrovata sulla strada superiore che portava dai Parrish. Proseguendo dritto sarebbe scesa dalla montagna verso il villaggio di East Winton nella valle accanto. Il tratto di destra non ricordava dove portasse. Allora prese a destra.

La strada s'inerpicava tortuosa per mezzo miglio. Il sottobosco si faceva più fitto, i rami più bassi. Evidentemente ormai nessuno viveva più lungo questa strada, altrimenti i rami sarebbero stati di sicuro potati. Il terreno cominciò a scendere. Doveva aver superato una delle creste nella successione delle alture, ma non aveva incontrato alcun punto panoramico in cima: gli alberi erano troppo fitti. Arrivò a un ponte di pietra gettato sopra un torrente che scorreva tumultuoso sul letto sassoso, forse lo stesso corso d'acqua che attraversava Little Clove. Superò il ponte, seguì la brusca curva della strada e si fermò di colpo.

Non si aspettava di trovare una casa.

A suo tempo doveva essere stato un posto pretenzioso. Era ancora grande: una casa di pietra che sorgeva in mezzo a una prateria di alte erbe selvatiche che in altri tempi era stata un giardino. Ogni finestra era sbarrata con solide tavole di legno che ormai mostravano gli stessi segni d'umidità della costruzione stessa. Era chiusa da molto, molto tempo.

Intorno a quello spazio aperto si affollava il bosco, scuro e opprimente, quasi minaccioso. *Ancora qualche anno e avrò vinto*, sembrava dicesse. *Dammi cento anni e non rimarrà traccia dell'uomo, dell'intruso: solo un cumulo di pietre e legno marcio mentre io continuo a espandermi, a prosperare, a cancellare ogni traccia di lui.*

Non era stato Maeterlinck a parlare della profonda ostilità che la natura prova verso l'uomo, suo ribelle figliastro? Ogni cosa selvatica lo odiava. Non solo gli animali da lui così crudelmente sfruttati, ma persino le cose sorde, cieche, immobilizzate dalle radici: il grano, l'erba, gli alberi. Mentre restava ad ascoltare il silenzio di quel luogo abbandonato, le pareva di percepire quella passiva ostilità tutt'intorno a sé.

Le stesse erbe selvatiche avevano un che di insolente, con i loro pennacchi agitati nel vento che si facevano strada dappertutto, finanche tra gli interstizi del selciato. Chi sta in città pensa che la vita sia solo vita umana. Bisognava vivere nel cuore di un bosco per rendersi conto che l'umanità era una lieve increspatura sulla superficie di una corrente di vita che penetrava in ogni crepa libera, fluiva in ogni vuoto biologico nell'attimo stesso in cui questo si produceva. Se ti cadeva dello zucchero in cucina, la mattina dopo il pavimento era pieno di formiche. Se trascuravi un'aiuola, in due giorni spuntavano le erbacce. Vespe in solaio, termiti nella ringhiera della veranda, topi nella dispensa, scarafaggi in bagno, rondini sotto il tetto con i parassiti tra le piume, afidi sulle rose, vermi nelle mele, licheni sulle tegole, muffa sul pane, tarme nell'armadio... per non parlare della vita invisibile dei germi e dei virus intorno a te e dentro di te in ogni momento della tua esistenza. Dovunque ci si voltasse era impossibile non imbattersi in qualche forma di vita torturata e trasformata in innumerevoli incredibili forme dallo strazio dell'adattamento, tutte urgenti, divoranti, instancabili: il silenzioso smantellamento della presunzione dell'uomo che la terra sia stata creata per la sua esclusiva comodità.

Intristita, Alison girò l'angolo della casa.

Qui la vegetazione incolta era ancora più rigogliosa, i rampicanti più folti, gli alberi premevano ancora più dappresso alla casa e trasformavano in penombra la luce del giorno. Qui una delle assi che sbarravano le finestre era spaccata. Il bianco crudo del cuore del legno spezzato spiccava sulla superficie macchiata dal tempo. Il cuore si mise a battere più forte. Quella tavola era stata rotta di recente. Il legno era marcio. Poteva essere stato qualche animale, che l'aveva rosicchiato o strappato con gli artigli?

Con questo interrogativo, si avvicinò e guardò attraverso il varco. All'interno si vedeva un'ampia stanza vuota. Il parquet e le pareti ornate di pannelli bianchi erano grigi di polvere. C'erano segni di passi nella polvere del pavimento. Qui aveva camminato qualcuno o qualcosa. In un angolo la polvere disegnava un motivo circolare, come se qualche creatura si fosse accucciata lì per sottrarsi alla pioggia, come una volpe nella tana.

S'inginocchiò accanto al basso davanzale per vedere meglio. Quando gli occhi si furono assuefatti alla fioca luce proveniente dall'unica apertura della stanza sbarrata, vide più chiaramente le orme confuse e tozze nella polvere. Erano tracce di zoccoli.

Improvvisamente quel senso di passiva indistinta ostilità che aveva provato appena aveva visto la casa sembrò montare come la cresta di un'enorme onda e infrangersi su di lei. Qualcosa di più profondo e più antico della ragione sembrava gridarle nel silenzio immobile che lì c'era pericolo. La sensazione di male incombente era travolgente, irresistibile. Le faceva martellare il sangue nel cuore, pulsare nelle tempie.

Si rialzò a fatica e corse intorno alla casa, tirandosi dietro per il guinzaglio il povero Argo. Corse lungo la strada, oltre il ponte. Ad Argo la corsa cominciava a piacere. Trottava accanto a lei, con le lunghe orecchie che sventolavano. Una fitta nel fianco la fermò. Era senza fiato, ansimante. Guardò indietro. Al di là dell'arco degli alberi la casa appariva deserta e malinconica, con le finestre sbarrate come occhi ciechi. Nessun segno di qualcosa che la inseguisse. Era fuggita da nulla. Era così che si chiamava: *panico.*

Ritrovarsi nel suo cottage così piccolo e semplice fu consolante dopo aver visto la grande casa abbandonata e lasciata al disfacimento.

Fece i gradini di corsa, aprì la portafinestra. Com'era buio dentro in un pomeriggio piovoso! Inutile allungare la mano per cercare a tentoni un interruttore. Doveva trovare i fiammiferi, rimuovere il paralume e il tubo di vetro, tirare su lo stoppino e completare tutta una serie di operazioni prima di poter sperare in una luce utilizzabile.

Sganciò il guinzaglio. Argo, sentendo avvicinarsi l'ora di cena, attraversò ballonzolando il soggiorno verso la porta della cucina e andò a sbattere violentemente contro una piccola seggiola finendo a zampe all'aria.

Neppure il suo guaito di sorpresa richiamò immediatamente Alison accanto a lui. Stava ancora fissando la sedia. Non ricordava dove si trovasse, prima... ma Argo sì. Per lui era stata bene attenta a non spostare alcun mobile. Ma qualcuno lo aveva fatto. Qualcuno che non sapeva di Argo. Qualcuno che era stato nello chalet mentre lei era fuori. Qualcuno che poteva essere ancora lì.

«Non prendertela». Si avvicinò al cane. Lui non poteva comprendere le parole, ma doveva aver capito il tono di affettuosa partecipazione, per come la coda tamburellò il pavimento. Si rimise dritto e in piedi. Lei gli passò la mano sulla testa, il dorso e i fianchi. Non c'era niente di rotto, e il suo fitto mantello lo aveva salvato dai graffi e dalle ammaccature a cui è così esposta la carne degli umani.

Alison si rialzò. Era la sua occasione per rifarsi dell'innominabile terrore che l'aveva afferrata presso la casa abbandonata nel bosco. Prese la torcia elettrica più grande dal tavolo centrale e andò alla porta della cucina. In cucina e nello sgabuzzino della dispensa non c'era nessuno; niente, a quanto pareva, era stato mosso. Con la torcia in mano e Argo al seguito percorse il corridoio guardando nelle camere e nei bagni. Ogni finestra era chiusa dall'interno, ogni lastra di vetro intatta, nessun segno di intrusioni. Passò attraverso le camere da letto del lato ovest e tornò in soggiorno senza aver trovato nulla di insolito. Rimaneva il piano superiore. Attraversò nuovamente il soggiorno fino al corridoio. Per un momento si fermò con un piede sul primo gradino della scala, con l'orecchio teso. Dall'alto non giungeva alcun suono. Salì la scala, guardò nella camera in fondo e nel ripostiglio. Nessuno. Niente. Infine entrò nella stanza sulla parte anteriore del sottotetto, dove aveva passato la notte. La prima cosa che vide fu la finestra aperta: la finestra che quella mattina non era riuscita a chiudere perché la pioggia aveva deformato il telaio. Esaminò con cura il davanzale, ma non c'erano segni. La valigia era ancora chiusa a chiave. S'inginocchiò ad aprirla. Per quanto poteva vedere i fogli coperti dei suoi calcoli di crittanalisi erano esattamente nell'ordine in cui li aveva lasciati. Si sedette sui talloni. Non fosse stato per Argo non avrebbe avuto alcun motivo per sospettare che qualcuno era stato nel cottage. Forse la prodigiosa memoria motoria del cane aveva fatto per una volta cilecca?

Di sotto, si fermò davanti alla porta d'ingresso e chiamò il cane. Lui le corse incontro attraverso il soggiorno, virando una sola volta rasente al cestone di vimini dov'era riposta la legna per il camino. Alison andò alla porta della camera da letto e lo chiamò di nuovo. Questa volta attraversò dritto il soggiorno senza curvare mai. Non c'erano ostacoli. Andò alla porta della cucina e lo chiamò. Argo cominciava a stufarsi di questo nuovo gioco. Si sedette ansimando, con la lunga lingua rosa ciondolante. «Qua, Argo! Bravo! Qua!». Finalmente l'invito fece breccia. Con un sospiro diretto alla futilità dei divertimenti degli umani, si rialzò e trotterellò verso di lei. Questa volta lei vide quello che sperava di vedere. A mezza strada di quello spazio aperto Argo deviò per evitare qualcosa che non c'era. Dunque la sua memoria non era difettosa ed era lì che si trovava la sedia. Che l'avesse spostata lei stessa in un momento di distrazione, per poi dimenticarsene? Oppure *c'era stato* qualcun altro nel cottage quel pomeriggio?

Alison era accaldata e ansimante quando ebbe finito di arrampicarsi lungo la ripida pista nel bosco fino al punto in cui il viale di accesso dei Parrish incrociava la strada superiore. Al cancello si fermò a riprendere fiato e guardò dietro di sé. Gli alberi nascondevano sia la sua casa sia quella di Mrs Phillimore. Il fianco della montagna si presentava come una distesa di foresta ininterrotta da lì alla fattoria dei Raines.

Mentre saliva per il vialetto, sentì la risata leggera di Ronnie. Argo fece un balzo in avanti, strappandole quasi il guinzaglio di mano. Lei prese un sentiero tra gli alberi che rasentava la casa e uscì sullo spiazzo lastricato che si affacciava sull'altro versante del monte. La vista si spingeva per miglia sopra un'ampia vallata punteggiata di gruppetti di abitazioni e solcata da corsi d'acqua, fino a raggiungere le altre montagne, ombrose come masse di nuvole grigioazzurre in una serata come quella. Ancor più imponente delle montagne e della valle era la vasta distesa del cielo. Nuvole di ogni sfumatura di grigio, dal colore del bronzo a quello della madreperla ribollivano e si contorcevano, formando intere città di cupole e minareti la cui esistenza durava solo un momento, per poi dissolversi e riformarsi in disegni ancora più stravaganti.

Yolanda era mollemente adagiata su un divano. Il suo abito lungo era dell'azzurro spento di un cielo limpido al crepuscolo. Un pendente di zaffiro lampeggiava sulla gola bianca sostenuto da una catenina di platino sottilissima, quasi invisibile. Le labbra dipinte spiccavano rosso sangue contro il viso bianco. Un fiammifero balenò nella semioscurità quando Ronnie le accese una sigaretta. Geoffrey e uno sconosciuto erano seduti sulla balaustrata. Questa volta il guinzaglio le sfuggì di mano e Argo corse verso il suono della voce di Ronnie.

«Alison!». Ronnie spinse via le zampe infangate del cane e le venne incontro, prendendole le mani tra le sue. «Vieni qui, fatti vedere!». La condusse fuori dalla cerchia degli alberi verso il centro della terrazza, studiandola con occhio critico alla luce che andava svanendo. «Un po' meno pallida ma ancora troppo magra. Come va la tosse?».

«Praticamente scomparsa, grazie a te e ad Aultonrea. Te la sei presa per Argo?».

«Testarda, eh?». Rise di nuovo. «Non importa, davvero. Mi ha fatto piacere togliermi dai piedi quella bestiaccia».

«E allora perché non sei venuto ad Aultonrea?».

«In due saremmo stati un fastidio eccessivo per te». Ronnie le lasciò le mani e si rivolse allo sconosciuto. «Kurt!». Questi si fece avanti, grassoccio e calvo, gli occhi tondi e neri e interrogativi come quelli di un pettirosso. «Questo è Kurt Anders. Mia cugina, Alison Tracey. Quella di cui ti parlavo».

La testa pelata sprofondò in un piccolo inchino un po' affettato.

«Pensavo di portare anche Hannah», proseguì Ronnie. «Ma non è voluta venire. Ha trovato lavoro in una fabbrica».

«Siediti, Alison». Yolanda batté il palmo sul divano accanto a sé. «Geoffrey, prendi tu un cocktail per Alison? Siamo stati proprio dei maleducati, temo, a cominciare senza di te».

Geoffrey si era alzato ma Ronnie fu più pronto. Portò ad Alison un bicchiere dal tavolo accanto al muro della casa. «Curioso pensare alla vecchia Hannah in tuta blu, eh?».

«Secondo me è un gesto coraggioso». Alison sorseggiò con piacere il fresco, fragrante Martini. «E probabilmente più divertente che fare la governante».

«Dipende dalla struttura psicologica della donna», commentò Anders. «Se è una donna con un animo forte, in senso junghiano...».

«Oh, mio dio!», esclamò Geoffrey. «Non ricominciamo con questa roba psicologica!».

«"Roba"?». Anders lo guardò con aria di rimprovero. «È scienza confermata e consolidata».

Ronnie ridacchiò. «È mai esistita una scienza confermata, Kurt? Quella che oggi è ipotesi domani sarà superstizione».

Anders appariva così offeso che Alison si sentì in dovere di rivolgergli la parola. «Anche lei lavora all'UES?».

«Sì. Divisione Guerra Psicologica».

«Kurt ha studiato a Vienna», aggiunse Ronnie. «La psicologia dei tedeschi la conosce sul serio».

«Ah, sì?». Lo sguardo che Geoffrey rivolse a Ronnie non era proprio ostile, ma distaccato, quasi assente. «Forse non conoscerò la loro psicologia ma ho imparato parecchio sul loro comportamento sotto stress, e non mi piace».

Improvvisamente Alison si rese conto del contrasto tra la divisa consumata di Geoffrey e gli smoking eleganti degli altri due. Anche Ronnie lo notò. Le sue guance olivastre presero colore. Gli occhi neri sotto le sopracciglia slanciate erano lucidi e duri come lo zaffiro di Yolanda.

«Non farla tanto lunga, vecchio mio!». C'era un senso di tensione sotto il suo brio. «Kurt e io sappiamo perfettamente di essere solo una truppa di appoggio per le divisioni in carne e ossa».

Per un caso probabilmente fortuito la cameriera di Yolanda scelse proprio quel momento per annunciare la cena.

La luce delle candele donava a Yolanda. Lo zaffiro scintillava come una stella azzurra, illuminandole il collo e gli occhi. Fece sedere Ronnie alla sua destra, dedicandogli il fragile sorriso pensoso che riservava agli uomini. Osservando la scena dall'altra parte del tavolo, Alison pensò con ansia quasi fraterna che nella luce oscura che danzava negli occhi di Ronnie c'era una certa presa in giro per la padrona di casa. Per quanto se ne sapesse in famiglia, Ronnie non era mai stato seriamente innamorato. C'era forse nella sua natura un che di indomito che non si sarebbe mai potuto addomesticare? Aveva paura che il suo piede equino potesse trasmettersi ai figli? O era semplicemente il fatto che c'erano state troppe donne perché una di esse potesse diventare quella speciale? Alison lo aveva osservato abbastanza, da quando era andata a vivere con lo zio Felix, per rendersi conto che la sua eccezionale avvenenza fisica combinata con un'andatura claudicante per tante donne rappresentava un piccante elemento di fascino, quasi morboso. A Ronnie non mancava mai chi lo confortasse per la sua deformità.

Quando Alison assaggiò la zuppa di fagioli neri, delicatamente aromatizzata con limone e sherry, rimase sorpresa. Geoffrey aveva detto che quell'estate con loro c'era una sola domestica. Possibile che quella cameriera bionda dall'aria scema avesse prodotto una simile leccornia? Quando la ragazza uscì dalla stanza, Alison si rivolse a Yolanda.

«Dove l'hai trovata?».

«Gertrude? Un'agenzia». C'era un filo di imbarazzo nella voce di Yolanda. «Non aveva referenze, ma non riuscivo a trovarne un'altra e così ho deciso di rischiare, e sono contenta di averlo fatto».

Gertrude tornò. Era difficile vederne chiaramente il viso nell'ombra al di sopra del raggio delle candele ma Alison ebbe l'impressione di scorgere un'espressione imbronciata e scontenta.

«Era affezionata a suo zio, Miss Tracey?».

Si voltò incontrando gli occhi tondi e curiosi di Anders. «Tutti volevano bene a zio Felix».

«Lei ha perso sua madre da piccola?».

«Appena nata».

«E suo padre?».

«Sei anni fa».

«Forse suo zio aveva preso il posto di suo padre nei suoi affetti?».

Alison si mise a ridere. «Sta provando a psicanalizzarmi?».

Ronnie intervenne. «Per Kurt siamo tutti delle cavie, Alison. La prima volta che ci siamo visti mi ha detto che il mio intero carattere era stato formato, o meglio deformato, dal mio... svantaggio». Ronnie non diceva mai apertamente di essere zoppo.

«Non ho il minimo tatto», ammise mestamente Anders. «Dimentico che gli esseri umani non sono...».

«Topi in un labirinto?». suggerì Geoffrey.

Ci fu una breve pausa. Era solo il senso di distacco portato dalla sua esperienza di guerra, o Geoffrey era ostile a tutti e tre gli altri: Ronnie, Anders e Yolanda? Alison ebbe la curiosa impressione che quei tre fossero in qualche modo alleati contro Geoffrey, e che lui ne fosse amaramente consapevole. Ma questo era assurdo. Yolanda, sua sorella; Ronnie, un vecchio amico; Anders, un estraneo: che cosa potevano avere in comune quei tre che li mettesse in opposizione a Geoffrey?

Per quanto assurda, l'impressione era ancora viva quando si furono sistemati per il caffè intorno al camino del soggiorno. Qualcosa aveva provocato la collera di Geoffrey. Chiuso in un immusonito silenzio non aveva quasi aperto bocca. Gli altri tre invece erano sorridenti e disinvolti; Yolanda e Ronnie in particolare si rilanciavano il pallino della conversazione così agilmente che non toccava terra nemmeno per un momento.

Alla fine Alison si alzò. «Argo e io dobbiamo andare. S'è fatto tardi».

«Devi proprio?». Yolanda era aristocraticamente costernata. «Perché non ti fermi da noi finché Ronnie è qui? Posso prestarti qualcosa per questa notte e domani potrai andare a prendere a casa tutto quello che ti serve».

«Sì, dai». Ronnie si era alzato. Mise un braccio sulle spalle di Alison. «Ho solo qualche giorno, sai».

Alison esitò e guardò Geoffrey. Ma Geoffrey scelse proprio quel momento per guardare il fuoco. Sollevò il mento. «Ti ringrazio, Yolanda, ma al cottage starò benissimo. Puoi venire a trovarmi lì, Ronnie».

«Vi accompagno», disse Geoffrey.

Gli occhi di Yolanda si socchiusero. «Pensi che sia saggio in una notte come questa? Non dimenticare che sei appena tornato da un clima più caldo e non c'è motivo per esporti. Sono sicura che Ronnie o il dottor Anders sarebbero ben lieti di accompagnare Alison».

«Certamente», confermò Ronnie.

Geoffrey non lo lasciò proseguire. «Non ti disturbare. È una camminata faticosa per uno che zoppica. Vado io, ho voglia di parlare con Alison a quattr'occhi».

Le nere sopracciglia di Ronnie si accostarono in un'espressione accigliata che parve oscurare l'intero suo viso. Poi quella scintilla tornò nei suoi occhi, una scintilla di derisione e di sfida. «Come preferisci, Geoff», disse pacatamente.

Alison si voltò a dare la buonanotte a Yolanda, snella figura in azzurro celestiale, volto e gola bianchi quasi quanto i pannelli della parete dietro di lei. Anche lei richiamò un sorriso sulle labbra, ma gli occhi esprimevano odio, nudo ed esplicito odio. In quel momento, la solitudine dello chalet le parve infinitamente preferibile a quest'atmosfera sociale carica di tensioni represse che Alison non capiva.

Fuori pioveva di nuovo, non le gocce grosse e fitte di un breve acquazzone, ma una pioggerella sottile che sarebbe durata tutta la notte. Non c'erano stelle né luna né luci sulla terra nera, quasi nessuna nel cielo buio. La macchia giallastra della pila di Geoffrey ondeggiava sullo stretto sentiero, scovando pozzanghere di fango nella grande oscurità frusciante che era tutt'intorno a loro. Quando Alison inciampò in un sasso o forse una radice, lui le passò il braccio sotto il suo e lo tenne lì. Ma questo fu tutto. Che differenza con l'ultima passeggiata che avevano fatto insieme su quella stessa montagna, in una notte d'estate calda e asciutta, con la luna piena nel cielo, quando il mondo era in pace! Si sarebbe mai potuta recuperare, adesso, quell'atmosfera?

Improvvisamente Geoffrey ritrovò la voce. «Che cos'ha quel piede?».

«Quello di Ronnie? Non lo so. In famiglia non parlavamo mai del... problema di Ronnie. Lo facevamo per lui».

«Non lo hai mai visto scalzo quando era piccolo?».

«No. Io sono più giovane di Ronnie. La prima volta che l'ho visto aveva dieci anni. Non l'ho mai conosciuto bene finché non sono tornata in America dopo la morte di mio padre, sei anni fa. Ti prego, non chiederglielo mai, Geoffrey. Non hai idea di quanto sia sensibile all'argomento. Anche in acqua indossa delle scarpette da nuoto fatte appositamente affinché non si noti nulla».

«Strano come non si riesca a provare pena per lui».

«Non ci riesci? Io sì. Ma non lo do mai a vedere. Penso che Ronnie ammazzerebbe chiunque osi compiangerlo».

«Non so se essere così bello gli sia d'aiuto», disse Geoffrey. «La bellezza è già un guaio per una donna, ma un uomo lo rovina completamente».

«Ehi, stai parlando di mio cugino».

«Vuoi dire del nipote di un tuo zio acquisito!», replicò Geoffrey. «Non è una parentela così stretta, anche se a quanto pare lui la sfrutta a fondo».

«Non essere così duro con Ronnie», lo pregò Alison. «Se pensi che non abbia provato ad arruolarsi nell'esercito ti sbagli. Ci ha provato e riprovato. Esercito, marina, qualsiasi cosa. Ho visto come tornava ogni volta dalla visita militare e... be', se tu lo avessi visto capiresti».

«Può darsi». Geoffrey non era convinto.

«L'esercito ti ha cambiato. Prima non eri così cinico».

«Sono cinico, adesso?». Anche se non poteva vederlo in viso, capì dal tono di voce che stava sorridendo con il beneficio del buio.

«Be', per come parli di Ronnie...».

«Sotto le armi non scoppiamo a piangere ogni volta che sentiamo una di queste storie strappalacrime dei poveri civili che ci hanno tanto provato a farsi arruolare ma non ci sono riusciti... sfortuna nera. Se non altro Ronnie non va dicendo "Vecchio mio, quanto ti invidio!". Questo glielo riconosco. Tu sei molto affezionata a Ronnie, vero?».

«È stato straordinario quando zio Felix è morto. Mi ha offerto Aultonrea per tutta l'estate appena il medico ha detto che avrei avuto bisogno di aria di montagna e... cos'è stato?».

Avevano raggiunto il limite del bosco. Davanti a loro si stendeva il prato tra la casa di Mrs Phillimore e il cottage. Le due abitazioni erano entrambe al buio. Tutt'e due si fondevano con gli alberi che avevano intorno, masse scure contro un cielo quasi altrettanto scuro.

Il braccio di Alison era ancora intrecciato a quello di Geoffrey. La mano di lui si chiuse su quella di Alison. Rimasero immobili, entrambi con l'orecchio teso. Non c'era altro suono che il brusio della pioggia e del vento e delle foglie.

«Hai sentito qualcosa?», chiese infine Geoffrey.

«Mi era parso di sentire un rametto che si spezzava. Devo essermi sbagliata».

Ripresero il cammino attraverso il pascolo, tra l'erba umida che bagnava piedi e caviglie.

«La notte scorsa hai sentito qualcosa?», domandò lui.

«Mi è sembrato. Un sibilo sottile, come il suono di uno zufolo». Forzò una risata. «Non so ancora se era Pan o il fantasma di Miss Darrell!».

Geoffrey non rise. «Magari era una coppietta del posto che si era appartata nell'intimità di un sentiero di montagna. Le senti soltanto queste cose? Ti è mai capitato di vedere qualcosa di strano?».

«Ieri notte ho visto un'ombra in fondo al vialetto di accesso: un'ombra che si muoveva mentre tutto era fermo».

«Uomo o donna?».

«Non lo so. Era… accucciata. Poteva essere anche un animale».

«Probabile». Adesso stavano passando rasente alla casa. Là dove il sentiero si restringeva, Geoffrey le lasciò il braccio perché dovevano procedere in fila indiana. La sua voce le arrivò dal buio. «C'era mai nessuno con te quando hai sentito o visto una di queste cose?».

«No». Alison si fermò quando uscirono dal bosco di fronte ai suoi gradoni. «Capita sempre quando sono sola. Ma c'è una circostanza molto strana. Miss Darrell sentiva lo stesso genere di cose quando viveva qui da sola, e lo stesso capitava a zio Felix».

«Lo sapevi, quando sei venuta qui?».

«No. Ho saputo di Miss Darrell solo questa mattina da Mrs Raines, e di zio Felix l'ho scoperto ieri sera, rileggendo le sue memorie. Lui o Miss Darrell ti hanno mai detto qualcosa in proposito?».

Geoffrey era accanto a lei, molto vicino. Lei riusciva appena a distinguerne il profilo. Sembrava che stesse guardando intensamente giù per il vialetto verso la strada, sforzandosi di penetrare l'oscurità con lo sguardo. «Tuo zio si divertiva a sostenere che Pan vive in ogni bosco. Era solo un... faceva solo finta».

«Non credo che parlasse letteralmente di "Pan", nel senso del giovane dal piede caprino che suona il flauto di canna», rispose Alison. «Penso che intendesse dire che non è bene starsene soli troppo a lungo in un luogo isolato dal mondo. Dopotutto è vero che è più facile concentrarsi su problemi intellettuali quando si è soli e nel silenzio. Questo deve significare che silenzio e solitudine ci rendono il contenuto della mente più vivido e distinto e... be', i problemi intellettuali non sono le uniche cose presenti nella mente. Ci sono paure ataviche di ogni sorta che potrebbero prendere vita nel silenzio e nella solitudine. Penso che fosse di questo che intendeva parlare quando diceva "Pan"».

«Può darsi», riconobbe Geoffrey. «Oggi la nostra vita è così esteriorizzata che dimentichiamo che ogni cosa che sentiamo, le sensazioni come i pensieri, dipende in modo assoluto dalla vita interiore della mente».

«Se capisco bene, questo significa che praticamente ogni minima alterazione nella messa a fuoco mentale provoca una distorsione di ogni cosa?».

«Esattamente. Sediamoci qui in veranda per un po' e vediamo se succede qualcosa mentre sono con te».

«È un po' umido, direi». I passi di Alison sul tavolato della veranda riecheggiarono sonori nel silenzio. «Ecco una sedia asciutta. Io mi siedo sul dondolo. Hai una sigaretta?».

«Sì, ma non vorrei che si vedesse una luce proprio adesso».

«Geoffrey! Pensi davvero che...».

«Non lo so, ma... sono preoccupato».

Il gancio e gli anelli metallici che fissavano il guinzaglio di Argo al collare tintinnarono mentre si acciambellava ai piedi di Alison.

«Ti è parso che sentisse anche lui quello che sentivi tu?», domandò Geoffrey.

«La prima volta no. Questa notte si è agitato e ha guaito nel sonno». Alison cercò di vedere il viso di Geoffrey, ma era solo una macchia indistinta nel buio.

«Dimmi una cosa, Alison». La sua voce era bassa. «C'è... potrebbe esserci qualcuno che ha qualche motivo per volere che tu vada via dal cottage?».

Lo choc mise in un moto turbinoso i suoi pensieri come polvere al vento, oscurando ogni particolare del suo paesaggio mentale. «Certo che no!».

«Sei assolutamente sicura?».

La polvere dei pensieri cominciò a depositarsi, rivelando nuove forme, o meglio nuovi aspetti di vecchie forme familiari. «Be', Mr Raines ha detto che avrebbe voluto comprare il terreno per costruirci. Ma... Dio santo! Una testa dura e pratica di contadino come Raines non è così sottile da imbastire una cosa del genere!».

«Non c'è niente di particolarmente sottile nell'aggirarsi furtivamente di notte intorno a una casa».

«Non ne sarei tanto sicura», obiettò Alison. «Solo una persona scaltra minaccia di continuo senza mai attaccare».

«Sei stata qui solo due notti. L'attacco potrebbe venire in seguito. C'è nessuno oltre a Raines che abbia un qualche motivo?».

La memoria di Alison le presentò in maniera vivida l'ultima visione degli occhi di Yolanda carichi di odio in un viso freddo, pallido, sottile. Ma di questo non poteva parlare al fratello di Yolanda. Tra l'altro, per quanto primitive fossero le emozioni di Yolanda, in superficie la sua condotta era civile, a un livello persino fastidioso. I suoi attacchi non sarebbero sempre stati verbali e indiretti? Era concepibile che intraprendesse un'azione diretta, fisica, che rischiasse di compromettere la propria rispettabilità?

«Insomma stai suggerendo che qualcuno starebbe cercando di spaventarmi per mandarmi via». Alison tentò di esibire un'obiettività che era bel lungi dal sentire. «Chiunque faccia una cosa del genere dovrebbe essere instabile e senza legge, se non criminale. L'unica persona qui che potrebbe esserlo è Mrs Phillimore. Tu l'hai mai vista?».

«Solo da lontano».

«È venuta a trovarmi ieri, più che altro, penso, per soddisfare le sue curiosità, anche se ha raccontato che era disposta ad aiutarmi nei lavori di casa. È quella che vive più vicina al cottage, per cui sarebbe più facile per lei che per tanti altri avvicinarsi di soppiatto. Non vedo quale motivo possa avere, ma immagino che se sei anormale non hai bisogno di un motivo razionale. Potrebbe farlo per pura irresponsabile malignità».

«È anormale?».

«Ha delle idee politiche assurde e, ti sembrerà incredibile, ma ha tutta l'aria e il comportamento di un uomo vestito da donna».

«Non è poi così incredibile», rispose Geoffrey. «Potrebbe essere un caso di eonismo».

«Che cos'è?».

«Una forma blanda di perversione in cui chi ne è affetto ha semplicemente la propensione a indossare gli abiti del sesso opposto. Un esempio classico era il Cavaliere d'Eon, per cui gli psicologi usarono il suo nome per indicare questa particolare anomalia mentale».

«C'è un'obiezione», ribatté Alison. «Mentre stava per andarsene mi ha chiesto se avessi sentito qualcuno che si muoveva nel bosco la notte prima».

«Potrebbe essere stato un trucco per dirottare da sé i sospetti».

«Potrebbe, ma per qualche motivo che non saprei dire, non penso che lo fosse. Sembrava sinceramente spaventata».

Per un momento non si udì altro che lo sgocciolio della pioggia. Poi, d'un tratto, Geoffrey parlò. «Forse Yolanda aveva ragione. Forse faresti bene a stare da noi per un po'. Perché non prepari una borsa adesso e torni indietro con me?».

Alison si chiese come mai non avesse appoggiato da subito l'invito di Yolanda. In quel momento aveva avuto la sensazione molto netta che Geoffrey non voleva che lei restasse lì. Era per questo che aveva rifiutato. La ferita al suo orgoglio non era ancora guarita del tutto. Che cosa poteva avergli fatto cambiare parere da allora?

«Ti ringrazio», disse un po' seccamente. «Ma preferisco rimanere qui».

«Va bene». Si alzò. «Se sentirai qualcuno che si aggira nei paraggi stanotte, sappi che sono io. Resterò di guardia per tutta la notte».

«Geoffrey! Sotto la pioggia?».

«E perché no? Spero soltanto che il tuo "fantasma" non abbia paura di bagnarsi i piedi. Che tu ti fermi qui o meno, intendo arrivare fino in fondo a questa faccenda. Adesso facciamo finta di salutarci, nel caso che qualcuno ci stia osservando. Poi mi avvio lungo il prato verso il bosco, e poi... torno di nascosto senza far rumore, o almeno spero! L'addestramento militare ha la sua utilità anche ad Aultonrea».

Alison fu sorpresa dall'ondata di sollievo che l'attraversò. La prospettiva di un'altra nottata sola nel cottage doveva turbarla più di quanto si fosse resa conto o di quanto fosse disposta ad ammettere con se stessa.

«Geoffrey, penso che questa sarà la prima notte di vero sonno che avrò avuto da quando mi trovo ad Aultonrea!».

«È andata proprio così male? Avresti dovuto lasciare questo posto dopo la prima notte. Quando ho cominciato il servizio militare un vecchio sergente mi ha insegnato tre ottime regole: *Tieni gli occhi aperti, la bocca chiusa e non offrirti mai volontario*. Non so se sei brava a tenere occhi aperti e bocca chiusa, ma sono sicuro che sei di quelli che sono sempre i primi a farsi avanti per qualsiasi cosa. Dovresti cercare di liberarti da questo vizio».

«E tu? Mi sembra di ricordare che sei andato volontario sotto le armi, e ora ti offri volontario per fare la guardia notturna allo chalet».

Geoffrey si mise a ridere. «Forse questa è la dimostrazione di quanto sono stupido».

Le rimase accanto mentre lei apriva la porta e accendeva la lampada sul tavolo del soggiorno. «Ora ci diamo la buonanotte, a beneficio dell'eventuale pubblico».

Erano di fronte alla porta aperta, la luce alle spalle, il buio davanti a loro. Lui le mise una mano sotto il mento e lo sollevò. Le labbra che toccarono impacciate le sue erano imperlate di gocce di pioggia.

«Era a beneficio del pubblico?», chiese Alison. «O perché lo volevi davvero?».

Lui le sorrise impudente. «Tu che ne pensi?».

Quindi scomparve nella pioggia e nel buio.

Il sorriso indugiò sulle labbra di Alison mentre chiudeva la porta. Non avrebbe scambiato questo improvviso, timido, piovoso bacio per tutta la grazia e il chiaro di luna e le rose del mondo. Per qualche momento si sentì come il pilota d'aereo che vola, al di sopra dei temporali e delle nuvole della terra, in un'eterna luce solare. Era così felice che riuscì persino a dedicare un breve pensiero di commiserazione ai poveri, terricoli, frustrati infelici che passano tutta la vita senza salire mai una sola volta al di sopra delle nuvole. Geoffrey non era cambiato. La vita non era finita: era appena cominciata.

Non si era mai sentita meno assonnata. Prese il libro di zio Felix e cominciò a leggere a casaccio. Era profondamente immersa in un parallelo tra l'occupazione persiana di Atene e l'occupazione tedesca di Parigi, quando Argo ai suoi piedi si drizzò a sedere e si mise a brontolare.

«Sciocco!», bisbigliò lei. «Stanotte abbiamo una sentinella. Non c'è niente di cui preoccuparsi».

Ma Argo ringhiò di nuovo. Questa volta lo sentì anche lei: un colpetto e uno scricchiolio.

«Non è niente», disse ad Argo. «Le case di legno cigolano sempre quando il tempo è umido».

Argo puntava verso la porta d'ingresso. Improvvisamente s'infilò sotto il divano su cui lei era seduta.

«"Mai offrirsi volontario", eh?», lo canzonò.

Ma lui arretrò ancora di più nel suo riparo.

Di nuovo Alison udì il colpo e il cigolio. Questa volta una punta fredda penetrò nel suo cuore. Sembrava un passo furtivo sulla veranda. Ma poi ricordò l'avvertimento di Geoffrey: *Se sentirai qualcuno che si aggira nei paraggi stanotte, sappi che sono io.*

Si rilassò, godendo di quel nuovo senso di sicurezza. Aveva fatto in fretta a tornare dal prato. Evidentemente stava facendo un'ultima perlustrazione del perimetro del cottage prima di prendere posizione nel bosco.

Visualizzandolo là fuori, nella notte buia e piovosa, le parve assurdo che dovesse farsi carico di una simile veglia per lei. Andò alla porta e la spalancò, strizzando gli occhi nel passare dalla luce all'oscurità. Una sagoma di ombra stava in cima alla scala della veranda appena al di là del riquadro di luce proiettato dalla porta aperta.

«Geoffrey! Vieni dentro. Se devi stare di guardia, perché non lo fai dal soggiorno? Ci penserò io a mettere a tacere le malelingue!».

L'ombra si fece avanti senza parlare. C'era qualcosa di poco familiare nel suo passo.

«Geoffrey! Sei tu, vero?».

Una faccia venne alla luce. Sembrò aleggiare nell'oscurità senza un corpo. L'ombra riempiva le guance scavate, modellava in rilievo il contorno severo della bocca. Nel profondo delle orbite scure gli occhi scintillavano. Quegli occhi Alison li aveva già visti. Non li avrebbe mai dimenticati: gli occhi tormentati e sfuggenti dell'uomo che si era presentato come colonnello Armstrong.

«Non abbia paura. Debbo parlare con lei».

«Non ho paura». Rimase stupita lei stessa dalla fermezza della propria voce. Il suo cuore era tutt'altro che tranquillo. Dov'era Geoffrey? Gli era successo qualcosa? Se solo avesse potuto raggiungere il telefono. Fece un passo indietro. «Immagino che sia stato lei a frugarmi in casa questo pomeriggio mentre io ero fuori».

Armstrong fu sorpreso. «Come l'ha capito? Io ho lasciato tutto com'era prima!».

«E suppongo che fosse lei a dormire nella casa abbandonata in fondo alla strada».

«No». Entrò in casa, chiudendosi la porta alle spalle. «C'è qualcuno che ha dormito in una casa abbandonata?».

«Ed era lei ad aggirarsi come un malvivente intorno al cottage di notte», aggiunse lei sdegnata.

Qualcosa di simile a un sorriso si mosse agli angoli di quella bocca torva. «La cosa si fa interessante. C'era qualcuno in giro?».

Lei fece un altro passo indietro. «Lo sa benissimo! Perché doveva essere lei!».

«Non ero io».

Alison non sapeva se credergli o no. «Allora, chi...?».

«Proprio così, chi? Sono interessato quanto lei e...», questa volta fu un vero sorriso, «... e molto più spaventato».

«*Lei* è spaventato?». Fece una risata quasi isterica. «Io sono terrorizzata da morire da quando sono arrivata qui».

«Malgrado ciò è rimasta qui?». C'era una riluttante ammirazione nella sua voce. «Perché?».

«Avevo i miei motivi». Al terzo passo indietro di Alison gli occhi di lui scrutarono la stanza dietro di lei e si posarono sul telefono. In tre falcate la superò. Si voltò verso di lei. Ora si trovava tra lei e l'apparecchio.

Lei squadrò l'abito di tweed marrone lucido di pioggia. «Non è in uniforme... colonnello Armstrong?».

«L'Intelligence gode di determinati privilegi».

Non riuscì a trattenersi. «L'Intelligence di chi?».

«Ah, è questo che pensa?». Di nuovo era sorpreso.

«Non lo nega?».

«Che peso avrebbe una smentita? Le credenziali si possono falsificare. Dovrà credermi sulla parola o non credermi affatto».

«Per quale motivo dovrei crederle?».

«Nessun motivo. Solo che lei è in una brutta situazione e deve fidarsi di qualcuno se vuole un aiuto».

«Una brutta situazione?».

«Miss Tracey, se io fossi... quello che lei pensa, a quest'ora sarebbe già morta». Dall'emozione che mostrava, sembrava che parlasse di ammazzare una zanzara. Le parole che seguirono la colpirono con la forza di un pugno nello stomaco. «Non le è mai venuto il sospetto che suo zio sia stato assassinato?».

Per qualche attimo le pareti e il pavimento sembrarono ondeggiare vertiginosamente, come la cabina di una nave con il mare grosso. Si afferrò allo schienale di una sedia per sostenersi. «Zio Felix... Nessuno avrebbe... Era la persona più...».

«Ma aveva il cifrario. E ora...». Gli occhi sfuggenti trattennero i suoi ipnoticamente. «Il cifrario l'ha lei».

Le ginocchia le stavano cedendo. Si trascinò fino a una sedia e vi si lasciò cadere. «Zio Felix... Come? Chi?».

«Chiunque sarebbe potuto entrare in casa sua attraverso quel giardino comune. Era accessibile a ogni altra casa del complesso. C'erano diverse camere ammobiliate. Chiunque avrebbe potuto affittarne una per un paio di notti. Era debole di cuore. Forse lo choc di trovarsi di fronte un intruso sarebbe bastato a ucciderlo. Forse sono stati usati altri... metodi. In entrambi i casi sarebbe omicidio: moralmente, se non giuridicamente. Suo zio mi piaceva. Avevo lavorato con lui per qualche tempo, gliel'ho detto, e... non voglio che questo omicida la faccia franca».

Nemmeno adesso sapeva se credergli o no. «Perché non ce l'ha detto subito?».

«Non c'erano prove. Solo sospetti. Questo è il caso più sfuggente che mi sia capitato. È come cercare di afferrare un fantasma, un folletto, anziché un uomo. O una donna...».

Alison lo guardò bruscamente. Quale donna avrebbe potuto uccidere lo zio Felix, a meno che... Sospettava forse di lei?

I suoi occhi non le dissero niente.

«Che cosa vuole da me?», gli chiese.

«Il messaggio cifrato».

«Ecco quello che si chiama un monomaniaco! Non riesce a pensare ad altro che a quel dannato messaggio?».

«So che non è qui nel cottage perché oggi pomeriggio non c'era. Ma so che lei lo ha perché ho visto i fogli su cui ha lavorato, quelli che erano nella valigia. Debbo perquisirla?».

Diceva sul serio. Alison ebbe la sensazione che a differenza di tanti altri non dicesse mai qualcosa se non sul serio. Se solo Geoffrey fosse tornato! Ma non c'era alcun segno sonoro di un'altra presenza umana a spezzare il silenzio che circondava lo chalet. Sembrava che lei e Armstrong fossero isolati dal resto del mondo.

«Ebbene?». Lui fece un passo avanti.

Lei armeggiò con la lampo della borsetta.

Era la terza volta che lo sorprendeva. «Non se lo porterà in giro in borsa?».

«E dove altro potrei tenerlo? A quanto pare la mia valigia chiusa a chiave è diventata di dominio pubblico!».

Lui le prese il foglio di mano, lo scorse brevemente, quindi lo mise in tasca. «Perché a New York mi ha mentito su questo?».

«Non le ho mentito. Lei non ci crederà ma… ho trovato il messaggio solo quando sono arrivata qui».

«Dove?».

«Nella tasca della vestaglia».

«Come c'è finito?».

«Non lo so. Stavo per spedirglielo, ma poi… mi ha incuriosita e ho continuato a rimandare».

«L'ho capito quando ho visto i suoi fogli. E le lettere interrotte che cominciavano con *Caro colonnello Armstrong*… Se non fosse stato per quelle non le avrei mai creduto».

Alison fece un sorrisetto fiacco. «Era una lettera difficile. Non sapevo proprio cosa dirle, date le circostanze».

«Che sciocchezza. Non sono una persona inavvicinabile».

Alison pensò che era "avvicinabile" quanto un mitragliatore carico, ma non sembrava precisamente l'occasione adatta per dirglielo.

«Non ho idea di come quel messaggio sia tornato nella mia tasca. Quando Hannah l'ha trovato le ho detto di buttarlo nel cestino della carta straccia».

«Probabilmente non ha mai lasciato la sua tasca», rispose lui. «Hannah indubbiamente è una persona prudente e ha pensato che forse quella carta l'avrebbe voluta, una volta superato lo choc della morte di suo zio».

Alison tirò un profondo sospiro di sollievo. «Vorrei solo che tutto il resto di questa faccenda potesse essere spiegato con altrettanta semplicità».

Lui la guardò pensoso. «Si rende conto che non si è ancora lasciata il fitto del bosco alle spalle?».

Il fitto del bosco alle spalle: solo adesso si rendeva conto di come quella banale frase fatta incarnasse l'antica paura dei boschi a cui i greci avevano assegnato Pan come simbolo. «Che cosa intende dire?».

«Un cifrario ha valore solo quando è monopolio di qualcuno. Ora che suo zio è morto, lei e io siamo gli unici a sapere qualcosa di questo cifrario. Lei e io, e forse una terza persona. La persona che si aggirava furtiva nei dintorni. Per... per certa gente il prezzo di due vite sembrerebbe una bazzecola per qualcosa di tanto prezioso. È già costato una vita: quella di suo zio. Non ha idea di chi sia questa terza persona? Non ha visto nemmeno di sfuggita questo... intruso?».

Stancamente Alison appoggiò la guancia alla mano. «Ho sentito dei fruscii e dei passi e un sommesso sussurro o un fischio. Ho visto un'ombra che si muoveva mentre le altre ombre rimanevano immobili: rannicchiata, saltellante. Non ho idea di che cosa fosse».

«Vuol dire di chi fosse, non di che cosa».

«Sì? A volte non ne sono tanto sicura».

«Tanto sicura di che cosa?».

«Tanto sicura che sia del tutto... umana».

Lui non rise come lei si era aspettata. Non prese neppure un'espressione scettica. I suoi occhi erano quelli di sempre: intensi, irrequieti, curiosi. «Non c'erano orme intorno al cottage?».

«No. Solo tracce di animali com'è normale trovare in un bosco. Ci sono molti animali qua in giro, sa? Questa notte un porcospino è salito sulla sedia a dondolo della veranda. Ci sono volpi, tassi, lontre. Quando è giorno non si vedono, ma di notte se ne vanno in giro. L'inverno di qualche anno fa, dalla parte più selvaggia delle montagne scesero gli orsi fino al villaggio in cerca di cibo».

«Ma lei non crede che quello che era qui fosse un animale?».

«No. I passi che ho sentito la prima notte erano umani, ne sono sicura. Ma ci sono state delle volte in cui...». Si fermò. Non poteva parlargli di "Pan". Non poteva dirgli della sua paura più profonda: che il "predatore" fosse qualcosa di soggettivo come ogni paura panica. «Nei racconti», continuò, «la situazione più terrorizzante dovrebbe essere quella in cui si è inseguiti. Io ho imparato che un assedio è altrettanto pauroso, forse di più. Questo è stato un assedio. Qui ho trovato l'aria di montagna e la cucina casalinga che mi ha ordinato il dottore, ma non le dieci ore di sonno per notte. Appena cala la sera mi trovo assediata da qualcosa di invisibile e ignoto. È una specie di esistenza a zig zag: giorni di pace e notti di paura. Forse l'oscurità distorce non solo la visione ma anche la mente. Perché in realtà non accade mai nulla. È sempre qualcosa che incombe, che minaccia, ma che non colpisce mai. Questa è la parte più orribile dell'intera faccenda: la paurosa attesa di qualcosa che non accade mai».

Con sua grande sorpresa lui prese la cosa non meno seriamente di lei. «È una cosa intelligente. Una guerra di nervi. Un attacco che è sempre psicologico, mai fisico».

«Pensa che qualcuno stia cercando di... di farmi saltare i nervi? Deliberatamente?».

«Possibile».

«Allora... non è tutto soggettivo?».

«Il cifrario non è soggettivo. Neppure la morte di suo zio. C'è qualcuno che ha conosciuto qui e che potrebbe essere interessato al cifrario? Uno straniero? O una persona con simpatie per un paese estero? O uno sconosciuto appena arrivato?».

Le sue idee cominciarono a cristallizzarsi in una nuova forma. «Matt, l'uomo che fa le consegne per il negozio di alimentari, è arrivato qui solo qualche giorno prima di me... qualche giorno dopo la morte di zio Felix. La cosa è strana: una persona fisicamente abile che arriva in un piccolo villaggio di montagna a cercare lavoro in tempo di guerra. E c'è un'altra cosa strana: la sua voce mi suona familiare, anche se il viso non lo riconosco».

«Qualcun altro?».

«Yolanda Parrish ha una cameriera, Gertrude, che è venuta al suo servizio senza referenze. Oggi come oggi è difficile trovare una nuova domestica. Ed è particolarmente difficile trovarne una disposta a passare fuori città tutta l'estate. Poi c'è una persona molto particolare che si presenta come "Mrs Phillimore" che ha l'aspetto e il comportamento di un uomo vestito da donna. Non mi sorprenderei troppo se scoprissi che è una... o meglio *un* fascista e filonazista. Certo è che parla come uno di loro. Alla fine c'è un uomo con un nome straniero che è venuto dai Parrish con Ronnie: Kurt Anders. Ha studiato psicologia a Vienna. Ma dev'essere a posto perché lavora nella Divisione Guerra Psicologica dell'UES, e tutti quelli che lavorano lì debbono prima superare il controllo dell'FBI».

«Ho sentito parlare di Mrs Phillimore in paese. I Parrish sono quelli che hanno una villa sulla cima di questa montagna, giusto?».

«Sì. Sono vecchi amici e assolutamente al di sopra di ogni sospetto. Geoffrey è nell'esercito. È appena tornato dalla Sicilia».

«In licenza?».

«Sì».

«Ferito?».

«No. Almeno, non l'ha detto. Non avevo pensato...».

«E allora come mai è in licenza?».

«Non lo so».

«C'è un'altra possibilità: nevrosi di guerra. E questa potrebbe essere la ragione per cui suo cugino ha portato quassù questo Kurt Anders. Evidentemente è uno psicologo o uno psichiatra professionista. Potrebbe essere venuto per una diagnosi o una terapia per Geoffrey Parrish».

«Geoffrey è la persona più normale del mondo!», protestò Alison infuriata.

«Ha notato in lui qualche cambiamento?».

«No». Già mentre pronunciava quella parola si chiese se stesse dicendo la verità. Durante tutta la cena Geoffrey era apparso chiuso e in contrasto con tutti: Yolanda, Ronnie,

Anders, Alison stessa. Se Yolanda avesse chiesto a Ronnie di portare Anders perché potesse osservare le condizioni mentali di Geoffrey... Geoffrey non si sarebbe forse risentito, comportandosi proprio in quel modo? La prima mattina che Alison l'aveva visto, Geoffrey le era apparso distante, quasi ostile. Allora sì che aveva pensato che era cambiato. Era stato soltanto durante quegli ultimi brevi momenti sulla veranda che le era parso il Geoffrey che conosceva.

Ma questo non l'avrebbe mai confessato ad Armstrong. «Geoffrey Parrish è una persona sana e civilizzata», ribadì.

Ma Armstrong non era convinto. «La società civilizzata è una maschera. Sotto stress la maschera scivola via e vediamo la nuda faccia primitiva che vi sta sotto da sempre».

Alison pensò nuovamente all'ultima immagine del viso di Yolanda e rabbrividì. Quella era una delle occasioni in cui una maschera era caduta.

«Non c'è stress pari a quello della guerra», disse Armstrong. «Non ha nessuna ragione di credere che ad aggirarsi qua intorno fosse Geoffrey Parrish?».

«Certamente no. Geoffrey è affezionato a me. Lo so per certo».

«Una mente anormale confonde affetto e odio: due facce della stessa medaglia, quella dell'interesse. L'indifferenza, non l'odio, è l'opposto dell'amore».

«Ma Geoffrey ha detto che sarebbe stato di guardia alla casa stanotte contro gli intrusi!».

Si sarebbe morsa la lingua, quando vide l'improvvisa luce di diffidenza negli occhi di Armstrong. Con quanta astuzia le aveva estorto quella informazione, quando la sua sola speranza di salvezza stava nel non fargli sapere che Geoffrey poteva trovarsi nelle vicinanze.

Il colonnello Armstrong attraversò la stanza e aprì la porta. Rimase ad ascoltare per qualche momento il fruscio delle foglie, lo sgocciolio della pioggia. Lei misurò la distanza dal telefono. Prima che potesse risolversi ad agire, Armstrong aveva chiuso la porta ed era tornato da lei.

«Non credo che adesso ci sia qualcuno vicino alla casa», disse pacatamente. «Certo, fare la guardia contro gli intrusi sarebbe un buon pretesto per spiarla, non le pare? E un modo per dirottare i sospetti».

«Geoffrey non è così!», esclamò Alison. «Non vedo in che modo una di queste persone potrebbe essere coinvolta nella morte di zio Felix».

«Come può esserne sicura?». replicò Armstrong. «Lei ha detto che i Parrish sono vecchi amici. Conoscevano suo zio? E sapevano del giardino nella sua casa di città? Non lo sapevano?».

«Sì, ma...».

«Ha qualche idea su dove si trovassero queste persone la notte in cui suo zio è morto?».

«No». Alison raccolse tutto il suo coraggio e aggiunse: «Non so nemmeno dove si trovava lei la notte in cui mio zio è morto».

Armstrong si mise a ridere. «Ed ecco che siamo tornati al punto di partenza: lei sospetta di me e io sospetto di lei».

«Lei non ha dimostrato che zio Felix è stato assassinato», riprese Alison. «Un uomo anziano, malato di cuore da due anni, che muore in pace nel suo letto... non c'è nessun mistero nella sua morte».

«No?». L'autocontrollo di Armstrong era tale che quell'accusa parve non fargli la minima impressione. Aveva appoggiato una mano alla mensola di pietra del camino, guardando il mucchio di cenere grigia sul focolare freddo. «E allora perché suo zio ha usato i suoi ultimi momenti per scrivere un messaggio cifrato?».

Quella domanda Alison se l'era già posta. Ma ora lottò contro le sue implicazioni. «Non è possibile che quell'ultimo messaggio fosse stato un esercizio, una verifica del suo cifrario?

Non è possibile che ci stesse lavorando nel momento in cui è stato raggiunto dalla morte?».

«Mi aveva già dato tutti i messaggi di verifica di cui avevo bisogno per controllare la resistenza all'analisi del cifrario. La cifratura è un procedimento noioso, non un passatempo divertente come la decifrazione. Io credo che abbia scritto quell'ultimo messaggio in cifra per la ragione più ovvia: era un messaggio che voleva tenere nascosto a qualcuno. Per questo posso vedere una sola spiegazione. Sospettava di essere in pericolo. Il suo messaggio contiene i sospetti che nutriva verso il suo assassino, e l'ha scritto in cifra per nasconderlo all'assassino che altrimenti l'avrebbe distrutto. Se suo zio è stato ucciso affinché qualcuno potesse venire in possesso del segreto del suo nuovo sistema di cifratura, quella persona potrebbe sospettare che esista un messaggio cifrato che la incrimina, e ora è ansiosa di impadronirsi di quel particolare messaggio quanto lo è di impadronirsi del segreto del sistema di cifratura».

«Ma in quel caso mi avrebbe ucciso e avrebbe distrutto il messaggio cifrato la prima notte che mi sono trovata qui da sola nel cottage».

«Lei dimentica una cosa». Armstrong si voltò verso di lei, dando le spalle al camino. I suoi strani occhi erano puntati dritti in quelli di lei, come se stesse tentando di guardare nella sua mente. «L'assassino non è in grado di leggere il messaggio cifrato».

«Ma se distruggesse questo particolare messaggio che potrebbe incriminarlo...».

«Potrebbe volere qualcosa di più di questo. Potrebbe volere il segreto del sistema. Potrebbe averlo voluto tanto da uccidere suo zio pur di ottenerlo».

«Ma io il segreto del cifrario non lo conosco!».

Armstrong parlò sottovoce, come se temesse che le pareti stesse potessero udirlo. «Non lo sa che lei ora è l'unica persona che abbia la minima chance di forzare il cifrario?».

Alison era sbalordita. «Lei sta cercando di lusingarmi! Come può una dilettante ignorante come me violare un sistema che il colonnello Armstrong dell'Intelligence militare non ha saputo risolvere?».

«Grazie alle peculiarità dell'analisi di Vigenère», rispose lui impaziente. «Quando suo zio mi ha dato i suoi messaggi di prova, ho visto subito che il suo cifrario era una nuova forma di Vigenère. Ho cercato di interpretarli con l'analisi matematica. Come sa, non ci sono riuscito. Ma il metodo di Bazeries si basa su una conoscenza almeno minima del probabile contenuto del messaggio in chiaro. Io non conoscevo abbastanza suo zio, né le circostanze in cui si trovava, per avanzare ipotesi d'interpretazione. Lei dovrebbe sapere chi, più probabilmente, suo zio avrebbe sospettato di volerlo uccidere, e con quali parole avrebbe espresso questo sospetto. A giudicare dai fogli con gli esercizi che ho visto nella sua valigia, lei di crittanalisi sa più di quanto mi abbia dichiarato a New York. Adesso capisce perché l'assassino non l'ha presa di mira... per ora? Sta aspettando che lei interpreti il messaggio. Vuole il segreto di quel cifrario e sa di poterlo ottenere soltanto tramite lei, quando sarà riuscita a tradurre questo particolare messaggio cifrato».

«Ma io di crittanalisi so poco o nulla!», protestò Alison. «Solo quello che ho letto nei libri di zio Felix da quando sono arrivata qui, e quello che mi avete spiegato lei e Geoffrey».

«Geoffrey?». Il nome risuonò come uno sparo.

«Sì. La prima mattina che ero qui è venuto a trovarmi e ha visto che ci stavo lavorando; allora mi ha spiegato come funziona la tavola di Vigenère. Ha studiato crittografia nel Corpo Segnalatori».

«Immagino si renderà conto che non avrebbe potuto dirmi niente di più compromettente riguardo a quell'uomo». Ora Armstrong era incapace di controllare la collera. Gli accendeva gli occhi e gli faceva tremare la voce. «La sua leggerezza rasenta l'incoscienza. C'è qualcun altro a cui ha fatto sapere che sta lavorando su questa cosa?».

«Non di proposito. Ma la Phillimore ha visto quei fogli quando è capitata sulla veranda all'improvviso».

«Ma dico, Miss Tracey! Ma la testa proprio non l'aiuta? Mi sta dicendo sul serio che si è messa a fare questo lavoro in veranda dove dal bosco chiunque, armato di un binocolo, poteva vedere quello che lei stava facendo? E proprio quando se ne sta a vivere qui da sola in una casa isolata dal mondo! Io di fegato ne ho, mi creda, ma le assicuro che ci penserei bene prima di assumermi i rischi che lei sta correndo così a cuor leggero. Adesso farà bene a dirmi fino a che punto è arrivata nella soluzione del cifrario. Se siamo in due a saperlo, lei correrà meno pericoli».

Alison esitò. Non si fidava del colonnello Armstrong. Ma aveva bisogno di un aiuto tecnico, ed era chiaro che nessuno era più qualificato di lui a fornirglielo.

«A New York mi ha detto che zio Felix era convinto dell'inattaccabilità del suo cifrario. Quando ho visto che il messaggio resisteva a ogni tentativo di analisi, ho cercato di pensare a quello che avrei fatto io se fossi stata nei panni di zio Felix, una volta deciso di ideare un cifrario Vigenère inviolabile. Visto che ogni crittanalisi si basa fondamentalmente sulla matematica, ho deciso di cercare di eliminare i fattori matematici: la sequenza alfabetica su indice e cursore che determina le coordinate numeriche di ogni lettera e digramma e il numero di volte che la parola chiave si ripete nel procedimento di cifratura. Da quel momento, ho cercato di figurarmi i vari modi con cui arrivare a questo risultato».

«E cioè?».

«È possibile eliminare la periodicità utilizzando come chiave una lunga composizione poetica di molte strofe?».

«No. Un crittanalista nemico non dovrebbe far altro che raccogliere diversi messaggi cifrati con la stessa poesia-chiave e metterli in relazione tra loro. Questo gli darebbe gli stessi effetti della ripetizione della chiave che otterrebbe se una singola parola chiave fosse ripetuta più volte per cifrare un messaggio lungo».

«Ho avuto un'altra idea». Alison esitò a esporla, temendo che non facesse altro che rivelare la propria ignoranza sull'argomento.

«Dunque?», la sollecitò Armstrong impaziente.

«È molto semplice. Forse troppo. Ma mi è venuto in mente che non ci si deve preoccupare per nulla della lunghezza della chiave se si introducono dei cambiamenti nelle lettere presenti sul cursore – ossia nella tabella – ogni volta che si arriva alla fine della parola chiave durante la cifratura. Un cambiamento periodico nella tavola annienterebbe la ripetizione della chiave con la stessa efficacia di una lunga parola chiave, o frase chiave, non ripetuta».

Ora Armstrong la guardava con inedita ammirazione. «Altri hanno avuto la stessa idea, ma in genere hanno impiegato più tempo per arrivarci. Teoricamente una tabella mobile di questo genere renderebbe difficile, o forse impossibile, l'analisi matematica. Esistono macchine cifratrici che operano in base a questo principio. Ma suo zio affermava che il suo sistema di cifratura non richiedeva una macchina, anzi, nemmeno una registrazione scritta. Come si fa a ricordare una dozzina di tabelle diverse senza qualcosa di scritto, che potrebbe cadere nelle mani del nemico?».

«Ma io non vedo in quale altro modo un Vigenère potrebbe essere reso impenetrabile!», insisté Alison. «Soprattutto quando si pensa che una tabella mobile eliminerebbe non solo la ripetizione della chiave ma anche la sequenza alfabetica. La posizione di ogni lettera della cifra sul cursore – o di ogni riga nella tabella – dovrebbe essere mobile come il cursore stesso. Per quale motivo le lettere sul cursore dovrebbero trovarsi necessariamente nella normale sequenza alfabetica? Perché non mescolarle in qualche altra sequenza e rimescolare nuovamente la sequenza ogni volta che nel corso della cifratura si arriva alla fine della chiave? In questo modo non si produrrebbe un cifrario inviolabile?».

«Forse sì. Ma come si fa a ricordare con velocità e precisione, nelle difficili condizioni di una battaglia, tutti questi alfabeti rimescolati? A meno che non si disponga di un promemoria scritto o di una macchina, cose che potrebbero andare perdute o distrutte proprio quando sarebbero più necessarie?».

«Qualcuno ha mai usato un alfabeto rimescolato sul cursore?», domandò Alison.

«Oh, sì. Prende il nome di Alfabeto Vigenère Irrazionale. La prima versione, la più semplice, è il Beaufort, ideato da un ammiraglio inglese, sir Francis Beaufort. Lui non fece altro che porre un alfabeto ribaltato sul cursore».

«Mi faccia vedere». Alison pescò un blocco da appunti e una matita nel cassetto del tavolo. Armstrong scrisse rapidamente e fece scivolare il blocco verso di lei. «Vede?».

ABCDEFGHIJKLMNOPQRSTUVWXYZ
AZYXWUTSRQPONMLKJIHGFEDCBAZYXWUTSRQPONMLKJIHGFEDCB

«È così che appare il Beaufort su un cursore. In realtà lui usava una tabella. Purtroppo, Z è il complemento di A, Y di B e così via. Tenga in mente questo, e vedrà che il Beaufort sarà facile da risolvere con i metodi consueti quanto un Vigenère diretto.

«Il passo successivo consistette nel formulare un alfabeto ancor più irrazionale, per il cursore, in una forma che potesse essere memorizzata. Lo si fece scegliendo una parola fatta di lettere che compaiono all'interno dell'alfabeto e ponendola all'inizio, seguita dalle lettere dell'alfabeto che rimangono. Prendiamo la parola ZITHER». Scrisse di nuovo rapidamente. «E il righello si presenterà in questo modo:

ABCDEFGHIJKLMNOPQRSTUVWXYZ
ZITHERABCDFGJKLMNOPQSUVWXYZITHERABCDFGJKLMNOPQSUVWXY

«Se si vuole qualcosa di più complicato si può mettere l'alfabeto irrazionale anche sull'indice, oltre che sul cursore».

ZITHERABCDFGJKLMNOPQSUVWXY
ZITHERABCDFGJKLMNOPQSUVWXYZITHERABCDFGJKLMNOPQSUVWXY

«Oppure si possono usare due diversi alfabeti irrazionali, uno sull'indice e l'altro sul cursore».

NEWYORKABCDFGHIJLMPQSTUVXZ
ZITHERABCDFGJKLMNOPQSUVWXYZITHERABCDFGJKLMNOPQSUVWXY

Armstrong si produsse in uno dei suoi rari sorrisi vedendo la delusione sul viso di Alison. «Questo è il guaio a essere nati quattromila anni dopo l'inizio della civiltà. È praticamente impossibile pensare qualcosa che non sia già stato pensato da qualcun altro, di solito da un antico greco. È per questo che continuo ad avere dubbi sull'affermazione di suo zio che il suo cifrario fosse inattaccabile».

Alison stava studiando i righelli che le aveva scritto Armstrong. «Quest'ultimo, questo con due alfabeti irrazionali, non elimina la sequenza alfabetica?».

«La elimina davvero?». Il suo sorriso ora era impercettibile. «Ricordi, ogni righello è la scorciatoia di una tabella equivalente. Come scriverebbe quell'ultimo righello in forma di tabella?».

Lei prese la matita e rifletté, rendendosi conto che le stava preparando una trappola. Poi cominciò a scrivere. Quando ebbe finito, gli mostrò il risultato.

Il sorriso di Armstrong si allargò. Alison vide che quello che aveva scritto era quanto lui si aspettava.

TABELLA DI ALISON
DEGLI ALFABETI DEL CURSORE
per il cifrario basato sui due Alfabeti Irrazionali NEWYORKABCDFGHIJLMPQSTUVXZ e ZITHERABCDFGJKLMNOPQSUVWXY

	Z	I	T	H	E	R	A	B	C	D	F	G	J	K	L	M	N	O	P	Q	S	U	V	W	X	Y
N	Z	I	T	H	E	R	A	B	C	D	F	G	J	K	L	M	N	O	P	Q	S	U	V	W	X	Y
E	I	T	H	E	R	A	B	C	D	F	G	J	K	L	M	N	O	P	Q	S	U	V	W	X	Y	Z
W	T	H	E	R	A	B	C	D	F	G	J	K	L	M	N	O	P	Q	S	U	V	W	X	Y	Z	I
Y	H	E	R	A	B	C	D	F	G	J	K	L	M	N	O	P	Q	S	U	V	W	X	Y	Z	I	T
O	E	R	A	B	C	D	F	G	J	K	L	M	N	O	P	Q	S	U	V	W	X	Y	Z	I	T	H
R	R	A	B	C	D	F	G	J	K	L	M	N	O	P	Q	S	U	V	W	X	Y	Z	I	T	H	E
K	A	B	C	D	F	G	J	K	L	M	N	O	P	Q	S	U	V	W	X	Y	Z	I	T	H	E	R
A	B	C	D	F	G	J	K	L	M	N	O	P	Q	S	U	V	W	X	Y	Z	I	T	H	E	R	A
B	C	D	F	G	J	K	L	M	N	O	P	Q	S	U	V	W	X	Y	Z	I	T	H	E	R	A	B
C	D	F	G	J	K	L	M	N	O	P	Q	S	U	V	W	X	Y	Z	I	T	H	E	R	A	B	C
D	F	G	J	K	L	M	N	O	P	Q	S	U	V	W	X	Y	Z	I	T	H	E	R	A	B	C	D
F	G	J	K	L	M	N	O	P	Q	S	U	V	W	X	Y	Z	I	T	H	E	R	A	B	C	D	F
G	J	K	L	M	N	O	P	Q	S	U	V	W	X	Y	Z	I	T	H	E	R	A	B	C	D	F	G
H	K	L	M	N	O	P	Q	S	U	V	W	X	Y	Z	I	T	H	E	R	A	B	C	D	F	G	J
I	L	M	N	O	P	Q	S	U	V	W	X	Y	Z	I	T	H	E	R	A	B	C	D	F	G	J	K
J	M	N	O	P	Q	S	U	V	W	X	Y	Z	I	T	H	E	R	A	B	C	D	F	G	J	K	L
L	N	O	P	Q	S	U	V	W	X	Y	Z	I	T	H	E	R	A	B	C	D	F	G	J	K	L	M
M	O	P	Q	S	U	V	W	X	Y	Z	I	T	H	E	R	A	B	C	D	F	G	J	K	L	M	N
P	P	Q	S	U	V	W	X	Y	Z	I	T	H	E	R	A	B	C	D	F	G	J	K	L	M	N	O
Q	Q	S	U	V	W	X	Y	Z	I	T	H	E	R	A	B	C	D	F	G	J	K	L	M	N	O	P
S	S	U	V	W	X	Y	Z	I	T	H	E	R	A	B	C	D	F	G	J	K	L	M	N	O	P	Q
T	U	V	W	X	Y	Z	I	T	H	E	R	A	B	C	D	F	G	J	K	L	M	N	O	P	Q	S
U	V	W	X	Y	Z	I	T	H	E	R	A	B	C	D	F	G	J	K	L	M	N	O	P	Q	S	U
V	W	X	Y	Z	I	T	H	E	R	A	B	C	D	F	G	J	K	L	M	N	O	P	Q	S	U	V
X	X	Y	Z	I	T	H	E	R	A	B	C	D	F	G	J	K	L	M	N	O	P	Q	S	U	V	W
Z	Y	Z	I	T	H	E	R	A	B	C	D	F	G	J	K	L	M	N	O	P	Q	S	U	V	W	X

Tutte le lettere nella riga A *della tabella di Armstrong rappresentano sostituti cifrati per le lettere dell'alfabeto nell'ordine alfabetico normale come si presentano ogni volta che la* A *è la lettera chiave; le lettere nella linea* B *sono sostituti cifrati per l'alfabeto normale quando la lettera chiave è la* B, *e così via per tutto l'alfabeto fino alla riga* Z.

Gli alfabeti della cifra che formano la tabella di Armstrong si possono ottenere trattando l'alfabeto normale come fosse un messaggio in chiaro e cifrandolo sul righello o sulla tabella di Alison ventisei volte, usando ogni volta una lettera diversa come lettera chiave per l'intero alfabeto.

Questa tabella e l'altra a pagina 180 *sono due modi per scrivere lo stesso cifrario. Ciascuna delle due tavole potrebbe essere usata per cifrare, ma il righello per questa cifratura, presentato a pagina* 177, *è il dispositivo più conveniente per questo scopo.*

Il messaggio in chiaro – ATTACCO IMMEDIATO – *cifrato con la parola chiave* crittografia *su entrambe le tabelle produrrà esattamente lo stesso messaggio cifrato ricavato con il righello:* MZVDGZMQWITNVJVA.

TABELLA DI ARMSTRONG
DEGLI ALFABETI DELLA CIFRA

per il cifrario basato sui due Alfabeti Irrazionali
NEWYORKABCDFGHIJLMPQSTUVXZ e
ZITHERABCDFGJKLMNOPQSUVWXY

	A	B	C	D	E	F	G	H	I	J	K	L	M	N	O	P	Q	R	S	T	U	V	W	X	Y	Z
A	K	L	M	N	B	O	P	Q	S	U	J	V	W	A	F	X	Y	G	Z	I	T	H	C	E	D	R
B	L	M	N	O	C	P	Q	S	U	V	K	W	X	B	G	Y	Z	J	I	T	H	E	D	R	F	A
C	M	N	O	P	D	Q	S	U	V	W	L	X	Y	C	J	Z	I	K	T	H	E	R	F	A	G	B
D	N	O	P	Q	F	S	U	V	W	X	M	Y	Z	D	K	I	T	L	H	E	R	A	G	B	J	C
E	G	J	K	L	R	M	N	O	P	Q	F	S	U	E	C	V	W	D	X	Y	Z	I	A	T	B	H
F	O	P	Q	S	G	U	V	W	X	Y	N	Z	I	F	L	T	H	M	E	R	A	B	J	C	K	D
G	P	Q	S	U	J	V	W	X	Y	Z	O	I	T	G	M	H	E	N	R	A	B	C	K	D	L	F
H	F	G	J	K	E	L	M	N	O	P	D	Q	S	H	B	U	V	C	W	X	Y	Z	R	I	A	T
I	C	D	F	G	T	J	K	L	M	N	B	O	P	I	R	Q	S	A	U	V	W	X	H	Y	E	Z
J	Q	S	U	V	K	W	X	Y	Z	I	P	T	H	J	N	E	R	O	A	B	C	D	L	F	M	G
K	S	U	V	W	L	X	Y	Z	I	T	Q	H	E	K	O	R	A	P	B	C	D	F	M	G	N	J
L	U	V	W	X	M	Y	Z	I	T	H	S	E	R	L	P	A	B	Q	C	D	F	G	N	J	O	K
M	V	W	X	Y	N	Z	I	T	H	E	U	R	A	M	Q	B	C	S	D	F	G	J	O	K	P	L
N	W	X	Y	Z	O	I	T	H	E	R	V	A	B	N	S	C	D	U	F	G	J	K	P	L	Q	M
O	X	Y	Z	I	P	T	H	E	R	A	W	B	C	O	U	D	F	V	G	J	K	L	Q	M	S	N
P	Y	Z	I	T	Q	H	E	R	A	B	X	C	D	P	V	F	G	W	J	K	L	M	S	N	U	O
Q	Z	I	T	H	S	E	R	A	B	C	Y	D	F	Q	W	G	J	X	K	L	M	N	U	O	V	P
R	J	K	L	M	A	N	O	P	Q	S	G	U	V	R	D	W	X	F	Y	Z	I	T	B	H	C	E
S	I	T	H	E	U	R	A	B	C	D	Z	F	G	S	X	J	K	Y	L	M	N	O	V	P	W	Q
T	D	F	G	J	H	K	L	M	N	O	C	P	Q	T	A	S	U	B	V	W	X	Y	E	Z	R	I
U	T	H	E	R	V	A	B	C	D	F	I	G	J	U	Y	K	L	Z	M	N	O	P	W	Q	X	S
V	H	E	R	A	W	B	C	D	F	G	T	J	K	V	Z	L	M	I	N	O	P	Q	X	S	Y	U
W	E	R	A	B	X	C	D	F	G	J	H	K	L	W	I	M	N	T	O	P	Q	S	Y	U	Z	V
X	R	A	B	C	Y	D	F	G	J	K	E	L	M	X	T	N	O	H	P	Q	S	U	Z	V	I	W
Y	A	B	C	D	Z	F	G	J	K	L	R	M	N	Y	H	O	P	E	Q	S	U	V	I	W	T	X
Z	B	C	D	F	I	G	J	K	L	M	A	N	O	Z	E	P	Q	R	S	U	V	W	T	X	H	Y

Cifrando con la tabella di Armstrong, la lettera della chiave si trova nell'alfabeto normale alla sinistra della tavola; la lettera in chiaro nell'alfabeto normale in cima alla tavola; e la lettera cifrata risultante è nel punto della tabella irrazionale in cui si incontrano ad angolo retto le linee tracciate dalla lettera chiave e quella in chiaro. Così, la prima lettera cifrata M *si presenta all'intersezione di una linea che parte dalla* C *della sinistra e un'altra linea tracciata a partire dalla* A *in cima.*

Cifrando con la tabella di Alison, la lettera in chiaro si trova nell'alfabeto irrazionale "New York" a sinistra della tavola, la lettera della chiave nell'alfabeto irrazionale "Zither" in cima alla tavola; e la lettera cifrata risultante nel punto della tabella irrazionale in cui si incrociano le linee che partono dalla lettera chiave e da quella in chiaro.

Se le lettere della chiave si trovano in cima alla tabella di Armstrong e sul lato di quella di Alison, il messaggio cifrato risultante sarà lo stesso in entrambi i casi come se le lettere in chiaro si trovassero sul cursore del righello. Il messaggio sarà: MBNIHJH AVZPNFGNJ.

«Questo è un modo per farlo», disse. «Ma quando si usa un alfabeto irrazionale sul cursore vi sono due modi per scrivere la tabella corrispondente: quello che ha usato lei e quest'altro modo. Ha un paio di forbici?».

Quando lei gliele ebbe portate, lui improvvisò un righello tagliando due strisce di carta e riempiendole con i due alfabeti irrazionali. Usando il righello, cominciò a prendere appunti sul blocco di carta. Dopo una decina di minuti le porse il blocco. A prima vista la sua tabella non aveva nulla in comune con quella che aveva tracciato lei.

«La sua tabella e la mia sono semplicemente due modi diversi di scrivere lo stesso sistema cifrato incorporato in questo righello con i due alfabeti irrazionali», spiegò Armstrong. «La prima riga della mia tabella è prodotta usando la A come chiave quando si cifra ogni lettera dell'alfabeto normale dalla A alla Z su questo righello. La mia seconda riga ripete il procedimento con la B come lettera chiave per l'intero alfabeto, e così via fino alla Z come lettera chiave per l'ultima riga.

«La prima riga della mia tabella si chiama "alfabeto A della cifra", la seconda si chiama "alfabeto B della cifra" e così via fino all'ultima, o "alfabeto Z della cifra". Ogni volta che si cifra una lettera in chiaro con questo righello usando la A come lettera chiave, la lettera cifrata risultante è presa da questo alfabeto A della mia tabella. Ogni volta che la lettera chiave è B, la lettera cifrata risultante è presa da questo alfabeto B e così via. Anche se questa tabella di alfabeti cifrati rimane invisibile fintanto che si usa il righello, essa è tuttavia un fattore attivo nel procedimento di cifratura.

«Quando si risolve un Vigenère basato su alfabeti irrazionali, si raccolgono le lettere cifrate secondo le righe della tabella degli alfabeti cifrati da cui sono prese; così come nel risolvere un Vigenère basato sull'alfabeto normale si raggruppano le lettere cifrate secondo le righe della tabella normale da cui sono prese. Con la sua tabella questo non si può fare. È di scarso aiuto nell'interpretare un Vigenère irrazionale, mentre la mia tabella dello stesso cifrario è utile nell'analisi perché il suo indice – l'alfabeto a sinistra della tabella – è sempre e inevitabilmente l'alfabeto normale, e questo ci dà la normale sequenza alfabetica e le corrispondenti coordinate numeriche su cui lavorare.

«In altri termini, non si può annullare la normale sequenza alfabetica usando alfabeti irrazionali su un righello o in una tabella. Quando si pensa di farlo, si sta semplicemente mascherando la normale sequenza alfabetica con sostituti equivalenti, come mostra la mia tabella. Quando la A è la sua lettera chiave, la prima riga della mia tabella è il sostituto dell'alfabeto normale; quando la B è la sua lettera chiave, la seconda riga della mia tabella è il suo alfabeto sostituto, e così via. In crittografia, l'alfabeto – come la materia in fisica – non si crea né si distrugge. È sempre presente, che lo si veda o no. Anche quando, come in questo caso, è sepolto in profondità sotto ventisei alfabeti sostituti, esso è sempre lì, e permea in modo invisibile tutto ciò che si fa, come un Dio panteistico. Se sia possibile seppellire questo alfabeto invisibile tanto profondamente in un cifrario che nessun crittanalista sia in grado di dissotterrarlo da un messaggio cifrato... be', è esattamente la questione posta dall'ultimo messaggio cifrato di suo zio».

Alison intravide un barlume. «Questo vale per il righello o la tabella basata su una singola coppia di alfabeti irrazionali; e se invece si trattasse di una tabella mobile basata su una dozzina di alfabeti irrazionali che si susseguono periodicamente per evitare la ripetizione della chiave?».

«Gliel'ho detto, sarebbe impossibile da memorizzare!».

Il barlume nella sua mente si faceva sempre più vivo e costante, pur essendo ancora piccolo e lontano. «Allora forse quello che zio Felix aveva scoperto non era affatto un nuovo sistema di cifratura ma un nuovo metodo mnemonico. Dopotutto siamo abbastanza sicuri che abbia usato un vecchio sistema, il Vigenère. Non potrebbe aver inventato o scoperto un trucco grazie al quale è possibile ricordare una tabella mobile basata su un'intera serie di alfabeti irrazionali?».

«Un trucco?». Armstrong era dubbioso. «È già piuttosto difficile ricordare esattamente un solo alfabeto irrazionale». Prese il messaggio cifrato dello zio Felix dalla tasca e lo aprì sul tavolo. «Perché vi sono tante lettere doppie? E perché il trigramma XYX – due lettere uguali separate da una diversa – si presenta così di frequente?».

«Vado a prendere i miei fogli. Forse possiamo studiare insieme la cosa».

Prese una pila dal tavolo e uscì di corsa dalla stanza, su per le scale che portavano al sottotetto. In un momento aprì la valigia. Alla luce fioca della torcia elettrica fece una cernita separando le annotazioni essenziali da quelle non indispensabili, ficcò il fascio delle prime sotto il braccio e riprese a scendere le scale. Erano così ripide che, avendo per guida solo la luce di una torcia, bisognava scendere lentamente. I suoi passi suonavano come quelli di un bambino che ha appena imparato a scendere i gradini da solo. Ma accelerò il passo appena ebbe raggiunto il corridoio, e irruppe nel soggiorno esclamando: «Si potrebbe usare il metodo Bazeries se fossero irrazionali sia l'alfabeto dell'indice che quello del cursore? E se si cambiassero entrambi ogni volta che si arriva alla fine della chiave? Potrebbe essere...».

Le parole le morirono sulle labbra. La porta d'ingresso era spalancata davanti alla pioggia e all'oscurità. Il colonnello Armstrong era scomparso.

Alison si fermò immobile sulla soglia, guardando, ascoltando. Ora il cielo era buio quanto la terra. Il vento fischiava, le foglie frusciavano, mormorando come cavalloni, la pioggia martellava il tetto e scendeva gorgogliando lungo le falde e nelle grondaie.

«Colonnello Armstrong?». Nessuna risposta. «Geoffrey?».

Un lampo accecante biancoazzurro illuminò l'intero paesaggio. Per un istante poté vedere nitida come fosse giorno la scena della veranda e del vialetto tra gli alberi che si agitavano. L'una e l'altro erano deserti. Poi l'immagine sparì, cancellata nel buio totale. Il tuono arrivò qualche secondo dopo: un lungo brontolio basso che attraversò l'intera campata del cielo, come un pesante carro che percorre una strada con il fondo di tronchi.

Se solo Geoffrey fosse tornato! Doveva aspettare lì pregando che venisse abbastanza vicino da sentirla? O doveva uscire a cercarlo? Come avrebbe potuto trovarlo in quel buio tempestoso? D'altra parte, se avesse aspettato lì, chi poteva sapere quale forma avrebbe potuto assumere il terrore... E lui poteva anche non tornare. Aveva detto che quella notte avrebbe sorvegliato il cottage, ma poteva essersi stancato di quella veglia volontaria ed essersene andato a casa quando era scoppiato il temporale, convinto che lei fosse al sicuro.

Doveva chiudere la porta. Era più facile che un fulmine si facesse strada in un'apertura. Ai suoi piedi c'era già una pozza d'acqua. Tornò verso il camino con l'idea di accendere il fuoco ma la pioggia penetrava dal comignolo, trasformando la polverosa cenere della legna in un impasto melmoso.

Armstrong era andato via d'impulso? Aveva udito qualcosa fuori mentre lei era al piano di sopra? Dei passi? Il flebile richiamo di uno zufolo? Si sarebbe mai precipitato fuori a indagare su quel suono lasciandola sola, in preda allo smarrimento e al possibile pericolo? E se da un momento all'altro avesse udito lei qualcosa? Cosa poteva fare? Lì era totalmente indifesa. Quando Armstrong era entrato dalla porta lei non era stata in grado di opporre la minima resistenza. E se ora fosse entrato qualcun altro?

Non avrebbe mai dovuto imporsi di passare un'altra notte sola nello chalet. L'orgoglio che le aveva fatto declinare l'invito di Yolanda ora le pareva assurdo. Se solo fosse arrivata incolume alla fine della notte, mai più, finché fosse vissuta, avrebbe fatto qualcosa di così avventato...

Attraverso le porte e le finestre chiuse, al di là delle sottili pareti di legno, poteva sentire il ruggito della tempesta. Il fruscio di una foglia morta o lo schiocco di un rametto spezzato sotto i piedi sarebbero andati perduti in quell'orchestrato tumulto. Se il predatore fosse arrivato stanotte lei non avrebbe sentito il benché minimo suono finché non fosse arrivato sulla veranda.

Allora capì. Nemmeno Armstrong poteva aver sentito un rumore di quel genere. Qualunque cosa l'avesse spinto a uscire, non era quello.

Con quanta abilità Armstrong l'aveva manovrata, sfruttando il suo nuovo interesse per la crittanalisi! Nell'ansia di imparare da lui, aveva dimenticato i suoi sospetti. Ma adesso tornavano. Come aveva fatto Armstrong a sapere che lei era lì? L'aveva seguita da New York? Non le era neppure venuto in mente di chiederglielo! Non aveva alcuna prova della sua buona fede. Lui aveva evitato in maniera plausibile di mostrarle le proprie credenziali. Aveva appreso da Alison tutto ciò che lei sapeva. Aveva ottenuto da lei persino il messaggio cifrato. Appena ne era entrato in possesso, aveva colto la prima occasione per sparire, anche se per farlo aveva dovuto affrontare una tempesta.

Un cifrario ha valore solo quando è monopolio di qualcuno. Erano parole sue. Ora aveva il messaggio cifrato, ma lei gli aveva detto che stava lavorando per individuare il sistema di cifratura e lui doveva sapere che ormai ci sarebbe potuta arrivare da un momento all'altro. Finché lei era viva, lui non avrebbe avuto il monopolio del sistema.

Se n'era andato davvero? O era in agguato nelle vicinanze e l'avrebbe tenuta d'occhio per vedere che cosa avrebbe fatto? Avrebbe progettato una qualche ingegnosa forma di attacco per liquidarla in modo pulito ed efficiente come con l'"incidente" che aveva eliminato Carlo Freschi e l'"attacco cardiaco" che aveva tolto di mezzo zio Felix.

Ma cose del genere accadevano davvero? A New York, alla luce del sole, non aveva preso particolarmente sul serio la storia di Carlo Freschi che le aveva raccontato Ronnie. Ma ora – riusciva quasi a vederlo – un ometto, furtivo, terrorizzato, che va su e giù per il ponte della nave sotto le stelle, fermandosi al parapetto a guardare il mare buio e gonfio. Forse aveva il mal di mare. Questo gli avrebbe fatto dimenticare ogni altra cosa per qualche momento. Si sarebbe sporto dal parapetto. E poi... l'improvviso violento spintone da dietro. L'acqua nera che gli saliva incontro. Lo choc gelido e salato. L'infinità dell'acqua che si richiudeva sopra la sua testa. Il grido lanciato di riflesso, lo sforzo di nuotare appena risalito in superficie. Il peso delle scarpe e del cappotto inzuppato che lo trascinava giù, paralizzandogli braccia e gambe. Il ruggito del vento e del mare che inghiottivano le sue deboli grida. L'ultima visione della nave illuminata che si allontanava lenta e inesorabile, lasciandolo solo nell'oscuro deserto di vento e acqua, minuscolo e impotente come una mosca appiccicata alla carta moschicida. L'improvvisa inaudita illuminazione, che cose del genere succedono, che quella era la fine.

Alison accese una sigaretta e cominciò ad andare su e giù per la stanza, l'occhio alla porta, l'orecchio pronto a registrare il minimo accenno di un passo sulla veranda. La piccola casa era come una scatola asciutta e illuminata, tutta sola, avvolta dal vento roboante e dall'acqua e dal buio. Il frastuono della tempesta di fuori sembrava accrescere ancora di più e concentrare il silenzio interno. Mai prima d'allora si era sentita così totalmente sola nel cottage. Si sentiva come l'ultima creatura vivente su un pianeta moribondo.

Prese un libro, una delle tante copie di Plutarco che possedeva lo zio Felix.

Agilao, ricevendo il colpo, cadde e giacque come morto; ma in breve tempo si riebbe e trascinandosi fuori della stanza riuscì a entrare strisciando, senza farsi scorgere, in un piccolo edificio, che era un tempio dedicato alla Paura...

Quanto più facile era comprendere le emozioni quando ognuna di esse era vista come un dio capriccioso, che di tanto in tanto prendeva possesso dell'uomo!

Un altro lampo biancoazzurro saettò dietro le finestre senza tendine. Questa volta il grande schianto del tuono arrivò quasi simultaneamente. L'elettricità doveva essersi scaricata negli immediati paraggi: il suono aveva dovuto viaggiare su una distanza più breve. Un greco avrebbe detto che gli dei erano in collera.

E forse avrebbe avuto ragione. L'uomo moderno cercava di dare a intendere che l'universo fosse un luogo comodo, confortevole, privo di angoli bui, ma non ingannava nessuno, nemmeno se stesso. Nel fondo del suo cuore sapeva quanto i greci di essere circondato da poteri ignoti, da forze enigmatiche e ostili.

Sapeva che questa potenza temporalesca, che lui aveva imbrigliato nel motore elettrico, era il collante cosmico presente nel cuore di ogni atomo, ciò che teneva insieme il guazzabuglio del suo universo. Ma non sapeva spiegarne le manifestazioni spontanee. Come faceva il fulmine a generare un calore così intenso da poter fondere una catena di anelli di ferro in una compatta sbarra metallica? O a produrre una forza così capricciosa che a volte inceneriva gli indumenti di un uomo senza far danno a lui, e altre volte folgorava l'uomo senza neppure annerirne gli abiti? E altre volte ancora si accontentava di marchiare sulla sua pelle il profilo di qualche oggetto vicino? Un potere così sconvolgente non era simboleggiato più efficacemente dalla "collera divina" che dall'altrettanto vaga formula della "perturbazione elettrica"?

Il lampo scoppiò nuovamente. Alison sollevò gli occhi. Mentre arrivava il fragore del tuono, lo sguardo le cadde sul telefono. *Mai telefonare durante un temporale*... Attraversò la stanza e staccò il ricevitore. Doveva sapere se Geoffrey era a casa al sicuro. Doveva dire a Ronnie che il colonnello Armstrong era riapparso all'improvviso e poi, altrettanto improvvisamente, scomparso. Portò la cornetta all'orecchio. Silenzio. Armeggiò impaziente con la forcella e guardò l'orologio. L'una. In un posto come Little Clove non potevano esserci molte chiamate dopo mezzanotte. La centralinista notturna doveva essersi assopita, forse leggendo o lavorando a maglia, con solo un occhio alle lucine del quadro. Il silenzio continuava. Scosse nuovamente il gancio e guardò l'orologio. Erano cinque minuti che aspettava. Era troppo anche per Little Clove. Lentamente l'idea si insinuò nella sua mente come un rivolo sottile di acqua ghiacciata. Dal ricevitore non arrivava neppure quel vago ronzio che si sente al telefono anche quando non c'è nessuno a parlare. La linea era morta. In qualche punto lungo la ripida strada per Little Clove, il vento doveva aver abbattuto un palo del telefono, spezzando un cavo. Oppure un fulmine aveva colpito un isolatore consumato. Oppure il cavo poteva essere stato tagliato.

Le dita le tremavano mentre riagganciava la cornetta. Inconsciamente aveva pensato che il telefono l'avrebbe fatta arrivare alla fine di quella notte. Era stata la sua ancora di salvezza, il suo asso nella manica, la sua razione d'emergenza. Ora l'eloquente silenzio del filo morto risuonava come un segnale d'allarme. L'assedio si stava concludendo, il nemico si preparava a colpire.

«Argo, sei l'unico amico su cui possa contare...».

La voce le si smorzò.

Ora sapeva perché il silenzio era così compatto, perché si sentiva così totalmente sola. Non c'era nessuno scalpiccio di soffici zampe vicino ai suoi piedi. Non c'era nessun fagotto di morbido pelo nero accoccolato davanti al camino. Argo l'aveva forse seguita nella mansarda, rimanendo lì dopo che lei era scesa? Impugnata la torcia corse su per le scale chiamandolo. Nessun guaito di risposta, nessun tamburellare di coda contro il pavimento, nessuna corsa di zampe felpate. Camere e ripostiglio erano vuoti. Di nuovo giù, corse in cucina. «Argo!». Ma anche la cucina era deserta. Puntò il fascio di luce lungo lo stretto scuro corridoio che correva verso il cuore della casa. Il cane non era lì. Ogni porta era chiusa. Tornò verso il soggiorno e frugò ogni angolo buio. Argo non c'era. Che Armstrong lo avesse chiuso in una delle camere da letto del pianterreno mentre lei era di sopra? Percorse il corridoio aprendo le porte una per una, e tornò in soggiorno dalla camera da letto di sudovest. Il cane non era in casa.

Lo aveva portato via Armstrong? O era corso fuori senza essere visto quando la porta era aperta? Questo non era da Argo, vecchio e grasso, pigro e timoroso. La pioggia non gli piaceva. Non avrebbe lasciato Alison, che gli voleva bene e lo nutriva, per seguire Armstrong, un estraneo.

Quando era stata l'ultima volta che l'aveva visto? Subito prima del momento in cui era andata alla porta per chiamare Geoffrey e aveva trovato Armstrong sulla veranda. Era stata troppo assorta nella sua discussione con Armstrong per notare se dopo Argo era ancora lì o no. Il cane poteva essere uscito mentre Armstrong entrava. Ma perché?

Incredibile quanto sembrasse deserto il cottage ora che il cane non era più con lei. Quale conforto era stata quella presenza calda, mobile, vivente, anche se non umana e priva di parola. Occuparsi di Argo le aveva tolto il pensiero di se stessa e delle sue paure anche nei momenti peggiori. Adesso c'era soltanto lei. Miglia di terreno boscoso sotto il temporale la tagliavano fuori da qualsiasi comunicazione con ogni altro essere vivente, tranne che Mrs Phillimore. In questo momento non volle neppure pensare alla figura allampanata che era spuntata dal grigio del crepuscolo, così grottescamente maschile nel suo abito da donna, così pronta a notare i fogli su cui stava lavorando al cifrario sparsi sul tavolo della veranda.

Argo non poteva essere arrivato lontano, un cane cieco che si aggira a tentoni nel vento e sotto la pioggia senza un guinzaglio a guidarlo. Era troppo grasso e vecchio e abituato alle comodità per passare una notte come quella all'aperto. Si sarebbe procurato un brutto raffreddore, forse anche una polmonite. Doveva trovarlo.

Infilò di nuovo l'impermeabile, riparandosi la testa con il cappuccio. Prese la torcia prima di abbassare la fiamma della lampada e di spegnerla. Non si fidava a lasciare la casa con un lume a petrolio acceso. Il vento le urlò contro quando aprì la porta d'ingresso. La pioggia le inondò il viso. Una tempesta in mare non avrebbe potuto fare più baccano di quel temporale che sferzava il bosco.

«Argo!». Il vento sembrava strapparle il fiato dalla bocca, disperdendo il suono del suo grido nel proprio tumulto. Unì le labbra per fischiare. Sicuramente un pentito groviglio di pelo nero fradicio di pioggia sarebbe spuntato dal buio sotto il raggio della torcia, con la coda bagnata tra le zampe… E se era finito con una zampa in una tana di coniglio, rompendosela? Poteva trovarsi da qualche parte ferito, spaventato, nell'impossibilità di accorrere sentendo il suo richiamo?

In cima ai gradini della veranda, esitò. Doveva trovare Argo, ma… che cosa c'era dietro il buio, l'ululato del vento, lo scricchiolio dei rami, il lamento delle foglie? Era la sua disgraziata immaginazione o aveva udito proprio allora, lontano e flebile, il sibilo acuto di uno zufolo? Ora ricordava che Argo si era agitato e aveva guaito nel sonno la prima volta che lei aveva sentito quel suono. Poteva essere stato il richiamo che lo aveva così insolitamente trascinato via dal caldo, asciutto focolare verso il temporale? Qualcosa nella notte furibonda aveva toccato quello che di atavico continuava a risiedere nel cane domestico, attirandolo alla dimora primigenia della sua specie? Anche gli animali addomesticati erano soggetti a Pan?

Non era il momento di abbandonarsi ad arzigogolate fantasie. Le mise da parte. Come aveva detto Armstrong, il cifrario non era per niente soggettivo, era reale. Qual era l'altro dato oggettivo? Che per due notti di seguito qualcuno si era aggirato nei boschi intorno alla casa. Questo lo avevano accettato sia Geoffrey che Armstrong, anche se ciascuno aveva proposto una spiegazione diversa. Lei non aveva alcun motivo per credere che questa terza notte potesse essere meno tormentata. Le due precedenti era rimasta dentro casa, illesa. Doveva osare avventurarsi nel bosco questa notte?

Doveva fare qualcosa. Non poteva più starsene seduta da sola nel cottage aspettando quello che poteva capitarle. E poi... e poi Argo era cieco, impotente senza di lei.

Doveva trovarlo, poi avrebbe potuto affrontare il sentiero tra i boschi verso la casa dei Parrish, nonostante l'ora. Persone e luce, ecco di che cosa aveva bisogno adesso. Persino la lingua acida di Yolanda le sarebbe andata bene.

La pioggia picchiava sul cappuccio di Alison mentre scendeva per i gradini inondati al lume della torcia elettrica. La piccola chiazza bianca sbiadì in un fioco bagliore arancione. Voltò la torcia a controllare la lampadina. Dietro il vetro poteva vedere due spirali di filo rosso-arancio. Mentre guardava, impallidirono e si spensero. Le batterie si erano esaurite. E lei non aveva pensato di ordinare a Matt delle pile di riserva.

Ora il buio era impenetrabile. Infilò in tasca l'inutile torcia e scese a tentoni un gradino dopo l'altro. Capì di aver lasciato l'ultimo scalino solo quando il piede le slittò nel fango limaccioso del vialetto. Incespicò su una pietra, recuperò l'equilibrio appena in tempo per non cadere. «Argo...». Nessuna risposta se non l'ululato del vento e la cascata ininterrotta della pioggia. Un altro tuono: questa volta breve, secco e forte. Si fermò, aspettando che il lampo le mostrasse la via.

Passarono alcuni secondi nel buio più completo. Qualcosa non funzionava. Storpiata dalla paura, la sua mente si trascinò zoppicando alla conclusione. Non si aspetta il lampo dopo il tuono. Si aspetta il tuono dopo il lampo. Il fulmine precede il rumore: la luce viaggia più veloce del suono. Prima di quell'ultimo rombo non c'era stato nessun lampo. Era un tuono? O qualcos'altro?

La mente esitava a seguire più oltre quella catena di pensieri. Senza torcia non poteva cercare Argo. C'era del male quella notte nel bosco. Doveva togliersi di lì prima che fosse troppo tardi. Subito...

Lasciò il vialetto passando sul prato anteriore. L'erba bagnata le schiaffeggiava le caviglie infradiciandole. Stranamente si sentiva meno spaventata qui che in casa. C'era un senso di libertà nel vento pulito e nel grande cielo. La natura, anche nel suo momento più selvaggio, appariva meno sinistra della prigione dello spazio chiuso della casa. Pareti e tetto assomigliavano troppo a una trappola, un luogo dove si può finire bloccati in un angolo senza via d'uscita. Là fuori, all'aperto, c'era sempre la possibilità di mettersi in salvo. La camminata in mezzo al bosco non sarebbe stata piacevole, ma almeno era una cosa che avrebbe avuto termine, una volta raggiunta la villa dei Parrish. Un'altra intera notte nel cottage sarebbe apparsa interminabile.

La superficie irregolare di una corteccia le sfiorò le mani protese. Aveva raggiunto il margine del bosco. Svoltò e cominciò a salire lungo il fianco del monte.

D'un tratto l'incessante vocio lamentevole del bosco ventoso fu squarciato da un urlo. Salì fino a un tono acutissimo che grattava i nervi, quindi scemò come precipitando nel mormorio immobile che seguì. Era così improvviso, forte e incontrollato che non seppe dire neppure se venisse da un uomo o da una donna, se fosse umano o animale. Ma una cosa la capì, già quando gli echi non avevano ancora cessato di battere contro i suoi timpani: era l'ultimo grido di vita, strappato a un organismo che si trovava repentinamente e orribilmente di fronte alla propria dissoluzione. L'impulso all'autoconservazione, che la Natura instilla nei suoi effimeri figli per farsi beffe di loro, aveva trovato la voce e urlava la sua protesta. *Non c'è nient'altro? La mia lunga lotta per respirare e percepire dovrà anch'essa finire in questo modo?*

Molte volte, nei due giorni e nelle due notti passate, Alison aveva pensato di conoscere la paura. Ora si rendeva conto di non averla conosciuta affatto fino a questo momento. Il terrore che vibrava in quell'urlo era al di là del senso e della ragione, ed era contagioso. Quale forma di attacco, quale suono o visione poteva aver strappato un simile grido alla gola di un vivente?

Era ormai incapace di strategia o di cautela. La paura le tappava occhi e orecchie, le smorzava la ragione. Privata del senso di orientamento, si tuffò nel bosco, inciampando nelle radici, rialzandosi a fatica, finendo con fracasso tra gli arbusti, l'intero suo essere posseduto da un unico impulso: fuggire, scappare, andar via, dovunque, in qualunque modo, a ogni costo. Era questa la cieca, sorda, muta, folle paura del cavallo imbizzarrito, del cervo al galoppo, del branco impazzito. Questa era la resa di un intero organismo alla primitiva emozione nata quando la prima briciola di protoplasma rabbrividì e si ritrasse dalla prima fitta di freddo o di caldo. Questo era il grido della turba francese: *Sauve qui peut*. La rotta delle armate in disfatta, la demenza che prende possesso di una folla in un cinema in fiamme: autoconservazione, nuda e animalesca. Questo era il fulmine psichico che colpisce in un lampo e fonde al calor bianco tutte le emozioni in una. Questo era il panico.

Pioggia in faccia, vento tra i capelli, rami bassi a sferzarle collo e petto, spine a graffiarle mani e gambe: ma in lei nessuna consapevolezza del dolore.

Il piede s'impigliò in qualcosa. Stramazzò al suolo nell'oscurità, finendo lunga distesa. Una radice le sbucciò la pelle di una mano. Una pietra le spezzò un'unghia dell'altra. Il colpo le strappò via il fiato dal corpo. Non aveva la forza di rialzarsi. Questo era il climax: la paralisi. Una paura così intensa da annientare il suo proprio scopo. L'uccello che aspetta tremante ma incapace di muoversi mentre il serpente avanza preparandosi a uccidere.

Attraverso il buio mormorante venne un altro suono, un rumore d'acqua, ritmico e costante come il battito di un cuore. Allora capì dov'era: sul ripido argine sopra lo stagno dietro la casa. Inconcepibilmente qualcuno o qualcosa stava attraversando a piedi o a nuoto l'acqua, a pochi passi da lei, qualcosa che non poteva vedere. Se solo avesse avuto la torcia...

Quale follia l'aveva presa? Cosa accadrebbe se branchi e mandrie si disperdessero atterriti al primo annuncio di pericolo? Non c'erano altri animali che combattevano fino all'ultimo respiro? Tutti gli animali, si dice, vivono potenzialmente dentro l'uomo. Se doveva prendere un animale a prototipo, perché scegliere il più spregevole? In natura la viltà non è femminile. Se il leone viene abbattuto, la leonessa attacca; ma se si spara alla leonessa, il leone fugge. Per questo a caccia grossa si avverte di tirare prima alla leonessa. Lei poteva anche non avere gli artigli e le zanne della leonessa, ma dopotutto doveva avere l'intelligenza di un essere umano. La sua sola speranza di salvarsi da quello che stava in agguato nel bosco quella notte era sgusciar via silenziosamente, cautamente, abilmente. E non rivelare la propria presenza buttandosi fragorosamente tra la vegetazione del sottobosco.

Si drizzò in ginocchio, allungò una mano per sostenersi, incontrò qualcosa di morbido e di cedevole, a un passo da lei, qualcosa che non poteva vedere.

Il rombo del tuono arrivò immediatamente dopo il lampo. Balenò per un paio di secondi: un tempo lungo per la mente umana, che si muove in millesimi di secondo. Per quei due secondi lo specchio d'acqua rimase illuminato da una spettrale luce azzurrastra, più vivida della luce della luna, senza ombre come una lampada fluorescente. Gli alberi stessi che circondavano lo stagno parvero stupiti a trovarsi spogliati del buio come esseri umani colti nel bagliore del flash di un fotografo. Ancora in ginocchio, Alison vide che cos'era quello che aveva agguantato nel buio: il lembo di un indumento grigio di lino, striato di fango. Vide i grandi piedi piatti, allargati in modo grottesco, il lungo viso ripugnante sotto i ciuffi di capelli grigi, gli occhi velati e fissi, i denti gialli sporgenti tra le labbra carnose come semi in un frutto che si apriva marcendo. Era Phillimore. Morta.

La notte scese nuovamente come un nero sipario. Alison lasciò la presa della blusa. Doveva essere stato quel corpo inerte a farla inciampare nell'oscurità. Quel grido primitivo, incontrollato doveva venire da questa gola.

La luce del lampo non aveva rivelato sangue: nessuna ferita. Com'era morta Phillimore? Gli occhi spalancati e sbarrati fissavano con un'espressione di terrore che annientava la ragione non meno dell'urlo. Che cosa avevano visto? La memoria sussurrò: *Vedere Pan faccia a faccia è la morte.*

Il tuono sembrò schiantarsi proprio contro le orecchie di Alison. Era questo il fulmine? Questa danza di faville d'oro sotto le palpebre? Ebbe la sensazione di precipitare in un'oscurità più profonda della notte: l'oscurità del sonno o della morte.

7

IL QUARTO GIORNO

Sensazioni di morbidezza e di calore svegliarono Alison. Aprì gli occhi alla luce del sole che, sana e allegra, brillava su un bianco copriletto inamidato. Rimase sdraiata, godendosi la soffice sensazione di lenzuola e cuscino profumati di lavanda. Le tapparelle erano abbassate fino a metà delle finestre a ghigliottina dai vetri sollevati di un palmo dal fondo. La parte superiore della stanza era in ombra; solo il letto e il pavimento erano inondati dal sole. I pannelli alle pareti erano bianchi, le coperture di chintz delle poltrone di un giallo chiaro con screziature lavanda. I suoi abiti erano adagiati su una delle poltrone, puliti e asciutti. C'erano candele gialle nei candelieri di cristallo sul tavolino da toeletta, e accanto alla finestra una ciotola, anch'essa di cristallo, era colma di violette scure. Il tocco di Yolanda.

Alison richiuse gli occhi. Non aveva nessuno spirito di iniziativa, nessuna curiosità. Poi vennero le voci.

«Mi era sembrata pallida e magra quando l'ho vista la prima volta». Questa era la voce di Yolanda. «Sembrava irrequieta e preoccupata per qualcosa».

«Era malconcia quando ha lasciato New York». Alison riconobbe la voce e la cadenza di Ronnie. «Ma niente di grave. Solo una tosse ostinata che le era rimasta dopo l'influenza».

«L'irrequietezza è sempre segno di esaurimento». Ad Alison occorse qualche momento per riconoscere la voce di Anders. «È paradossale, ma una situazione di nervi affaticati si esprime producendo attività non necessarie anziché nel languore. Ci si riesce a rilassare soprattutto quando non si è stanchi, quando in realtà di rilassarsi non si ha bisogno. Mi spiace addolorarti, Ronnie, ma hai chiesto la mia opinione sincera. La lettera che mi hai mostrato a New York è stato l'elemento conclusivo. Nessuno sente dei rumori che non ci sono, a meno che non si tratti di qualcuno... disturbato. Tutto quanto ho visto e sentito qui ha confermato la mia prima impressione. Dovrò dirlo alla polizia. Dopotutto è stata trovata accanto al cadavere».

Lo choc la risvegliò completamente. Che cosa aveva scritto a Ronnie in quella lettera che la prima mattina ad Aultonrea aveva chiesto a Matt di imbucare, la lettera a cui Ronnie non aveva mai risposto? Qualcosa a proposito di passi sulla veranda dove non c'era nessuno, sulle foglie che mormoravano quando non c'era vento? Aveva cercato di presentare la cosa con leggerezza. Non aveva mai pensato che lui l'avrebbe presa tanto sul serio. Era stato per lei che Ronnie aveva portato Anders lassù in maniera così inattesa? Ronnie la riteneva "disturbata" tanto da metterne al corrente Yolanda? Come si era permesso di pensare una cosa del genere? Di sicuro era convinto di aiutarla così facendo, ma lei quel genere di aiuto non lo gradiva affatto. Le venne in mente con una fitta di dolore che l'amicizia è una finzione resa possibile dal fatto che non sappiamo cosa pensano realmente di noi i nostri amici.

Quando si mise a sedere le venne un capogiro. Alzò una mano e sentì che aveva la testa fasciata con una benda di garza. Addosso aveva una camicia da notte di seta color giallo chiaro: di Yolanda, naturalmente. Spinse i piedi fuori dal letto. Questi toccarono uno scendiletto di pelliccia bianco. Si resse per un attimo alla colonnina del letto per trovare l'equilibrio, e si alzò. Le tempie le battevano sotto la fasciatura. Aspettò un momento, poi percorse il pavimento a piedi nudi e s'inginocchiò su una panchetta davanti alla finestra da dove poteva vedere fuori attraverso la parte inferiore aperta.

Sotto di lei c'era la terrazza lastricata, al di là della quale si apriva il magnifico panorama dell'aperta campagna. Il cielo era di un azzurro puro, senza nuvole. I lontani corsi d'acqua che attraversavano l'ampia vallata luccicavano nei punti in cui il sole li intercettava. L'aria era fresca e frizzante dopo la pioggia. Le rose che crescevano intorno alla balaustrata erano tutte ingioiellate dalle gocce di pioggia o di rugiada, e l'acqua si raccoglieva in piccole pozze negli interstizi tra le lastre del selciato. Yolanda appariva fresca nella sua gonna di sargia bianca e nel maglione scarlatto con un nastro dello stesso colore tra i capelli. Anders era seduto accanto a lei sulla balaustrata. Ronnie andava su e giù per la terrazza a capo chino, le mani in tasca. Alison poteva vedere il viso magro e pallido di Yolanda e il profilo paffuto di Anders, ma la faccia di Ronnie era rivolta dall'altra parte. Riusciva a scorgere solo la nuca e i suoi riccioli neri.

Era strano sentire familiari e amici discutere di lei così oggettivamente, ignari della sua presenza. Le ricordava qualcosa: che cosa esattamente non lo rammentava, ma era qualcosa che aveva visto o sentito di recente. Date le circostanze non poté resistere alla tentazione di continuare ad ascoltare.

«Non sono d'accordo, Kurt». Ronnie interruppe il suo movimento claudicante ponendosi di fronte agli altri due. «Non penso che Alison sia... disturbata».

Alison emise un sospiro di sollievo. Avrebbe dovuto saperlo che Ronnie sarebbe stato dalla sua parte.

«In un certo senso ora mi pento di averti portato quassù», continuò rivolto ad Anders. «Non sarei dovuto saltare a una simile conclusione quando ho ricevuto la sua lettera».

Le sottili labbra rosse di Yolanda si incurvarono un poco. «Sei un sentimentale, Ronnie. Si capisce che tu sia affezionato ad Alison, ma se lei è un po'... fuori sesto, tu devi guardare in faccia la realtà, per il suo bene».

Mi odia, pensò Alison. *Chissà se mi odia tanto da...*

«Esattamente». La voce di Anders interruppe il suo pensiero. «Debbo dirti francamente che uso il termine "disturbata" solo per rispetto dei tuoi sentimenti. Non sono affatto sicuro che il termine tecnico non debba essere "psicotica"».

«Psicotica!». Ronnie era indignato. «Ma questo significa pazza».

Adesso Alison capiva perché questa esperienza aveva un sapore così familiare. Era stato così quando Miss Darrell era a letto ad Aultonrea e ascoltava la famiglia discutere della sua sanità mentale. L'atteggiamento assunto da Yolanda doveva essere il motivo per cui Geoffrey non aveva voluto che Alison la sera prima rimanesse sotto lo stesso tetto della sorella.

Gli occhi neri e rotondi di Anders erano fissi sul suo amico, dispiaciuti ma ostinati. «Sì», disse gentilmente. «È proprio nei manicomi che si trovano persone che sentono voci e rumori di passi che non esistono, persone che immaginano di essere assediate o perseguitate. Queste allucinazioni sono spesso associate alla violenza. Non era piacevole avere una persona come Phillimore nella casa vicina. E ora è cadavere. La polizia sembra credere a un incidente, ma se fosse al corrente delle condizioni mentali di Miss Tracey potrebbe cambiare opinione. Certo, una dichiarazione di infermità mentale...».

«Basta così!», esclamò Ronnie. «Non ti permetto di parlare in questo modo di mia cugina».

«Cugina acquisita», mormorò Yolanda.

«Alison non avrebbe mai potuto commettere un omicidio. È assurdo», ribadì Ronnie. «Phillimore pesava il doppio di lei».

«Phillimore ha fatto un volo da quella roccia sopra lo stagno spezzandosi il collo sull'argine di fango sottostante», ribatté Anders. «Potrebbe essere stato spinto e aver perso l'equilibrio. Non era necessaria una grande forza».

Alison notò che Anders aveva detto "spinto" anziché "spinta". Dunque il suo sospetto era fondato.

«La polizia ritiene che tanto per Alison quanto per Phillimore si sia trattato di una caduta accidentale», disse Yolanda.

«Ma io faccio fatica a credere a due cadute accidentali in una sola notte».

«Miss Tracey potrebbe essere caduta in seguito a uno svenimento quando ha trovato il cadavere di Phillimore», suggerì Anders. «Soprattutto se era lei... la responsabile della caduta...».

«Ronnie!», esclamò Yolanda impaziente. «Non capisci che è nostro dovere riferire alla polizia le allucinazioni di Alison?».

«Ancora con questa storia!». Geoffrey uscì di casa sulla terrazza. Alison poteva vederlo solo di scorcio, dato che la sua finestra si trovava direttamente sopra la porta che si apriva sul soggiorno. Poteva vederne i capelli biondi illuminati dal sole, ma non il viso. La sua voce aveva un tono irato.

«Geoffrey», disse Yolanda, «sappiamo tutti che vuoi bene ad Alison, ma non devi lasciare che l'affetto ti privi di ogni buonsenso. Se ha qualcosa che non va, starà molto meglio quando sarà sottoposta alle cure mediche del caso».

«Sembra che tu dimentichi una cosa», obiettò Geoffrey. «Quello che è accaduto questa notte dimostra che Alison *non* soffre di allucinazioni. Era convinta che qualcuno si aggirasse intorno al cottage di notte. Bene: qualcuno si aggirava *davvero* intorno al cottage di notte, qualcuno che ha ammazzato Phillimore e che ha dato una botta in testa ad Alison. Phillimore doveva avere dei nemici. Ora questo lo sappiamo. Uno di loro potrebbe averlo spinto giù dalla roccia e poi aver colpito Alison mentre era inginocchiata accanto al cadavere. Come puoi creare un caso contro Alison basandoti sulle sue allucinazioni "soggettive" quando quelle allucinazioni erano talmente oggettive da provocare la morte di Phillimore?».

«Questo è vero», ammise Anders. «Ne sarei più convinto se Miss Tracey si fosse lamentata di rumori di passi e mormorii solo nel bosco. Ma la lettera parlava di passi sulla veranda che si avvicinavano alla porta d'ingresso. Anche se non ha sentito quei passi allontanarsi, quando ha aperto la porta non c'era nessuno. Come si spiega?».

«Era passato qualche tempo dal momento in cui ha sentito i passi a quando ha aperto la porta», rispose Geoffrey. «La persona che era lì poteva essersi allontanata in punta di piedi o scalza».

«Questo è fisicamente possibile», riconobbe Anders. «Ma è possibile psicologicamente? Perché qualcuno dovrebbe fare una cosa nel genere? Non ha alcun senso».

«Perché, c'era forse qualcosa di sensato in Phillimore?», disse Geoffrey. «Se sei in cerca di squilibrati, perché non guardi da quella parte? Lui era non poco sbalestrato, sessualmente e politicamente».

«E il suo movente?», domandò Anders.

«Potrebbe aver voluto spaventare Alison per mandarla via. Senza di lei non avrebbe avuto nessun vicino intorno. Il potere che sta dietro la Lega dei Supernonsoché non avrebbe voluto nessuno nei paraggi. Poteva benissimo essere lui quello che Alison aveva sentito bazzicare intorno alla casa. Come spieghi, se no, che si trovasse nel bosco a quell'ora di notte, sotto il temporale?».

«E a me farebbe piacere sapere che cosa ci faceva Alison fuori nel bosco a quell'ora di notte», disse Yolanda con delicatezza. «Era andata via da qui ore prima. Si sarebbe dovuta trovare nel suo letto nel bel mezzo del sonno. E invece eccola lì, ancora vestita, a gironzolare sotto la tempesta. Non c'è qualcosa di molto – come avevi detto? – sbalestrato, in tutto questo?».

Ronnie si voltò ponendosi di fronte a Yolanda e ad Anders. «Finché c'è una probabilità che le "allucinazioni" di Alison fossero reali, e non soggettive, non credo che abbiate il diritto di insinuare alla polizia che lei sia... disturbata. Non possiamo concederle il beneficio del dubbio almeno per qualche giorno?».

Anders rifletté qualche istante. «Sono disposto ad aspettare qualche giorno per vedere che cosa tira fuori la polizia», disse infine.

«Certo che siamo disposti tutti!», esclamò Geoffrey. «Sarebbe idiota oltre che crudele andare dalla polizia con una storia su Alison come quella, con una base delle più inconsistenti».

Yolanda prese un portasigarette dalla tasca del golf. Ronnie accese un fiammifero. «Grazie, Ronnie». Lo guardò attraverso il primo sbuffo di fumo. «Mi spiace di non condividere l'opinione di voi tre, ma... penso che la polizia dovrebbe conoscere tutta la verità».

I tre uomini rimasero in silenzio. Alison, guardando le loro teste chine e le spalle curve, si chiese se si rendevano conto di trovarsi contro una di quelle donne che procedono implacabili nelle loro battaglie senza quartiere.

Fu Ronnie a rompere il silenzio. «Yolanda, te lo chiedo come favore personale...».

«Mi spiace, Ronnie». Voltò la testa, il piccolo profilo acuto nitido come un cammeo contro il cielo azzurro. Il mento era fermo, sulle labbra nessun cenno di sorriso. «Se non glielo dice nessuno, riterrò mio dovere farlo io».

Ronnie si rivolse ad Anders. «In tal caso, sarà meglio che sia tu a dirglielo, Kurt, perché tu puoi esporre la cosa in maniera più corretta. Non mancare di far presente che non abbiamo nessun motivo reale per presumere che le esperienze di Alison erano soggettive».

Anders annuì, gravemente. «Le darò il beneficio di ogni dubbio possibile, te lo prometto».

Ora Yolanda sorrise. L'aveva avuta vinta. Comunque Anders potesse presentare la vicenda, un sospetto sulla sanità mentale di Alison e sulla sua affidabilità di testimone sarebbe rimasto nella mente dei poliziotti.

Geoffrey la stava fissando. «Hai la minima idea di quanto possa essere spiacevole un'indagine per omicidio per tutti gli implicati? Hai la minima idea di quale fortuna sia stata per noi tutti che la polizia abbia ritenuto accidentali la morte di Phillimore e la caduta di Alison?».

«Io vado a fare un'interurbana all'avvocato di zio Felix e vedo se può darci il nome di un buon penalista». Ronnie sparì dentro casa.

«Potresti provare con Godfrey James», gli gridò dietro Anders. Ronnie non rispose. Anders lo seguì in casa. «Hai sentito parlare di James?». Le loro voci sfumarono.

Geoffrey rimase fermo in mezzo alla terrazza soleggiata. Yolanda aspirò una boccata di fumo e lo guardò con calma.

Ora devo allontanarmi dalla finestra, pensò Alison. *Questo non devo ascoltarlo*. Ma non si mosse. La sua stessa vita poteva dipendere da ciò che avrebbe udito. Per quanto si sforzasse, non poteva dimenticare che quella notte Geoffrey era nel bosco, e come lui il colonnello Armstrong. E tra tutti loro, Yolanda era l'unica che la detestasse apertamente.

«È inutile che mi guardi così», disse Yolanda.

«E come ti aspetti che ti guardi?». La voce di Geoffrey era dura.

«Geoff, ragiona. Dobbiamo conoscere tutta la verità su Alison. Tu pensi che io lasci che il mio unico fratello sposi una squilibrata, e forse un'assassina?».

«Quali prove hai che sia una squilibrata? Assolutamente nessuna! Eppure ti sei sentita in dovere di scrivere a Ronnie e mettergli la pulce nell'orecchio, quella stessa mattina in cui ci ha detto dei passi che aveva sentito. Non ho letto la tua lettera, ma scommetto che sei stata tu a suggerirgli di portare qualcuno come Anders. La tua malvagità non ha limiti».

«Malvagità?». Il tono di Yolanda era di scandalo e di rimprovero. «Geoffrey, come puoi dire questo? Io non ho altra preoccupazione in questa faccenda che il *tuo* interesse. Non voglio che tu faccia un terribile errore. Non mi aspetto gratitudine...».

«Meglio così, perché non ne avrai!», ribatté Geoffrey. «Ti rendi conto che se racconti questa storia alla polizia puoi rovinarmi la vita per sempre?».

«È Alison quella che può rovinarti la vita per sempre». Le redini strette con cui Yolanda controllava le sue emozioni cedettero un poco. Non era il sole a farle luccicare gli occhi tra le palpebre socchiuse. «Ti è sempre corsa dietro in modo spudorato, ma voi uomini siete così pateticamente vulnerabili all'adulazione più sfacciata che immagino tu non te ne sia neppure accorto. Ragazze come Alison che sfruttano la vanità maschile sono...».

«Yolanda, parliamoci chiaro. Tu sai meglio di me che non si tratta solo di Alison. È stata la stessa cosa con ogni ragazza che io abbia mai guardato due volte da quando avevo sedici anni. Tu non credi affatto che sia squilibrata. Lo dici solo per impedirmi di sposarla. Sei così spietata che non te ne importa niente di quello che le può capitare, basta che quell'eventualità sia sventata. Sono convinto che la lasceresti finire in un manicomio criminale senza il minimo rimorso di coscienza. Un tempo ti credevo, quando dicevi che avevi a cuore solo il mio interesse, qualunque potesse essere. Ma ora non più. Per te esiste solo il tuo interesse, la tua comodità e la tua convenienza. Non ti è mai importato di altro: nemmeno di me. Per tutti questi anni devo essere stato come addormentato, per averti lasciato mano libera in questo modo. Quando sono tornato dall'Italia e ti ho guardato e ti ho ascoltato, per la prima volta ti ho visto come sei veramente. Dopo la guerra non potrò mai più tornare alla mia vita di un tempo con te».

Yolanda si alzò, gettando il mozzicone in un portacenere. «Sei fuori di te. Non sai quello che dici». Il suo tono era un'artistica miscela di affetto ferito e di dignità oltraggiata. «Ne riparliamo più tardi, quando sarai tornato in te».

Ma Geoffrey la prese per un braccio. «Quindi adesso sono io lo squilibrato? Comincio a pensare che non ti fermerai davanti a niente pur di raggiungere i tuoi scopi. Dov'eri questa notte quando Alison si è fatta male? Io non ero qui. Non ho modo di sapere dov'eri tu».

Yolanda divincolò il braccio dalla sua presa. «Mio fratello mi accusa di omicidio!».

«Non intendevo farlo, ma se pensi di accusare Alison alla polizia...».

«E invece intendevi proprio farlo!». Yolanda prese la palla al balzo con l'abilità della veterana di scontri verbali. «Come puoi essere così crudele e sconsiderato quando io ho dedicato a te tutta la vita? Ci sono sorelle maggiori che si sarebbero sposate e avrebbero messo su casa per conto loro, ma io non l'ho fatto. Quando mamma e papà se ne sono andati, mi sono dedicata completamente al compito di assicurare una casa al mio fratello minore».

«Mi spiace, Yolanda, ma cerca di capire».

«Capisco fin troppo bene». Il suo sospiro era pieno di sofferenza. Poi, come spesso succede in una vittoria verbale, volle rafforzarla ulteriormente. «Forse, Geoffrey, dovrei chiederti dov'eri tu questa notte. Sappiamo tutti che sei rimasto ad Aultonrea molto più di quanto sarebbe stato necessario per accompagnare Alison a casa. Sei stato tu a trovare lei e Phillimore. Dov'eri prima di trovarli? Che cosa stavi facendo?».

«Vuoi dire anche questo alla polizia, è così?». La voce di Geoffrey era nuovamente dura e ostile. «Se lo fai, io dirò che al momento il solo interesse nella vita, per mia sorella, è impedire il mio matrimonio, e questo la rende l'unica persona che abbia un movente per danneggiare Alison».

Prima che Yolanda potesse rispondere, Ronnie uscì sulla terrazza. «C'è la polizia. Vogliono vedere Alison. Pensate che sia sveglia?».

«Vado a vedere». Yolanda si mosse veloce verso la casa.

Ronnie si rivolse a Geoffrey. «Non riesci a chiudere la bocca a Yolanda?».

«Ho provato di tutto». Il tono della risposta di Geoffrey era pesante e senza speranza. «Non serve a niente». I loro passi si allontanarono.

Alison era seduta sull'orlo del letto quando la porta si aprì.

«Ah, Alison, è da molto che sei sveglia?». Yolanda era ferma sulla soglia. Il suo sguardo corse incerto alla finestra aperta.

«Da poco». Alison non vide alcun motivo per alleviare la sua incertezza.

«Eravamo in terrazza a chiacchierare. Spero che non ti abbiamo svegliata».

«È stato il sole a svegliarmi».

Yolanda entrò nella stanza e chiuse la porta. Il suo viso pallido e delicato era sereno, la voce bassa e gravemente sollecita. Niente nel suo modo di fare lasciava trapelare che stava progettando di accusare la sua ospite di follia criminale.

Non mi fiderò mai più di nessuno, pensò Alison.

«Ti senti meglio?».

«Sì, grazie».

«È qui la polizia e vorrebbe parlarti a proposito di Phillimore. Se vuoi coricarti...».

«Adesso mi vesto».

«Non so se sia il caso. Chiamerò il dottor Anders e chiederò a lui».

«No, grazie, non farlo», disse Alison bruscamente. «Preferisco affrontare la polizia vestita e ritta sui miei piedi».

«Potrebbero essere più... comprensivi se li ricevessi a letto mostrando la tua invalidità».

E sospetterebbero più facilmente che la testa non mi funziona, pensò Alison. «Non ho alcun bisogno della comprensione della polizia», rispose.

«No?». Yolanda la squadrò con aria grave. «Forse dovresti. Faccio portare il caffè». Premette un pulsante accanto al letto, quindi si sistemò in una poltrona. «Esattamente, che cosa è successo stanotte, Alison?».

Alison si sentiva un po' a disagio a vestirsi sotto lo sguardo freddo e nemico di Yolanda, ma avrebbe potuto evitarlo solo mandandola fuori dalla stanza. «Argo si è visto?».

«No». Gli occhi di Yolanda brillarono di gelido interesse. «Non è al cottage?».

«Ieri sera è sparito», spiegò Alison. «Ho pensato che fosse sgusciato via approfittando della porta aperta. Ero andata a cercarlo quando sono inciampata su un morto. Poi... qualcosa mi ha colpito alla testa e non ricordo altro».

«Qualcosa? Magari un ramo caduto?».

«Non lo so». Alison era piuttosto contenta di poter sperimentare su un testimone avverso quella versione purgata della sua esperienza prima di parlare con la polizia. «Forse dovrei dire "qualcuno". Indubbiamente la stessa persona che ha aggredito Mrs Phillimore».

«Phillimore non era una "Mrs"», disse Yolanda. «Il medico legale ha scoperto che "lei" era un "lui": proprio come pensavi tu. Un uomo perfettamente normale. Il vestito da donna era un travestimento. Si stava nascondendo qui dall'FBI».

«Un criminale?». Con gesti incerti delle mani, Alison si stava sistemando i capelli davanti allo specchio.

«Un fanatico politico i cui rapporti con le ambasciate dell'Asse, prima di Pearl Harbor, erano stati un po' troppo cordiali. Poteva essere arrestato con l'accusa di lavorare per un governo straniero senza essersi registrato come agente estero. Evidentemente aveva deciso di mantenere un basso profilo finché la guerra non fosse finita, facendosi passare per "Mrs" Phillimore. Ovviamente nessuno avrebbe pensato di cercarlo in un posto sperduto come Little Clove. Ma qualcuno – l'FBI o i servizi segreti militari – ha avuto sentore di dove si trovasse ed era già sulle sue tracce. Aveva qualcosa a che fare con la Lega dei Superamericani, anche se ha nascosto così bene il fatto che anche tra i membri locali nessuno ne era al corrente».

«Si chiamava davvero Phillimore?».

«Non sono sicuri del suo vero nome, tanti erano gli pseudonimi che usava. Uno dei più bizzarri era "Capitano Strategy". Sotto questo nome è abbastanza noto».

Mentre infilava la gonna di tweed e il golf, Alison ricordò di aver visto quel nome sui giornali. Era scomparso dalle prime pagine piuttosto all'improvviso quando era scoppiata la guerra.

«Se erano sulla pista, come mai non l'hanno arrestato?».

«Sembra che fosse coinvolto in un giro di soldi. La Lega aveva raccolto fondi di una certa consistenza da fonti sconosciute, e la cassa è scomparsa quando l'organizzazione si è sciolta. Poiché su quelle somme non erano state pagate le tasse, diverse agenzie governative erano interessate a rintracciarle. Tenevano d'occhio Phillimore nella speranza che li conducesse al denaro e fornisse una lista dei finanziatori. La polizia ha perquisito la casa di Phillimore per tutta la mattina sperando di trovare qualche traccia del denaro... Sì, Gertrude, avanti».

L'ombrosa cameriera bionda entrò con un vassoio con frutta, pane tostato e caffè e lo depose su un tavolo. Alison non aveva appetito ma si versò una tazza di caffè. Quando la ragazza fu uscita e Alison ne ebbe bevuto metà, Yolanda mormorò: «Spero che il caffè non ti faccia male».

«Troppo tardi ormai per preoccuparsene». Alison finì la tazza.

«Il dottor Anders ha detto che non avevi niente di rotto, solo una commozione cerebrale. Non ha voluto che ti disturbassimo finché non ti fossi svegliata».

«Chi mi ha portata qui?».

«Geoffrey. Ti ha trovata accanto al corpo di Phillimore e ti ha trasportata fin qui. Ronnie ha telefonato alla polizia per avvertirla di Phillimore. Gertrude e io ti abbiamo messa a letto. Abbiamo avuto tutti una notte piuttosto intensa». Dal tono della voce sembrava che fosse tutta colpa di Alison.

«Allora il vostro telefono funzionava questa notte, nonostante il temporale?».

«Sì». Yolanda la guardò incuriosita. «Il tuo no?».

«No». Alison si alzò, il cuore che le batteva forte e rapido. «Ora sono pronta per la polizia».

Yolanda poteva sentire quei battiti? Il suo sorriso era di seta. «Non c'è nulla da temere, cara. È solo routine, lo sai». Fece per prenderla per mano ma quest'ultimo gesto ipocrita per Alison era troppo. Si sottrasse al suo braccio teso e si avviò in fretta lungo il corridoio fino alle scale, lasciando che Yolanda la seguisse.

Dal basso, attraverso la porta aperta del soggiorno, arrivavano delle voci. «No, signore». Era la voce di Raines. «Non ho mai pensato che c'era qualcosa di... strano in Miss Tracey a parte che...».

«Sì?». La voce di uno sconosciuto.

«Tranne il fatto che le stava bene di vivere da sola lassù sopra la montagna».

La voce di Raines si spense appena Alison apparve nel riquadro della porta, con Yolanda subito dietro. Un gruppo di uomini era in piedi davanti al camino nella lunga sala azzurra e bianca. Oltre a Ronnie, Geoffrey e Anders, c'erano Matt e Raines e un uomo in uniforme.

«Il capitano Rendell della polizia di stato», disse Yolanda. «Miss Tracey».

Alison si sedette su uno dei due divani collocati uno di fronte all'altro ai lati del camino. Ronnie si accomodò accanto a lei. Gli altri presero posto sulle sedie, tranne Rendell che rimase in piedi di spalle al camino, da dove poteva avere la visuale dei visi di tutti i presenti.

Una di queste persone potrebbe essere quella che si aggirava nella notte, pensò Alison. *Io non credo che fosse Phillimore. Era sinceramente allarmato e sospettoso all'idea che ci fosse qualcuno in agguato nel bosco. Forse è per questo che è dovuto morire.*

Ma una di queste facce, così normali e schive alla luce del giorno, potrebbe mutarsi in qualcosa di assai diverso nel bosco di notte, qualcosa di malevolo e pericoloso... Dev'essere uno di questi. Oppure Armstrong.

«Spero che si senta meglio, Miss Tracey». Rendell aveva portato su Alison i suoi occhi grigi e astuti.

«Sì, grazie».

«A quanto pare questo singolare evento è stato un incidente. Questa notte il fondo fangoso era sdrucciolevole e non c'era luna né stelle. Phillimore dev'essere scivolato e caduto dalla roccia che sorge dietro il suo cottage precipitando nella pozza che si trova alla sua base. La caduta gli ha provocato la frattura del collo. Può darsi che l'abito femminile che indossava gli abbia ostacolato i movimenti».

«Era un travestimento?», azzardò Alison.

«Sì, un travestimento piuttosto riuscito proprio per la sua audacia. Alcune donne in età avanzata mostrano tratti mascolini: persino la crescita di peluria sul labbro superiore, presumibilmente a causa delle alterazioni ghiandolari che si producono nella mezza età. Quando s'incontra una donna del genere non si salta subito alla conclusione che si tratta di un uomo vestito da donna; Phillimore ha semplicemente sfruttato questo fatto. C'è solo un particolare sulla sua morte che ci lascia seriamente perplessi: che cosa stava facendo fuori casa a quell'ora di notte e durante un violento temporale? Lei ne ha idea?».

Alison scosse la testa, mutamente consapevole che tutti gli occhi erano puntati su di lei.

Il capitano Rendell scelse con cura le parole, come se si stesse facendo strada in un campo minato. «Phillimore potrebbe essere caduto perché sorpreso da qualcosa. Sul suo viso, anche dopo la morte, è rimasta un'espressione di stupore».

«Quello lì era terrorizzato, altroché», intervenne Matt con il suo tono asciutto, assolutamente concreto. «A me dava l'idea di uno che è morto di spavento».

Alison fu colta da un brivido improvviso. Di nuovo aveva davanti agli occhi l'ombra caprina che si muoveva su una strada rischiarata dalla luna. *Vedere Pan faccia a faccia è la morte*.

Il suggerimento di Matt contrariò Rendell. «Forse un lampo improvviso gli ha rivelato che senza accorgersene era finito, per il buio, proprio sull'orlo della roccia a picco sullo stagno». Tornò ad Alison. «Ora vorremmo sentire la sua storia, Miss Tracey, se se la sente di riferircela».

In altre circostanze Alison non avrebbe desiderato altro che confidare alla polizia l'intera storia della sua esperienza. Ma la conversazione che aveva sentito di nascosto le faceva capire che Yolanda, Anders e forse la stessa polizia avrebbero interpretato tutto quello che lei diceva come un segno di disordine mentale. Non avrebbero potuto chiuderle la bocca in modo più efficace. Non c'era altro da fare che ripetere la versione che aveva già raccontato a Yolanda.

«Non ha visto chi l'ha colpita?».

«No».

«Non ha sentito nessuno avvicinarsi?».

«No. Il temporale era rumorosissimo».

Rendell continuò con lo stesso tono uniforme, insistente. «Ma lei ha sentito qualcuno che si aggirava nel bosco ad Aultonrea in queste ultime tre notti, no?».

Alison colse l'occhiata obliqua di Yolanda, felice, trionfante. Evidentemente aveva trovato il tempo di scambiare due parole con il capitano Rendell prima di salire di sopra. Per un momento non seppe cosa rispondere. Poi ricordò che la fortuna aiuta gli audaci.

«No. Non ho sentito nessuno. Non so di cosa sta parlando».

Fu come se avesse gettato una chiave inglese in un ingranaggio che ruotava senza intoppi. Nessuno si era aspettato quella risposta, visto che nessuno sapeva che aveva udito la conversazione sulla terrazza. Il capitano Rendell si bloccò improvvisamente come se fosse inciampato materialmente in un ostacolo. Gli occhi neri di Ronnie ebbero un guizzo. Aveva sempre ammirato l'audacia. Il viso abbronzato di Geoffrey era inespressivo, come se si fosse imposto di rimanere impassibile qualsiasi cosa si fosse detto lì quella mattina. Anders si voltò a studiare Alison con una curiosità sgradevolmente impersonale. La faccia di Matt era ancora semioscurata dalla visiera del berretto, che evidentemente neppure in casa si prendeva il disturbo di togliersi. Raines era palesemente sollevato dalla sua risposta. Emise un lungo respiro perfettamente udibile e si riadagiò contro lo schienale della sedia.

«Avevo avuto l'impressione...», cominciò il capitano Rendell.

«Miss Tracey ha subito un colpo alla testa». La voce di Yolanda non era mai parsa più dolce e comprensiva. «Forse ha influito sulla memoria. Le assicuro, capitano Rendell, che ha raccontato tutto, a Geoffrey e a me, su misteriosi rumori che ha udito: suoni di passi e voci bisbiglianti e...».

«Di cosa parli, Yolanda?». Il tono di Geoffrey era scarsamente interessato. «A me Alison non ha mai detto niente del genere. A te, Ronnie?».

«No, è la prima volta che lo sento». Ronnie fu pronto quanto Geoffrey a raccogliere l'imbeccata da Alison, ma a differenza di Geoffrey non riuscì a tenere a freno una scintilla di divertimento nei suoi occhi. «E tu, Kurt? Alison ti ha mai detto qualcosa in proposito?».

Alison sentì che il cuore smetteva di battere nell'attesa della risposta di Anders. Sapeva che quella mattina lui non era ancora arrivato a una conclusione su di lei. Ora Ronnie, avventato come sempre, stava costringendo Anders a prendere una decisione in pubblico. Alison non osava alzare lo sguardo su Anders, ma sentiva che Ronnie e Geoffrey lo stavano fissando. Alla fine la sua voce si sentì, morbida e triste. «Di questo Miss Tracey non mi ha detto nulla».

Alison si rese conto che tecnicamente era vero. E anche Yolanda. Il suo viso abitualmente pallido avvampò di un rosso poco bello. Non avrebbe permesso che Anders se la cavasse con una manovra evasiva. «Ma ha visto la lettera che Alison ha scritto a Ronnie, vero?», rilanciò.

A questo punto Anders doveva o mentire o tradire Alison. I suoi occhi tondi, neri, guardarono Yolanda con la stessa curiosità impersonale con cui aveva fissato Alison un momento prima. «No», dichiarò mentendo deliberatamente. «Non ho visto nessuna lettera. In proposito ho solo sentito dei pettegolezzi. Non vi ho dato peso perché ho pensato che si trattava solo di... malignità».

Evidentemente Yolanda aveva forzato la mano più di una volta, quella mattina, sulla terrazza. Kurt Anders poteva avere ancora dubbi sulle condizioni mentali di Alison, ma non era disposto a confidare le proprie incertezze alla polizia su ordine di Yolanda. Senza alcun piano concertato, lui e gli altri avevano ribaltato la situazione a svantaggio di Yolanda. Ora la storia della misteriosa presenza intorno alla casa poggiava unicamente sulla sua testimonianza, una testimonianza priva di sostegni concreti, anziché su Alison.

«Esattamente, qual era la natura di quei pettegolezzi?», volle sapere Rendell.

Anders rispose lentamente e con precisione. «Ho appreso da Mr Parrish che Phillimore aveva chiesto a Miss Tracey se avesse sentito qualcuno aggirarsi nel bosco». La risposta era abile, perché associava il fantomatico predatore con Phillimore più che con Alison. «Ieri ho appreso da Miss Parrish che lei aveva capito che Miss Tracey fosse stata turbata da rumori inspiegabili nei dintorni del cottage».

«Non mi pare ci sia nulla di malevolo», obiettò Rendell.

Anders rispose con gravità. «A me è parso il contrario».

Yolanda capiva quando era sconfitta, ma fece un ultimo tentativo, con lo sguardo duro, le guance in fiamme. «Capitano Rendell, le assicuro che Miss Tracey, lo ricordi o meno adesso, mi ha dato la netta sensazione di aver udito voci e passi misteriosi intorno al cottage quando vi si trovava da sola. Ha sempre avuto una fervida immaginazione, e quando è arrivata qui la sua salute era piuttosto precaria. Ho presunto che l'intera faccenda fosse frutto di allucinazioni, ma dato che Miss Tracey è stata trovata accanto al cadavere di Phillimore, ho sentito il dovere di riferire la questione a lei».

«Personalmente Alison non può aver preso queste presunte allucinazioni molto sul serio», disse Ronnie con affascinante impudenza. «Perché in quel caso sicuramente me ne avrebbe scritto».

Allo sguardo acuto di Rendell non sfuggì l'irreprimibile lampo beffardo negli occhi di Ronnie. Era accigliato quando si rivolse ad Alison.

«Miss Tracey, quando siamo stati chiamati questa notte – o meglio, all'alba – abbiamo esaminato il suo chalet per verificare possibili intrusioni e abbiamo notato la presenza di impronte di scarpe infangate sul pavimento del soggiorno – le sue e le orme di due uomini. Uno degli uomini l'abbiamo identificato come Mr Parrish. Chi era l'altro?».

«Immagino...». Appena in tempo Alison impedì al nome di salirle alle labbra: colonnello Armstrong. Quello non riguardava la polizia, riguardava i servizi segreti militari. «Non lo so».

«Stava dicendo: "Immagino". Che cosa?».

«Immagino... che sia stato Phillimore a gridare».

«Lei ha sentito un grido?». Rendell la guardò bruscamente. «Non l'aveva detto».

«L'avevo dimenticato. Era... orrendo». Rabbrividì quando la memoria fece riecheggiare quell'urlo. «Qualcosa deve aver spaventato Phillimore. Non c'erano impronte vicino al suo corpo?».

«La pioggia ha distrutto quasi ogni traccia di quel genere».

Rendell esitò, poi aggiunse: «C'erano delle orme sotto un albero dal fogliame insolitamente fitto, che proteggeva il terreno: le sue orme, Miss Tracey».

«E nessun'altra?».

Tutti osservavano intensamente Rendell tranne Yolanda, che aveva assunto un'espressione annoiata.

«Nessun'altra orma umana». Persino Yolanda fu risvegliata dalla sua posa di indifferenza. «Abbiamo trovato le tracce di un qualche animale, forse un vitello o una pecora dispersi».

«Non mi risulta nessun allevamento di pecore o di bovini da queste parti», intervenne Raines. «A te, Matt?».

«No», rispose Matt, laconico come sempre.

«Non so nemmeno di qualcuno che tenga una capra. E i cervi non scendono mai a questa quota in estate».

«Le orme erano confuse», disse Rendell. «Praticamente potrebbe averle lasciate qualsiasi animale. Poiché potremmo aver bisogno di sentirvi nuovamente, debbo chiedere a voi tutti di rimanere nei paraggi ancora per un paio di giorni». Fece per avviarsi verso la porta.

«Capitano Rendell», lo richiamò Alison, «avete trovato qualche traccia del mio cane?».

«Il suo cane?». Rendell si fermò.

«Il cane che cercavo stanotte».

«Ah, già. È ancora disperso?».

Alison annuì. «È uno spaniel nero, vecchio e grasso e...». La voce le tremò. «Cieco».

«Se è cieco, difficile che sia andato lontano. Strano che non sia comparso questa mattina quando eravamo tutti al cottage. Uno dei miei ha un cane da cerca. Gli chiederò di vedere cosa può fare».

«Grazie».

«C'è una cosa che vorrei chiederle», disse Ronnie. «È stata trovata traccia del denaro che Phillimore avrebbe raccolto?».

«In casa sua non c'è, né nel suo conto presso la banca di Fernwood», rispose Rendell. «Sembra che quei soldi siano spariti completamente».

Raines seguì Rendell fuori della stanza. Matt si fermò accanto al divano dov'era seduta Alison. «Mi dispiace per questa storia. Immagino che ora per un po' non le servano altre provviste».

Lei alzò lo sguardo verso quel viso in ombra. Ancora una volta provò la strana sensazione di aver udito quella voce prima di arrivare ad Aultonrea, ma il volto era poco familiare come sempre.

«No, grazie, non le serviranno!», rispose Ronnie per lei. «Dopo quello che è accaduto ad Aultonrea questa notte, Miss Tracey rimarrà qui anche se dovessimo incatenarla».

Con sgomento Alison si rese conto che questo voleva dire che le sarebbe toccato passare vari giorni a stretto contatto con Yolanda. Si sarebbe detto che non c'era modo di evitarlo. L'"invito" del capitano Rendell a non allontanarsi era stato un ordine sottilmente velato.

Appena Matt ebbe seguito gli altri fuori, Yolanda annunciò un attacco di emicrania: ovviamente una di quelle emicranie domesticamente strategiche che sempre l'affliggevano quando era irritata con Geoffrey. Con uno sguardo di rimprovero al fratello a indicare che il responsabile era lui, si ritirò in camera sua per addolcire la propria sconfitta con il martirio e l'acqua di colonia.

Ronnie chiuse le porte del soggiorno dietro di lei e tornò zoppicando dagli altri, gli occhi accesi della luce della cospirazione. «Dunque, Alison! Dicci che cosa è accaduto davvero questa notte!».

Alison guardò le tre facce: Anders ancora tristemente impersonale, Geoffrey e Ronnie ansiosi di udire quello che avrebbe detto. Non poteva rifiutarsi di parlare con loro dopo che le avevano retto il gioco nella sua versione con la polizia.

Disse loro ogni cosa, compreso il sospetto del colonnello Armstrong che la morte dello zio Felix fosse in realtà un omicidio.

«Zio Felix!». Ronnie era tanto scosso da abbandonare la sua consueta levità distaccata. «Quell'uomo è matto!».

«Eppure, Ronnie, potrebbe essere», insisté flebilmente Alison. «Come sai non c'è stata autopsia. E il più delle volte zio Felix dimenticava di chiudere le portefinestre dello studio che davano sul giardino. Chiunque sarebbe potuto entrare in casa. In qualsiasi momento».

«Compreso lo stesso Armstrong!». Le labbra di Ronnie erano strette. «Non ho mai pensato a fare un controllo su di lui a New York. Da qualche tempo sospettavo che zio Felix lavorasse per il Ministero della Guerra, e Armstrong aveva una sorta di tesserino di riconoscimento. Ma, come dice lui, le credenziali si possono falsificare. E poi aveva qualcosa di strano nello sguardo».

«Dove sarà adesso Armstrong?», si domandò Geoffrey. «Se fosse quel che dice di essere, non si sarebbe messo in contatto con la polizia questa mattina appena saputo della morte di Phillimore? Sicuramente avrà saputo quello che è successo, se si trova ancora in zona. In paese non si parla d'altro».

«Avrei dovuto parlare di lui al capitano Rendell?», chiese Alison. «Pensavo che fosse più saggio rivolgersi direttamente all'Intelligence militare».

«Certo», disse Geoffrey. «Se è vero che Armstrong appartiene al G2, non vorrà collaborare con la polizia locale».

«A me», intervenne Ronnie, «Armstrong suona fasullo. Lui è l'unica persona ad aver mostrato un interesse attivo per il messaggio cifrato. E adesso… te l'ha portato via, Alison!».

Alison fece un sorrisetto. «Però ne ho diverse copie».

«Dove?».

«Sui fogli dei miei appunti, al cottage. Non si può lavorare su un messaggio in cifra senza copiarlo più volte».

«Faremo bene ad andare immediatamente a prendere quegli appunti». Ronnie si era già avviato verso la porta.

«E faremo bene a fare un controllo su Armstrong», aggiunse Geoffrey.

«Sono d'accordo». Ronnie si accigliò. «Kurt, per favore, chiama l'ufficio di Ferris all'UES e chiedi se c'è un colonnello Armstrong al G2. Io vado giù al cottage».

«Io vengo con te», disse Alison, «e preparo la valigia».

Geoffrey si alzò. «Avrai bisogno di me per portarla».

«Questo posso farlo io», mormorò Ronnie.

Geoffrey sorrise. «Vengo ugualmente».

«Non sono sicuro che Alison faccia bene ad andare». Lo sguardo di Ronnie interrogò Anders.

«Penso che Miss Tracey possa farcela se procedete piano e con prudenza», disse Anders.

Era difficile credere che quel mondo di oro e verde fosse l'umida, buia, paurosa foresta della notte prima. Il sentiero fangoso che scendeva dalla montagna era chiazzato di macchie di sole. A quell'ora del pomeriggio anche l'ombra verde sotto la fitta arcata del fogliame era quasi calda. Alison sentiva acutamente che mancava qualcosa. Quella era la prima volta che camminava tra i boschi senza quattro soffici zampe che le trotterellavano dietro e un naso umido spinto ogni tanto contro le sue caviglie.

«Geoffrey, non mi hai ancora detto che cosa ti è successo questa notte».

Lui aggrottò la fronte spingendo da parte un ramo basso che ostacolava il cammino. «Ero arrivato al prato dietro il cottage quando ho sentito qualcuno nel bosco. Immagino che dovesse essere Armstrong o Phillimore, o anche Argo. Chiunque fosse, ho cercato di raggiungerlo, ma era come cercare al buio un ago in un pagliaio. Francamente non so fin dove mi sono spinto. Ho dovuto lasciare il sentiero e passare dritto in mezzo agli alberi. Anch'io ho sentito l'urlo, ma era parecchio lontano. Mi sono avviato nel sottobosco in quella direzione. Quando sono arrivato allo stagno ho trovato te e Phillimore e… nessun altro».

«Non hai sentito nessuno che procedeva nell'acqua o che nuotava?».

«No».

«E non hai udito un tuono senza lampo?».

«Che io ricordi, no. Ero troppo assorto per prestare particolare attenzione al temporale».

Ronnie fece un sorrisetto ironico, il viso chiazzato dalle ombre che fremevano per il lieve movimento del vento tra le foglie sovrastanti. «Un tuono senza lampo? Manca solo questo da sentire alla cara Yolanda per spedirti di corsa in una cella imbottita».

«Non saprei dire». Geoffrey era serio. «I lampi di calore sono lampi senza tuono. Non è possibile che esistano anche tuoni senza fulmine?».

«Non durante un temporale come quello di stanotte».

Alison rimase in silenzio, cercando di ricordare il suono di quel boato.

Sbucarono nel prato. Il piccolo chalet non aveva mai avuto un'aria tanto semplice e intima, visto da quell'angolatura, con il suo tetto grigioverde annidato contro il fianco del monte. Con una fitta di rimpianto si rese conto che non le sarebbe più stato possibile vivere felice lì dentro. «Possiamo anche entrare dal retro», disse mentre attraversavano il prato verso la porta della cucina.

Il sole illuminava il soggiorno passando dalle finestre anteriori. I fogli con il lavoro sul messaggio cifrato giacevano sul tavolo centrale dove li aveva lasciati quella notte, quando li aveva portati giù per mostrarli ad Armstrong.

Ronnie li sfogliò incuriosito ma non parve particolarmente impressionato dagli sforzi di Alison. «Non lo risolverai mai», disse. «Non mi meraviglia che Armstrong non abbia avuto timore a lasciarteli. Pensi di portare tutte queste carte dai Parrish?».

«Probabilmente non ne vale la pena. Prendo solo le copie del messaggio. Dubito che qualcuno possa ricostruirlo a partire dai brani disseminati tra i miei fogli di lavoro».

Alison salì nella camera sotto il tetto per raccogliere le sue cose. Quando ridiscese, Geoffrey le andò incontro sulle scale e le prese la valigia.

Dal soggiorno raccolse ancora qualche oggetto sparso: i libri, la stilografica, il guinzaglio e il collare di riserva di Argo. «Credo che questo sia tutto». Il suo sguardo percorse la stanza, fermandosi sul punto in cui Armstrong si era trovato quella notte. «Mi chiedo ancora perché il colonnello Armstrong sia scomparso così all'improvviso».

Rispose Geoffrey. «O voleva tagliare la corda appena entrato in possesso del messaggio cifrato, o ha sentito qualcuno fuori ed è uscito a indagare».

«Ma chi ha sentito? Te?».

«Forse me, immagino... o la persona che ho sentito io».

«Che sarebbe Phillimore». Intervenne Ronnie. «Bisognerà anche prendere in considerazione il fatto che potrebbe essere stato Armstrong a uccidere Phillimore».

L'esplicita formulazione di quello che era già un suo vago sospetto riportò Alison alla realtà della sua situazione. «Allora devo raccontare subito di Armstrong alla polizia».

«Aspetta quando avremo fatto con Washington i controlli su Armstrong», rispose Ronnie. «Dopotutto la morte di Phillimore non è una grande perdita per l'umanità».

Ad Alison venne in mente un'altra eventualità. «Armstrong non potrebbe essersi fatto male? Forse si trova da qualche parte nel bosco immobilizzato con una gamba rotta o una caviglia slogata».

Ronnie sorrise scettico. «Ne dubito. Il colonnello Armstrong mi è sembrato perfettamente in grado di badare a se stesso. E poi la polizia ha perlustrato accuratamente tutta questa zona del bosco».

Un suono di passi sulla veranda li avvertì che qualcuno si stava avvicinando. Voltandosi a guardare, Alison vide un agente che portava un segugio al guinzaglio: uno snello animale da lavoro completamente diverso da Argo, da sempre florido cane di città.

«Trovato niente?», chiese Geoffrey.

«Sì». Il poliziotto guardò il viso turbato di Alison con la muta solidarietà di chi ama i cani. «Temo che dovrà identificare il cane, signorina, anche se... non è un bello spettacolo».

«È... morto?».

«Sì».

La morte di Argo fu per Alison un colpo più violento del ritrovamento del cadavere di Phillimore. Il fatto stesso che molti prendono così alla leggera la morte di un animale rende ancora più intensa la sofferenza per chi gli ha voluto bene. La morte di un essere umano porta con sé una certa quota di partecipazione, per quanto convenzionale e insincera. Ma quella di un animale viene accolta con un superficiale "Il tuo cane è morto? Che peccato", per poi cambiare subito argomento. Argo era stato un bravo compagno. Il suo affetto costante e incrollabile era immune dai dubbi capricciosi e dalle riserve che adombrano ogni forma di amore o amicizia umani. Quale prodotto dell'evoluzione, non usciva male dal confronto con Phillimore, che aveva pervertito la sua intelligenza umana al servizio di sentimenti di odio violenti e irrazionali quanto gli istinti animali più primitivi.

Il poliziotto li accompagnò attraverso il prato fino al bosco oltre lo stagno. Il corpo di Argo giaceva ai piedi di un pino su un letto di aghi bruni. Per la prima volta la coda che sempre tamburellava il terreno all'avvicinarsi di Alison rimase inerte mentre lei si accostava. Le zampe che l'avevano seguita così instancabilmente dovunque andasse apparivano ora sfinite e affaticate nel rilassamento totale della morte. Le pupille rivolte all'insù mostravano il bianco degli occhi tra le palpebre semichiuse. La bocca aperta le lasciava vedere quella familiare macchia nera sul rosa del palato corrugato che l'aveva sempre divertita. La gola era uno squarcio rosso aperto.

«Argo...». S'inginocchiò a toccare la seta del pelo nero.

«Può essere stata una volpe o una donnola?», domandò Ronnie.

«Mah». L'uomo era turbato. «Potrebbe essere stato un coltello».

Gli insetti dell'estate riempirono per un momento del loro ronzio l'immobilità assolata e fragrante dell'aria. Poi Ronnie esclamò: «Ma la morte di Phillimore è stata un incidente!».

«Così pensava il capo». Il poliziotto aveva lo sguardo fisso su Argo. «Forse adesso cambierà idea».

Alison alzò gli occhi pieni di lacrime. «Ma chi? E perché?».

«Mah. Sembra una cosa... strana».

«Tutto in questa faccenda è strano!». Geoffrey prese Alison per un braccio e l'aiutò a rialzarsi in piedi.

«Dovremo tenere il corpo del cane per un po'», disse l'uomo. «Se le fa piacere ci penso io a farlo seppellire... dopo».

Alison annuì. Geoffrey le mise un braccio attorno alle spalle e si allontanarono.

«Povera bestia», mormorò Ronnie. «Penso che potrebbe essere stata una donnola. Lui non era un gran combattente».

«Se non altro nessuno accuserà Alison di questo!», disse Geoffrey.

«Non ne sarei così sicuro», ribatté pronto Ronnie. «Se Yolanda mette in giro questa storia su Alison che sente cose che non esistono, potrà essere accusata di ogni genere di cose».

Alison sospirò. Il sole splendeva ancora sul fianco della montagna, ma non sembrava più così caldo e vivido.

Yolanda scese a cena in un impalpabile e fluttuante abito nero e con un filo di perle al collo. Gli occhi penetranti e la bocca rossa e tesa non sembravano gli occhi e la bocca di una donna che soffre di emicrania. Nel corso di tutta la cena non vi fu alcun accenno agli eventi della notte, ma quando si trovarono in salotto dopo cena, Yolanda guardò il colore del cielo che sfumava al di là delle alte finestre e disse: «Geoff, non credi che sia il caso di chiudere tutte le porte e le finestre, stanotte?».

Era la prima ammissione indiretta che qualcuno che non era Alison poteva aver provocato la morte di Phillimore. Che avesse ascoltato la telefonata che Anders aveva fatto a Washington per informarsi su Armstrong?

«Penso di sì». Geoffrey lasciò la stanza. Sentirono i suoi passi e lo scatto delle serrature nell'ingresso, in sala da pranzo e nello studio. Tornò e tirò il chiavistello delle portefinestre sui tre lati del lungo soggiorno. «Ecco fatto».

«Dove hai messo la chiave della porta d'ingresso?», domandò Ronnie.

«L'ho lasciata nella serratura. Se la tolgo sono sicuro che andrà perduta».

Alison lanciò un'occhiata al volto chiuso, pallido di Yolanda ed espresse mentalmente il proprio dubbio. Il pericolo era davvero chiuso fuori? O era stato chiuso dentro? Qui, come ad Aultonrea, di notte c'era silenzio e oscurità tutt'intorno alla casa. Anche qui il bosco si spingeva fino alla radura dove sorgeva la casa, una piccola oasi artificiale di luce e calore e conforto, che teneva a bada la natura selvaggia oltre i propri confini.

«Di solito chiudete le finestre per la notte?», domandò.

«Quassù? No, non l'abbiamo mai fatto».

Ad Alison venne da pensare che il sangue che correva nelle vene di Yolanda doveva essere scarso, freddo e lento per lasciarle la pelle così mortalmente pallida. Yolanda si accese una sigaretta e porse il portasigarette di cristallo ad Alison con una gracile mano bianca. I suoi oschi tornarono inquieti al blu del cielo che si andava scurendo. «Come sembra squallida questa stanza senza le tende! Ma non c'è stato tempo per montarle. Con una sola domestica...».

Alison si voltò a guardarla. «Avevo capito che eravate qui dall'inizio dell'estate».

«Oh, no. Geoffrey è arrivato a New York solo cinque giorni fa. Io sono stata avvertita appena il giorno prima con un telegramma». Rivolse a Geoffrey uno sguardo petulante. «Si era messo in testa di passare quassù il suo periodo di licenza e così... eccoci qui. Non era pronto niente per noi!».

Zio Felix era morto cinque giorni prima. Alison sperò che non si vedesse troppo lo stupore che sentiva dentro di sé. «Quindi cinque giorni fa eravate tutti e due a New York?».

«Siamo arrivati qui il giorno prima del tuo arrivo», disse Geoffrey. «Yolanda non è voluta venirci da sola, quest'anno, perché sapeva che sarebbe stato difficile trovare personale di servizio».

Alison si trovò a visualizzare nitidamente il giardino comune fuori dalla finestra dello studio di zio Felix a New York, le foglie degli ailanti, la ninfa di marmo pentelico screziata dal sole. Chiunque avrebbe potuto attraversare quello spazio la notte in cui zio Felix era morto – chiunque...

Yolanda schiacciò il mozzicone nel piccolo portacenere di cristallo dello stesso stile del portasigarette. «Sono stanca. Se volete scusarmi, vado a letto subito».

Quando i suoi passi si furono spenti in cima alle scale, Ronnie guardò Anders. «Allora, Kurt, hai saputo qualcosa su Armstrong?».

«Ho parlato con l'ufficio di Ferris all'UES. Hanno detto che mi richiameranno. Per queste cose ci vuole tempo».

Ronnie guardò l'ora. «Sono quasi le undici. Difficile che chiamino stasera».

«L'unico telefono di casa si trova nel corridoio del piano terra», disse Geoffrey. «Ma la suoneria è alta. Anche se sto dormendo di sopra, mi sveglia sempre».

«Allora forse è il caso di ritirarci e farci un bel riposo». Ronnie guardò Alison. «Soprattutto tu».

Alison sorrise senza rispondere. Sapeva che non sarebbe riuscita a dormire. Troppe domande le si agitavano nella mente.

Di sopra, nella camera decorata di bianco, lavanda e giallo, disfece il bagaglio. Il guinzaglio e il collare di Argo le diedero una stretta al cuore. Forse sarebbe riuscita a calmarsi lavorando intensamente al messaggio cifrato.

Il piccolo scrittoio bianco era fornito di penna e inchiostro e di una buona scorta di carta da appunti. La sedia della scrivania si trovava accanto a una finestra aperta. Guardando oltre la terrazza verso le pendici buie della montagna vedeva le luci della fattoria dei Raines e, al di là di quella, nella valle, le luci raccolte di Little Clove. Sopra la terra nera e addormentata il cielo era una scintillante arcata di stelle. Aspirò profondamente una boccata della fresca aria della notte e portò lo sguardo sul messaggio. Che cosa aveva detto al colonnello Armstrong? Un Vigenère, per essere insolubile – o semplicemente ostico – doveva avere una tabella mobile basata su diversi alfabeti irrazionali intercambiabili per poter eliminare la ripetizione della chiave e della regolare sequenza alfabetica.

Esisteva un modo con cui le lettere sul righello o sulla tabella potessero essere manipolate in disposizioni successive senza utilizzare un dispositivo meccanico tangibile realizzato espressamente per quello scopo? Esisteva un modo per insegnare alla mente umana come memorizzare esattamente qualcosa di tanto complesso come una tabella mobile?

Con un sospiro affaticato si scostò i capelli dalla fronte, cercando di ricordare tutto quello che Armstrong aveva detto sul cifrario di zio Felix quell'ultima notte nel cottage, e quella prima mattina a New York.

Allora capì.

Arrivò istantaneo come il lampo biancoazzurro del fulmine che aveva liberato il paesaggio dall'oscurità la notte prima, rivelando un intero scenario chiaramente e simultaneamente: alberi, fango, stagno, e il corpo senza vita di Phillimore ai suoi piedi.

Una tabella mobile con una dozzina o più alfabeti irrazionali, tutti facilmente memorizzati: com'era semplice. Stava cercando qualcosa di complesso, sottile, altamente tecnico. In realtà era facile come un gioco da bambini, basato sull'unico alfabeto irrazionale al mondo che praticamente tutti conoscono a memoria. Nessuno ci aveva mai pensato?

Febbrilmente si diede da fare a riportare lettere sulla carta e a tagliarla in strisce lunghe e strette che servissero da cursore e indice. Sicuramente le prime parole dovevano essere *caro/cara* o *mio caro/mia cara* o *Alison* o *Ronnie* o *colonnello Armstrong*. E la chiave?

Lasciamo perdere la chiave. Se avesse trovato la tabella giusta e indovinato le prime parole del chiaro correttamente, la chiave poteva ottenerla combinando le lettere del chiaro e della cifra sul righello. La lettera chiave per ciascuna coppia di lettere – chiaro e cifrato – si sarebbe presentata al terzo angolo del triangolo formato dalle lettere in chiaro e in cifra sul righello. Se la chiave in sé era breve, l'avrebbe presto ricavata, e poi avrebbe potuto leggere il resto del messaggio con una semplice decifrazione, a meno che la tabella non cambiasse troppo frequentemente...

L'ipotetica chiave si presentava ripetutamente come un miscuglio di lettere privo di senso... ETAONR... Un momento: quel miscuglio non era affatto privo di senso. Quelle lettere le aveva già viste. Qualcosa significavano. Forse in fin dei conti il suo righello aveva ragione. Le mani corsero alla pila di appunti che aveva preso. Dov'erano quelle tavole di frequenza? Le aveva lasciate al cottage. Ma ora cominciava a ricordare. ETAONRISH... ma certo! La chiave più logica per un simile cifrario!

Adesso che aveva la chiave, sarebbe stato un gioco da ragazzi leggere l'intero messaggio cifrato, a meno che non avesse avuto ragione immaginando che la tabella cambiava a ogni ventisettesima lettera per evitare la ripetizione della chiave. Se solo avesse avuto un vero righello St Cyr di legno o di metallo... Le leggere strisce di carta tendevano a ondularsi e a spostarsi sotto le sue dita tremanti.

Alla ventisettesima lettera cifrata si trovò davanti al muro di pietra che aveva previsto. Le lettere della cifra e della chiave, combinate, dopo quel punto non producevano più un messaggio in chiaro coerente. Zio Felix doveva essere passato a una tabella diversa.

Realizzò altri righelli St Cyr, basato ognuno su una differente disposizione delle lettere. Uno dopo l'altro, produssero tutti un risultato negativo. Possibile che si fosse sbagliata? Possibile che lo zio Felix avesse cambiato anche la chiave, oltre al righello?

Continuò a lavorare, combinando lettere della chiave e della cifra su sempre nuovi righelli: uno spazio, due spazi, tre spazi... Ecco! Adesso veniva fuori senza difficoltà un messaggio in chiaro per i restanti ventitré spazi della chiave. Dopo questo, le toccò provare ancora con nuovi righelli, essendo arrivata alla fine della chiave, dove sicuramente ci sarebbe stato un altro cambiamento di tabella...

La monotona operazione manuale necessaria a far combaciare indici e cursori fatti di carta leggera che tendeva ad accartocciarsi cominciava a innervosirla. Testardamente continuò a estorcere la verità dal caos, una lettera alla volta. Come un operatore Morse, era così assorbita da quell'operazione meccanica da lavorare automaticamente, senza badare al significato del chiaro che stava estraendo. Lo scriveva così come veniva, in una fila ininterrotta senza maiuscole e punteggiatura, e neppure spazi tra una parola e l'altra. Solo quando ebbe ricavato sedici intere righe del chiaro si fermò a individuare la parole e a leggere quanto aveva scritto.

La penna le cadde dalla mano snervata. Non poteva essere. Doveva aver fatto un errore. Ma sapeva che non poteva aver sbagliato. Nessun errore, nessuna coincidenza potevano aver estratto questo messaggio coerente di sedici righe di parole consecutive dal miscuglio caotico di lettere che costituivano il messaggio cifrato. Non poteva essere; ma – come tante cose che non potevano essere – era. Perché? Forse il resto del messaggio glielo avrebbe detto.

Lasciò la penna dov'era caduta. In quel momento non aveva alcuna voglia di leggere il resto del messaggio. Non voleva sapere perché.

Tutto il suo mondo si era rovesciato…

Eppure tutto corrispondeva: quello che aveva detto Armstrong, quello che aveva detto Ronnie, quello che aveva detto Geoffrey, il modo in cui si era comportato Argo. Nessuna meraviglia che Argo fosse stato ucciso. Era stato tutto lì nei giorni successivi alla morte di zio Felix: fatti disposti nell'ordine sbagliato come un'altra specie di messaggio cifrato, che lei, accecata dall'ignoranza o intorpidita dallo choc, non aveva saputo leggere.

Non s'era accorta minimamente del cappio che le era stato destramente infilato al collo. Acquistandone gradualmente consapevolezza aveva lottato, ma i suoi tentativi erano stati tutti anticipati. Il cappio era formato con uno di quei nodi insidiosi che quanto più la vittima si dibatte tanto più si stringono. Tutti i suoi sforzi per liberarsi erano stati previsti e incorporati nel piano. La persona che l'aveva salvata era stata proprio lo zio Felix, l'uomo assassinato. Perché aveva lasciato a lei quel messaggio e – più ancora di questo – aveva cercato di lasciarle un indizio sulla natura della cifra con cui il messaggio era stato scritto, un indizio che lei era stata tanto sprovveduta e noncurante da non averlo riconosciuto fino a quel momento.

Mentre lavorava, ogni sensazione non rilevante ai fini dell'operazione di decifratura era stata esclusa. Ora, mentre cominciava a rilassarsi, la vita esterna tornava da lei impetuosamente. Di nuovo alzò il viso verso la finestra e lasciò che il fresco respiro della notte alitasse contro le tempie che le martellavano. La Via Lattea spiccava nel cielo, come se la mano della Divinità fosse intervenuta con una pennellata su quella parte del quadro stellato mentre la pittura era ancora umida. Per la millesima volta si domandò che cosa vi fosse al di là di quel velo di stelle. Soltanto altre stelle, luccicanti all'infinito e in eterno in un continuo spazio-temporale privo di limiti e di durata?

Una scintilla gialla brillò richiamando il suo sguardo. Una stella cadente? Una stella bassa nel firmamento appena sopra la grande spalla tondeggiante della montagna? Risplendeva come una stella ma era troppo dorata. Le stelle sono argento. Quella era una luce artificiale. Cosa ci faceva una luce in quel punto? Con lo sguardo misurò la distanza fino alle luci della fattoria dei Raines. Lei guardava come aveva guardato Geoffrey solo tre notti prima da quello stesso lato della casa attraverso un qualche varco accidentale che s'incanalava tra i tronchi d'albero e le foglie verso la luce di una lampada a petrolio accesa in una delle finestre di Aultonrea. Questa notte era solo una minuscola scintilla che lampeggiava spasmodicamente al movimento delle foglie sotto il soffio di una lenta brezza. Ma il cottage doveva essere disabitato… Solo una persona avrebbe avuto motivo di invaderne la solitudine questa notte…

Alison indossava ancora le scarpe dalla suola di gomma, la gonna di tweed e il maglione. Raccolse la giacca, infilando le braccia nelle maniche mentre si avvicinava alla porta. Una luce era accesa tutta la notte nel corridoio sopra le scale. Tutte le altre porte erano chiuse. La casa sembrava addormentata.

Richiuse piano la sua porta, ruotando lentamente il pomello perché lo scrocco rientrasse nel suo alloggiamento senza rumore. Arrivò in punta di piedi in cima alle scale e sporse lo sguardo oltre al ringhiera. Quello che vedeva del piano inferiore era in penombra, e deserto. La doppia porta del soggiorno era spalancata. Al di là della porta, la sala era buia.

Era a metà delle scale quando squillò il telefono nel corridoio di sotto. Doveva essere Washington che chiamava a proposito del colonnello Armstrong. Che rispondesse qualcun altro. Ora come ora la cosa non le interessava. Con passo leggero e veloce percorse l'ultima rampa. La suoneria del telefono squillò di nuovo. Più rapida di quanto si fosse mai mossa aprì il cassetto del tavolo del corridoio e prese una delle torce che vi erano conservate. Al piano di sopra una porta cigolò sui suoi cardini. La chiave era ancora nella serratura della porta d'ingresso. La girò. La porta non cedette. Le venne in mente che la porta era già stata aperta. Ruotando la chiave l'aveva appena richiusa. Ripeté il gesto a ritroso. La porta si aprì. Mentre usciva all'aperto dei passi risuonarono nel corridoio superiore. Con una flemma che le lacerò i nervi si costrinse a chiudere la porta dietro di sé lentamente, senza far rumore. Corse giù per il viale, attraversò la strada superiore, e si tuffò nel sentiero che attraverso il bosco portava ad Aultonrea.

Era una bella notte d'estate, più calda della mattina. C'era appena un accenno di brezza, sufficiente a sostenere il bisbigliare segreto delle foglie. La sua corsa spaventò un piccolo gufo bianco che schizzò via come un razzo con un frullo vellutato delle ali. Quante volte aveva percorso quel sentiero – sola o con altri, di giorno o di notte, con il sole o con la pioggia, in felicità o in sofferenza – ma mai come si sentiva adesso, prosciugata da ogni sentimento, paura compresa. Quella notte la paura non la possedeva, perché lei *sapeva*, e solo l'ignoto può suscitare paura.

Per un istante desiderò che il sentiero non avesse mai fine, per poter essere sempre in cammino, senza mai arrivare ad affrontare quello che l'aspettava. Ma doveva andare avanti. Non c'era altro modo.

Mai il sentiero le era parso così breve. Appena un momento ed emerse dal bosco buio e mormorante nel prato alle spalle dello chalet. Si fermò. La luna era sorta: notte di luna piena, rotonda e galleggiante come una bolla d'oro. La sua luce delicata dava un riflesso argentato alle tegole grigioverdi solitamente così opache. La luce della lampada veniva dalla finestra della cucina. Questo non voleva dire necessariamente che ci fosse qualcuno in quella stanza: più probabilmente qualcuno in soggiorno aveva lasciato aperta la porta della cucina e la luce veniva da lì. Ovviamente non tutti sapevano che le luci di Aultonrea si potevano vedere da un lato della villa dei Parrish: altrimenti quella porta tra cucina e soggiorno sarebbe stata chiusa.

Piegò a sinistra, passò rasente al cottage sotto la veranda a oriente, svoltò a destra verso i gradini anteriori. La luce filtrava da ogni finestra del soggiorno.

Salì piano gli scalini. Una chiave era infilata nella serratura della porta anteriore. Spinse senza esitare la porta ed entrò. Nella stanza non c'era nessuno.

Rimase immobile. Perché c'era il fuoco acceso nel camino in una notte così tiepida? Nel focolare dei fiocchi di cenere nera si accartocciavano sotto le fiamme gialle: cenere di carta. C'era un frammento bianco annerito sugli orli. Riconobbe la sua scrittura. I fogli del lavoro sul cifrario! Dunque qualcun altro aveva immaginato che l'ultimo messaggio cifrato dello zio Felix poteva fare il nome del suo assassino. L'assassino non poteva permettersi in alcun modo di correre il rischio che qualcuno ricostruisse il messaggio cifrato dai suoi frammenti sparsi tra i vari fogli su cui lei aveva lavorato.

La porta della camera da letto era chiusa. Quella della

cucina era aperta, come aveva immaginato. Dritto di fronte a lei, anche la porta che dava sul corridoio era aperta, spalancata sul buio. Rimase in ascolto. Mai una notte d'estate era apparsa più dolce o più quieta. Non il minimo suono se non il sussurro delle foglie oltre la porta aperta. Che cosa bisbigliavano? La fantasia diede loro le parole: *Chiunque lo sguardo posi su qualsivoglia immortale, non volendolo il dio, caro ciò debba costargli.*

Da quando aveva letto il messaggio di zio Felix, aveva sentito il cuore come un blocco di piombo nel petto. Ora riprese vita ed ebbe un fremito quando lei udì un altro suono: passi che calpestavano il pavimento di legno della mansarda sopra la sua testa – non lenti questa volta, ma rapidi, urgenti. Come conosceva bene, lei, la cadenza di quel passo.

Ora erano sulle scale, ancora rapidi e disuguali. Guardò nel vuoto oscuro oltre la porta sul corridoio. Lì qualcosa si mosse facendosi avanti fino a uscire alla luce. Alla vista di lei si fermò sulla soglia all'improvviso, come se una barriera l'avesse bloccato. Nell'irrequieta luce del fuoco, c'era qualcosa di irreale in quel viso di grande bellezza. Era lei a vederle così, con la sua immaginazione caricata emotivamente, o le sopracciglia slanciate avevano la forma di due piccole corna che si drizzavano verso i riccioli della capigliatura? Il fuoco nei suoi occhi vivi non aveva mai bruciato in maniera così incandescente. Ora ricordò: *Si può sempre riconoscere un dio in veste umana dal non umano fulgore dei suoi occhi.* Da sempre quel volto aveva recato l'impronta di una maschera della Grecia arcaica: la fronte bassa, in forte pendenza verso la chioma di riccioli neri, occhi a mandorla distanti sotto le sopracciglia oblique, un naso quasi aquilino, labbra e mento dolcemente arrotondati, alludendo alla natura effeminata della decadenza in arrivo. Non il Dioniso miceneo che zio Felix aveva visto in lui, ma un arcadico Pan: un uomo-animale, un dio-natura, pieno di bellezza, di salute, pronto ad affrontare ogni destino con energia e tenacia, vivendo come un dio o un animale, senza riguardo al bene e al male, esso stesso una legge a sé.

Le ali delle sopracciglia si accostarono in un'espressione accigliata, ma sotto la loro ombra gli occhi sfolgoravano ancora più vividi. Diede una sola occhiata al viso di lei e disse pacatamente: «Lo sai».

«Sì, Ronnie, lo so».

Con un senso d'irrealtà, le venne in mente che stavano interpretando ancora una volta la scena più antica della tragedia: la Scena dell'Agnizione, del riconoscimento. Assai prima di Eschilo o di Frinico, gli egei e i cretesi avevano provato il fremito di questo climax nei più remoti riti dionisiaci, quando il dio risorto viene riconosciuto come il dio di cui si è appena pianta la morte. Queste antichissime tradizioni mediterranee avevano insegnato a tutti i drammaturghi posteriori che il grande momento nella vita è sempre un momento di riconoscimento o ri-conoscimento, quando la qualità universale del bene e del male viene portata alla luce da sotto la maschera illusoria del particolare individuo.

«Tu sei… Pan», disse lei lentamente. «Stavi cercando di terrorizzarmi, proprio come ho detto a New York la mattina in cui è morto zio Felix. Oh, Ronnie, perché?».

Gli occhi brillanti erano quasi allegri, certamente beffardi. «Pan? Ah, il bosco. E il panico. Molto ingegnoso!». Fece un passo claudicante in avanti. «Ho perfino lo zoccolo fesso, no?».

«Ma i passi sulla veranda quella notte non zoppicavano».

«No. Erano troppo lenti per zoppicare. Il suono di un passo zoppicante è una cadenza, come un segnale Morse. I passi debbono succedersi rapidamente altrimenti non c'è cadenza, così come i punti e le linee debbono succedersi rapidamente altrimenti non c'è segnale Morse. Ho dovuto puntare sulla probabilità che tu avessi paura di venire alla porta finché io non avessi avuto il tempo di sparire. Mi sono tolto le scarpe perché non mi sentissi mentre mi allontanavo. Sulla strada mi sono accorto che i miei piedi lasciavano impronte come quelle di un animale. Allora ho deciso di continuare a muovermi scalzo nel bosco così che non ci fosse traccia di un predatore puramente umano e mortale».

Alison abbassò lo sguardo sui mocassini rossicci fatti per nascondere la sua deformità. «Le orme vicino allo stagno procedevano a due a due: ogni coppia ravvicinata». Sgranò gli occhi. «Qual è il piede equino?».

Il fuoco ebbe un sobbalzo. Le ombre guizzarono sulla faccia immobile del Pan di marmo dietro di lui, prestandogli un'illusione di movimento e di vita.

«Tutti e due». Il suo sorriso fu amaro, improvviso, fuggevole, come se anche quello fosse solo il gioco dell'ombra su una faccia di pietra. «Capita, sai. Byron. Si sono sempre chiesti quale fosse. Non l'hanno mai saputo finché non è morto. Allora hanno trovato due piedi a forma di zoccoli. I medici militari erano molto interessati al mio caso».

Alison rabbrividì. «Tu sei Pan, mezzo uomo mezzo animale. Hai sempre avuto una comprensione singolarmente intima per gli animali. L'ho pensato la mattina in cui è morto zio Felix, quando Argo si è messo a guaire e tu hai detto: "Fiuta la morte"».

«Ho detto così?». Gli occhi a mandorla mandarono un lampo alla luce del fuoco, fosforescenti come quelli di un gatto. «I mortali non dovrebbero mai togliere la maschera a un dio. Nei tempi antichi un pastore dell'Arcadia o dell'Attica che coglieva un'eco del flauto di Pan nei boschi avrebbe fatto di tutto per evitare di affrontare il dio contro la volontà di questi. Ma tu sei troppo testarda e troppo difficile da spaventare. Tu invece questa sera hai fatto di tutto per affrontare me. *Che cos'è un dio di fronte a una Donna? Polvere e derisione*. Mi sei sempre piaciuta, Alison. Mi dispiace che debba finire in questo modo».

«In che modo?».

«L'hai dimenticato?». Rise silenziosamente. «*Vedere Pan faccia a faccia è la morte*».

Gli occhi in cui stava guardando Alison erano quelli di un estraneo che aveva vissuto non riconosciuto in Ronnie per tutti quegli anni. Un estraneo la cui mente era distorta come il suo corpo, che era stato capace di uccidere lo zio Felix e quindi sarebbe stato capace di uccidere lei. Non fu Ronnie ma questo sconosciuto a bisbigliare: «Hai paura? Hai paura adesso?».

Lei scosse la testa. L'istinto le diceva che sarebbe stato fatale riconoscersi impaurita. Rispose in tono fermo. «Lo sai benissimo, Ronnie. Non potrei mai aver paura di te». Ma già mentre parlava sapeva di essere terrorizzata: non da Ronnie, ma dallo sconosciuto che si era nascosto dentro di lui per tutti quegli anni.

Per lui fu una delusione. Voleva che avesse paura. «Come l'hai scoperto?», domandò con durezza.

«È successa una cosa, quella mattina dopo la morte di zio Felix, nella sua stanza».

«Allora è stato quello! Per quanta attenzione ci si metta nel preparare un piano, non si può forzare la vita dentro uno schema. C'è sempre un qualche fattore imprevisto. In questo caso, è stato lo stesso zio Felix. Sapeva che l'avevo ucciso io. Non so come lo sapesse, ma lo sapeva. Mentre moriva ha sorriso come se stesse giocando una partita con me e ha detto che aveva lasciato un indizio che mostrava la verità: qualcosa che si trovava fuori posto sotto gli occhi di tutti. Pensai che stesse bluffando. Avrei dovuto saperlo che zio Felix non bluffava mai.

«Mi sono guardato intorno nella stanza prima di chiamarti, ma non sono riuscito a notare niente che fosse fuori posto e in bella vista. Non c'era molto tempo. Per apparire innocente dovevo creare l'impressione, in te, che l'avevo trovato morto appena arrivato a casa. Non potevo tardare a chiamarti, perché c'era chi sapeva a che ora avevo lasciato Washington, e poteva capitare che più tardi tu ti incontrassi con loro. Qual era l'indizio?».

«Argo», balbettò lei senza fiato. «È andato a sbattere contro un tavolino. Era cieco. In quella stanza il mobilio non veniva mai spostato in modo che lui potesse trovare la strada a memoria. Non avrebbe urtato il tavolino se non fosse stato mosso. Non lo avevi spostato tu, perché ti sei mostrato meravigliato quando è successo. Hannah non aveva alcun motivo per farlo. Conosceva la situazione di Argo ed era affezionata a lui quanto zio Felix. Nessun altro entrava in quella stanza, tranne zio Felix. Quindi doveva essere stato lui a spostare il mobile».

«Tutto questo l'ho notato». I suoi occhi erano asciutti e brillanti come quelli di un ammalato con la febbre; anche la voce era febbrile, impastata e disuguale come la voce del delirio. «Ho pensato che l'avessi notato anche tu. Ma non potevo esserne sicuro. Sapevo che la cieca memoria motoria del cane aveva visto quello che ai miei occhi era sfuggito: il cambiamento nella posizione del tavolino. Ho pensato che doveva essere quello l'indizio, ciò che era fuori posto sotto gli occhi di tutti. Il tavolino a rotelle era accanto al letto, e lì zio Felix avrebbe potuto spostarlo mentre moriva. Deve aver contato sul fatto che Argo avrebbe richiamato l'attenzione sulla posizione mutata del mobile, urtandovi, quando ci fosse stato lì a guardare qualcuno che era al corrente della memoria di cui si serviva Argo per muoversi.

«Ma in che modo questo poteva rivelare che ero stato io a uccidere zio Felix? Voleva richiamare l'attenzione sul tavolo stesso? O sulla sua posizione mutata? O su qualcosa che era sul tavolino? Non riuscivo a capire il senso dell'indizio e, peggio ancora, non ero sicuro che tu l'avessi visto. Quell'incertezza è stata una tortura, e forse zio Felix voleva che lo fosse quando mi ha detto di aver lasciato un indizio. Anche se tu al momento non avessi notato l'incidente, il comportamento di Argo poteva fartelo tornare alla mente in qualsiasi momento, se avevi il cane con te. Per questo motivo non volevo che portassi Argo qui. Per questo motivo dovevo ucciderlo, quando tu hai insistito per tenerlo. Non rientrava nel mio piano che quel leggero sibilo che hai sentito avesse effetto su di te, come è stato per i passi. Avevo dimenticato che lo strumento di Pan è il flauto. Io fischiavo per chiamare Argo fuori dalla casa, ma era così vecchio e grasso e pigro che non è mai corso fuori fino a ieri notte, quando hai aperto la porta ad Armstrong».

Con un senso di nausea Alison rivide il rosso squarcio aperto nella gola del cane. «Come hai potuto...?».

Lui rise lugubremente. «Forse io stesso ho troppo dell'animale per capire i vostri sentimentalismi umani per le bestie. Pan era un cacciatore che uccideva gli animali a lui soggetti e li accettava come sacrificio di sangue. Se talvolta li proteggeva dagli uomini era solo perché era geloso del proprio potere di dio degli animali».

Il respiro di Alison era ormai così corto che le riusciva difficile parlare. «Perché non hai semplicemente... ucciso me?».

«La morte di zio Felix era costruita in modo che apparisse naturale. Con te non potevo ripetere la stessa cosa. Anche un incidente organizzato il più accuratamente possibile avrebbe raddoppiato il rischio che correvo. Era più sicuro liquidarti con il sistema usato dai parenti di Miss Darrell per liberarsi di lei. Sicuramente avrai capito che l'avevano spinta loro sull'orlo della pazzia producendo quei rumori che lei sentiva e fingendo che fosse lei l'unica a udirli. L'estate in cui sono stato qui da solo ho trovato nei suoi libri dei brani sul silenzio sinistro dei boschi che dovevano aver sottolineato loro per lei, e mi sono reso conto di quello che era successo. Quando ti ho offerto di passare quest'estate ad Aultonrea, da sola, progettavo la stessa guerra di nervi contro di te. Sapevo che il bosco avrebbe fatto il resto del lavoro, se fossi stata qui da sola. Persino zio Felix immaginava di sentire echi ultraterreni quando si trovava solo nella quiete dei boschi. Sempre, il silenzio rivolge l'orecchio verso l'interno di se stesso. Puoi sentire pressoché ogni cosa se ti tappi l'orecchio con una conchiglia, così come puoi vedere pressoché ogni cosa se accechi l'occhio con una sfera di cristallo. Ma l'immaginazione di Miss Darrell ricevette un aiuto.

«A me non occorreva spingermi così in là quanto avevano fatto i suoi familiari, perché non avevo bisogno di dimostrare che eri legalmente una malata mentale. Io non davo la caccia al tuo patrimonio, come loro con lei. L'unica cosa che serviva a me era screditarti come testimone. Nessuno dà credito a un testimone che sente dei passi che nessun altro può udire. Sapevo che avevi solo dei sospetti, perché se avessi avuto prove ne avresti parlato con la polizia o con Armstrong. Nell'attimo in cui hai espresso perplessità sul fatto che non ci sarebbe stata un'autopsia, ho capito che bisognava fare qualcosa per metterti a tacere, e l'intero piano ha preso forma nella mia mente. Ti ho raccontato la storiella di Carlo Freschi per spaventarti e farti stare alla larga da Armstrong. Non ti ho detto che l'ufficio mi avrebbe dato una licenza per sistemare i miei affari dopo la morte di zio Felix perché volevo che tu credessi che ero impossibilitato a lasciare New York o Washington quando avessi sentito per la prima volta qualcuno che si aggirava intorno al cottage. Nessuno ha immaginato che io fossi qui prima del mio arrivo dai Parrish: nessuno tranne Argo, che non ha mai abbaiato o ringhiato quando ha sentito "Pan", mentre lo ha fatto ogni volta che qualcun altro si avvicinava allo chalet. L'altra notte sono tornato a New York e ho trovato la tua lettera che mi era stata inoltrata da Washington, e l'invito di Yolanda. Suggeriva di portare Anders con me. Era così ansiosa di allontanarti da Geoffrey che ha fatto lei stessa il lavoro più duro per insinuare sospetti sulla tua stabilità mentale. Così ho potuto assumere l'atteggiamento del parente devoto, riluttante a credere al peggio: e questa era la strategia migliore. Ora, mia cara, conosci l'intera storia».

«Ma perché?». Alison ripeté la sua prima domanda. «Non mi hai detto perché».

«E tu non mi hai detto che cosa significava la posizione cambiata del tavolino», rispose lui. «Probabilmente non ha importanza. Perché non l'ha visto nessuno a parte te, e se tu... Che cos'era?».

Le sopracciglia alate guizzarono accostandosi. Lei non aveva udito nulla. L'orecchio di lui era più fine. Si voltò in un lampo. Lo sentì correre lungo il corridoio verso la porta che dava sulla veranda a ponente.

«Ronnie!».

Doveva seguirlo. Non aveva più paura per se stessa. Aveva paura di quello che poteva fare se erano i passi di Geoffrey quelli che aveva sentito nel bosco.

Al parapetto della veranda, si voltò. Il bosco era dietro di lui, buio, frondoso, mormorante. Dall'ombra che gli oscurava il viso gli occhi brillavano, quegli occhi ostili di uno sconosciuto che non era il Ronnie che conosceva.

«Non hai già fatto abbastanza male?». Alison ansimava. «Arrenditi. Non hai niente da guadagnare con questo».

«E niente da perdere!». Scavalcò con un agile volteggio la balaustrata, poi ruzzolò quando toccò terra con i suoi tozzi piedi. Ma con quanta rapidità si riprese! L'intero suo corpo era leggero e svelto come quello di un animale, tranne per quei piedi informi.

Più lentamente, lei lo seguì: oltre la ringhiera, attraverso il bosco, su per la pendice. Lui era molto più avanti, si faceva strada tra gli alberi agilmente, silenziosamente. Come si sentiva a suo agio in mezzo al bosco! Di nuovo lo sentì sguazzare nell'acqua come lo aveva sentito la notte prima. Il nuoto era sempre stato l'unico sport in cui la sua condizione non era un ostacolo.

Ma quando Alison arrivò alla riva dello stagno non c'era segno di lui. Lo aveva perso tra gli alberi. Dietro di lei qualcuno gridò. Alzò gli occhi. Era in bilico sull'orlo della roccia che s'innalzava a precipizio sopra lo stagno: una piccola figura lontana, nera alla luce della luna. Le antiche parole le tornarono nella mente:

Pan… il cui reame è ogni altura innevata,
E le creste del monte e i pietrosi sentieri, di diritto suoi…

Voleva davvero farlo? O i piedi maldestri lo avevano tradito all'ultimo istante?

«Ronnie!».

La nera, minuta figura precipitò come un sasso. Alison chiuse gli occhi.

8

IL QUINTO GIORNO

La mitragliata di un martello pneumatico mandò definitivamente in frantumi un silenzio già incrinato dai clacson strombazzanti, dallo stridore dei freni, dalle grida degli strilloni e dal suono metallico di una versione di *Mairzy Doats* proveniente da una radio invisibile. Il colonnello Armstrong strinse i denti per l'irritazione e cercò di attutire il frastuono chiudendo la finestra del suo ufficio. Alison sorrise a Geoffrey. Pensare che quei suoni l'avevano sempre infastidita! New York poteva anche essere rumorosa e volgare, ma era anche moderna, socievole e sana. Anche i suoi difetti aiutavano a esorcizzare i demoni figli del silenzio e della solitudine.

Armstrong tornò alla scrivania. Indossava di nuovo la sua divisa color cachi con le aquile d'argento sulle spalline. Rivolgendosi ad Alison i suoi occhi turbati erano quasi gentili. «Non ha sospettato alcuna connessione quando ha conosciuto Phillimore e ha saputo che si trovava lì nello stesso periodo in cui suo cugino era da solo ad Aultonrea?».

«Non mi è mai venuto in mente», rispose lei. «Ronnie era una persona intelligente. Phillimore era stupido e malvagio».

Bussarono alla porta. Un uomo alto e snello con un profilo da indiano entrò nella stanza. Aveva un abito di cotone blu e un gran cappello di feltro grigio. «Spero di non disturbare».

«Per niente, Graves», rispose Armstrong. «Si accomodi».

Alison si voltò a guardare Graves appena udì la voce. Stava cercando di visualizzarlo nei suoi calzoni sformati, il maglione e il berretto con la visiera. «Matt! Lei è uno degli uomini del colonnello Armstrong?».

«Non ho questa fortuna!». Graves sorrise. «Solo un giornalista. Ma non me la sono cavata male con il personaggio del montanaro, negatività e laconicità comprese, vero? Le ho persino fatto pagare più del dovuto per quel passaggio sul furgone».

«Quella non era la prima volta che sentivo la sua voce», disse Alison. «Dove l'avevo già sentita prima di andare ad Aultonrea?».

«Al telefono. Avevo chiamato casa Mulholland per l'Occidental News per verificare la notizia della morte di Felix Mulholland. Aveva risposto lei al telefono».

«Come ha fatto a sapere così presto della sua morte? Ronnie stesso se l'era chiesto».

«Qualche settimana prima qualcuno, un personaggio del sottobosco, ci vendette l'informazione che Ronald Mulholland dell'UES era stato visto in compagnia di ex membri della disciolta Lega dei Superamericani. Prima o poi, immancabilmente, notizie di simili associazioni clandestine trapelano alle agenzie di stampa. Io fui incaricato di tener d'occhio Mulholland per un po' e vedere se c'era da trarne una storia. L'ho seguito da Washington a New York la notte in cui Felix Mulholland è morto. Stavo sorvegliando la casa quando il dottore è andato via. Mentre usciva ho sentito che le diceva qualcosa che mi ha fatto capire che suo zio era morto. Sapevo che era malato di cuore e si sarebbe detta la persona che in casa aveva più probabilità di aver bisogno di un medico a quell'ora del mattino. E così ho telefonato per informarmi da una drogheria dietro l'angolo. Poi sono andato a Little Clove per dare un'occhiata da vicino a Phillimore. Allora non mi era venuto in mente che Ronald avesse assassinato lo zio. Ancora non ne capisco il movente».

«Movente? Assassinio?». Il colonnello Armstrong socchiuse le palpebre. «Non ho nessuna prova che Ronald Mulholland abbia assassinato lo zio».

«Circolavano delle voci stanotte a Little Clove», insistette Graves.

«Io non sono responsabile di quello che si dice in giro!». La voce di Armstrong era più gelida che mai. «Tutto quello che posso dirle è che Ronald Mulholland è morto in seguito a una caduta in montagna, che potrebbe essere stata accidentale. Se fosse sopravvissuto... Ma non è così. Il caso è chiuso».

«Dunque non c'è nessuna storia?».

Armstrong annuì energicamente. «Nessunissima storia».

Quando la porta si fu chiusa alle spalle di Graves, Geoffrey si rivolse ad Armstrong. «Grazie, signor colonnello».

«Non servirebbe a nulla rendere pubblica la storia di Ronald Mulholland ora che non può essere messo sotto processo. Potrebbe anzi fare danno, ostacolando l'operazione di arresto degli altri seguaci di Phillimore. Saranno incriminati se riusciamo a presentare le prove del reato di sedizione. Ma questo non coinvolgerà la vicenda Mulholland».

Alison parlò con voce incerta. «Qual è la vicenda Mulholland? Quella che non può essere resa pubblica?».

«Intende dire qual è il movente?». Armstrong sospirò. «Il solito. Il denaro. Ronnie Mulholland sapeva di essere l'erede di Felix Mulholland. Non sapeva che Felix Mulholland aveva perso gran parte del suo patrimonio».

«Il denaro?», ripeté Alison. Ancora adesso le era difficile associare avidità e calcolo al liscio giovane viso pagano di Ronnie, ai suoi occhi vividi e ironici. Ma una frase che aveva letto da qualche parte le tornò alla mente: *Giovani, sempre calcolatori sotto la loro frivolezza.* Qualsiasi cosa può nascondersi dietro una giovanile allegria. Disarma le critiche, seduce il giudizio.

«Ha sempre avuto un cospicuo stipendio», disse Alison. «E zio Felix gli passava una cifra mensile. Zio Felix gli avrebbe dato una somma extra per qualsiasi esigenza particolare».

«Ma non per questo scopo. Suo cugino faceva parte dei Superamericani». Armstrong sorrise amaramente mentre pronunciava quella definizione assurda. «Quando suo zio è morto, così all'improvviso nel mezzo del suo lavoro crittografico, ho avuto l'autorizzazione a indagare a fondo su suo cugino. Appena ho scoperto la sua associazione con Phillimore, ho capito che era colpevole. Se a volte il mio modo di fare con lei è stato un po' bizzarro, deve capire che sospettavo anche di lei. Sono felice che i miei sospetti si siano rivelati infondati».

«Ma come ha fatto Ronnie a lasciarsi prendere da quell'idiozia dei Superamericani?», obiettò Geoffrey.

«Non si è lasciato prendere», rispose Armstrong. «Lui quell'idiozia doveva considerarla una trappola per invischiare la massa. Lui era uno di quegli economisti attratti dalla simmetria del collettivismo, in particolare dal collettivismo autoritario e antidemocratico che chiamiamo fascismo. Era convinto che stesse arrivando e voleva trovarsi in prima fila».

«Questo prima di Pearl Harbor?».

«No. Ronnie non sarebbe potuto entrare nell'UES se fosse risultato implicato in una cosa del genere prima di Pearl Harbor. Come ricorderà fu nell'estate del 1942, dopo Pearl Harbor, che Ronnie si trovò solo ad Aultonrea e Phillimore andò per la prima volta lì, in modo da tenersi defilato per tutta la durata della guerra. Per quanto oscuro e appartato fosse Little Clove, però, Phillimore ne aveva sentito parlare perché qui un tempo la sua Lega aveva aperto una sezione. Le forze armate avevano respinto Ronnie, e così lui e Phillimore avevano una cosa in comune: entrambi ritenevano di essere stati esclusi dalla guerra. Forse lei non ha idea di quanto questo possa angustiare. Ho visto piangere ragazzi che si presentavano volontari ed erano scartati per motivi fisici. Lì l'emozione era onesta, ma nel caso di Ronnie... be', c'era un misto di vanità ferita e ambizione soffocata. La guerra non è poi tanto diversa dalla pace come qualcuno immagina. C'è la stessa lotta per primeggiare, solo in forma diversa: lo stesso vecchio gioco giocato con nuove carte. Intanto, bisogna essere fisicamente in forma – cosa che non ha lo stesso peso in pace.

«Suo cugino aveva sempre trovato una compensazione al difetto fisico di cui soffriva nella volontà di risultare primo in ogni campo e in qualsiasi iniziativa decidesse di affrontare. La sua precoce vivacità intellettuale, la giovane età e l'avvenenza avevano reso questo possibile in tempo di pace. Ma, scoppiata la guerra, non è stato più in grado di essere il primo. La malformazione che l'aveva colpito divenne un ostacolo concreto alla sua ambizione. Con questo non voglio giustificarlo. Cerco semplicemente di spiegare le deviazioni che l'hanno portato, dall'uomo onesto che era, a diventare un omicida e forse peggio. Questi cambiamenti nel carattere che sembrano così improvvisi sono difficili da capire se non ci si rende conto dei tanti piccoli passi di cui è fatto il percorso. Quando è arrivata la guerra, per Ronnie non c'è stato spazio se non in un'agenzia civile come l'UES. Tutti i suoi amici erano in uniforme. Per la prima volta in vita sua gli veniva inflitta la sensazione di essere un emarginato: deforme, mostruoso, al di sotto degli standard. Una sensazione che non gli piaceva affatto. Decise che tornata la pace sarebbe stato di nuovo il primo, di nuovo dentro le cose. La Lega dei Superamericani, progettando di sfruttare il crollo economico ed emotivo che sempre si presenta dopo una guerra, gli parve la porta più comoda per rientrare. Ricordate Boris in *Guerra e pace*? Ogni guerra ha i suoi Boris che vi entrano per quello che possono ricavarne. In guerra, come in pace, alcuni corrono fortissimi rischi personali per favorire la propria carriera. Che cosa succederebbe a uno di questi, se venisse tenuto fuori dalla guerra per qualche invalidità fisica? La sua ambizione marcirebbe, corrompendolo. Questo è ciò che è accaduto a Ronnie Mulholland.

«Essendo per professione un esperto di economia e di finanza, divenne il tesoriere della Lega. Forse ricorderete l'ipotesi di Renan che Giuda fosse il tesoriere della piccola banda degli apostoli? C'è sempre la tentazione del tradimento per un tesoriere, in qualsiasi organizzazione, ma in particolare in un'organizzazione che abbia un carattere illegale e una finalità sediziosa. Suo cugino fungeva da ufficiale di collegamento tra diversi finanzieri che versavano contributi alla Lega e i truffatori e gli sballati dello stampo di Phillimore. Anche se la Lega si presentava come un'istituzione patriottica, il travestimento era assai poco consistente, e l'FBI prese a interessarsene. I finanziatori cominciarono ad allarmarsi e ordinarono alla Lega di sciogliersi, in modo da proteggere se stessi. Phillimore si rifiutò. La Lega entrò in clandestinità. Nella confusione che ne seguì, suo cugino trattenne il denaro che aveva raccolto. Forse sentiva che quei soldi spettavano a lui più che a chiunque altro, ma Phillimore non la pensava così. Per lui era appropriazione indebita.

«Se ci si dedica alla malversazione, è più saggio scegliere vittime che siano cittadini integri, rispettabili. Questi possono rivolgersi alla legge, ma non vi daranno la caccia con una pistola in mano. Phillimore e i suoi amici non potevano chiamare la polizia, ma potevano decidere di farsi giustizia da sé. Fecero sapere a Ronnie che lo avrebbero ammazzato se non avesse restituito il denaro entro una certa data. Non erano solo chiacchiere. Facevano sul serio. Ronnie non sarebbe stato il primo trasgressore a essere punito in quel modo e lui lo sapeva. Lui era solo, loro erano molti, ed erano fanatici. Gli sarebbero stati alle costole per anni finché non l'avessero raggiunto. Nemmeno lui poteva rivolgersi alla polizia. Se voleva vivere, doveva restituire il maltolto. Quella che inizialmente poteva essergli apparsa una romantica avventura politica, improvvisamente gli si presentò come un sinistro e realistico pericolo. Ronnie scoprì troppo tardi che non si può bazzicare con tipi della risma di Phillimore e poi scaricarli quando ci si è stufati della faccenda. Se sei dentro, sei dentro per la vita, come con la vecchia Mano Nera dei siciliani.

«Ronnie non poteva restituire il denaro di cui si era appropriato, perché l'aveva speso. I lussi che si concedeva, come la casa a Washington e le scarpe su misura che nascondevano la sua deformità, erano un'altra via per compensare l'imperfezione del suo corpo. Sapeva che Felix Mulholland non gli avrebbe mai dato una somma di quell'entità se lui non avesse potuto giustificare l'uso che doveva farne. Ma questo gli era impossibile, perché sapeva che lo zio non gli avrebbe dato neppure un soldo da consegnare alla Lega dei Superamericani. Se Felix avesse conosciuto la verità probabilmente avrebbe obbligato Ronnie a confessare alla polizia e prendersi la responsabilità di quello che aveva fatto in cambio della loro protezione, anche se questo avesse comportato una condanna al carcere. Dunque Felix Mulholland doveva morire.

«Ucciderlo era semplice perché stava curandosi con un farmaco a effetto cumulativo: la digitalina. Ronnie doveva soltanto aumentarne la dose. Sarebbe stato estremamente difficile dimostrare l'omicidio con la presenza della sostanza nell'organismo in quanto la dose fatale varia in base alla costituzione fisica ed era noto che Felix aveva avuto difficoltà a regolare il dosaggio del suo medicinale».

Alison annuì. «Il dottore ce ne ha accennato la mattina in cui zio Felix è morto».

«Già l'indomani della morte di Felix, Ronnie ha appreso che avrebbe ereditato soltanto tredicimila dollari. La cifra di cui aveva bisogno era il triplo di quella somma. Poteva solo sperare che i tredicimila dollari tenessero buoni per un po' Phillimore e gli altri. Anziché sistemare la faccenda, la morte di Felix Mulholland aveva reso più difficile la situazione di Ronnie caricandolo del sospetto di omicidio, senza neppure la possibilità di soddisfare i suoi creditori.

«Phillimore i soldi li voleva tutti. Quando lei è arrivata al cottage lui ha cercato di mettersi in contatto con lei sperando di arrivare prima o poi a ottenere per suo tramite qualche notizia sulla situazione finanziaria di Ronnie. Il rumore di qualcuno che si aggirava nel bosco aveva allarmato Phillimore perché poteva trattarsi della polizia che lo sorvegliava. La notte del temporale decise di investigare.

«Io ho lasciato il suo chalet all'improvviso, quella notte, quando lei era al piano di sopra, perché avevo sentito qualcuno all'esterno. La luce di un lampo mi ha mostrato Phillimore armato di pistola. Ho cercato di seguirlo ma, nel buio, l'ho perso di vista. Quando sono tornato al cottage lei non c'era più. Il giorno dopo ho saputo dalla polizia di stato che lei era al sicuro presso i Parrish. L'ho chiamata lì al telefono quella notte, ed è stato così che abbiamo scoperto che né lei né Ronnie eravate in casa. Immagino che si renda conto che Geoffrey Parrish e io siamo arrivati sul posto appena in tempo per salvarla.

«Più tardi abbiamo trovato la pistola di Phillimore, in fondo allo stagno, con un solo colpo esploso. Era inceppata».

«Allora era quello il tuono senza lampo?», chiese Alison.

«Probabilmente. Per come la vedo io, Phillimore ha sparato a Ronnie, e quando la pistola si è bloccata Ronnie ha precipitato Phillimore nel dirupo. Ronnie non avrebbe voluto commettere un secondo omicidio, ma in quel caso ha dovuto uccidere per salvarsi la pelle. Quasi certamente Phillimore voleva uccidere Ronnie per dare un esempio ad altri traditori nella Lega. Erano numerosi, da quando l'organizzazione era entrata in clandestinità. E doveva essersi reso conto che Ronnie non sarebbe stato in grado di racimolare il resto del denaro che gli doveva.

«Naturalmente la metà di tutto ciò sono ipotesi», concluse Armstrong. «Tutti quei "forse" e quei "probabilmente". Sarebbe difficile dimostrare in tribunale che la morte di Felix Mulholland sia dipesa da altro che da cause naturali e che la morte di Phillimore non sia stata accidentale. In un certo senso mi meraviglio che Ronnie non abbia cercato di affrontare la cosa nella convinzione che l'avrebbe fatta franca; ma forse non avrebbe retto a un possibile processo per sedizione».

«Lui pensava che io avessi un indizio», spiegò Alison.

«E invece non lo aveva?».

«Oh, sì, una sorta di indizio lo avevo. Vede, ho risolto il cifrario».

«Be', che mi venga...». Sorpresa, scetticismo, un tocco di contrarietà si susseguirono sul volto abitualmente impassibile di Armstrong. «Come ha fatto?».

«Quando ha parlato per la prima volta del cifrario, mi ha detto che zio Felix aveva affermato che l'unica attrezzatura necessaria per il suo sistema era una comune penna, carta e una macchina per scrivere. Perché doveva aver bisogno *sia* di una penna *sia* di una macchina? Ho visto che nel minuzioso procedimento di cifratura e decifrazione scrivere a mano è più preciso che battere a macchina. Perché usare una macchina quando si ha una penna? Eppure, se lei aveva riportato correttamente le parole di zio Felix, lui aveva detto che una macchina per scrivere era necessaria quanto la penna per lavorare sul suo cifrario.

«E c'era una macchina nella stanza di zio Felix la notte in cui lui doveva aver composto il suo ultimo messaggio. La mia attenzione fu richiamata dalla macchina per scrivere la mattina dopo, quando Argo urtò contro il tavolino su cui era posata. Anche Ronnie lo notò, ma non ne capì il significato perché sapeva pochissimo del cifrario. Più tardi, mentre lavoravo sul sistema di cifratura ad Aultonrea, mi sono ricordata di quell'incidente e ho cominciato a pormi quelle domande che zio Felix aveva sperato che qualcuno si ponesse quando, in punto di morte, aveva spinto via il tavolino, contando sul fatto che il suo cane cieco avrebbe richiamato l'attenzione sulla macchina andando a scontrarsi con il tavolino spostato. Perché zio Felix aveva una macchina in camera da letto? Il suo messaggio cifrato non era dattiloscritto. Perché aveva detto che penna, carta *e macchina per scrivere* erano necessarie per usare il suo sistema di cifratura? Non poteva essere utilizzato come la gran parte dei cifrari non meccanici, con penna e carta come unico equipaggiamento indispensabile?».

«Quindi aveva ragione lei!». Armstrong s'era alzato in piedi. «Non si trattava di un nuovo sistema di cifratura ma di un nuovo strumento mnemonico! E io che non ci avevo pensato. Invece è così semplice. Chi avrebbe potuto pensare a qualcosa di così ingegnosamente semplice se non Felix Mulholland?».

«È sconvolgente quanto fosse semplice», convenne Alison. «Soprattutto se si tiene presente che si ha a che fare con un cifrario Vigenère basato con tutta evidenza su un alfabeto irrazionale. Qual è quell'alfabeto irrazionale che praticamente ognuno di noi conosce di vista, e di tatto? La tastiera standard della macchina per scrivere! In effetti la prima riga, QWERTYUIOP, contiene le lettere della parola *typewriter*, macchina per scrivere, con l'aggiunta di Q, U e O a completare la riga. I primi venditori di macchine per scrivere usavano battere la parola *typewriter* quando facevano le loro dimostrazioni e vollero che le lettere di quella parola si trovassero nella prima linea dove potevano essere trovate facilmente.

«Sono quattro i vantaggi nell'usare la tastiera della macchina come base per una tabella irrazionale in un cifrario da campo di tipo Vigenère. Primo: un esercito moderno dispone di così tante macchine per scrivere portatili in prossimità delle linee del fronte che è impensabile che *tutte* le loro tastiere vengano distrutte o requisite. Ne resterà sempre qualcuna intatta da utilizzare. Secondo: nessuno penserebbe a una macchina per scrivere come a una macchina da cifratura. Se il nemico dovesse requisirne una, la vedrebbe come uno strumento per scrivere e non per cifrare, e la sua meccanica non gli direbbe niente a proposito del cifrario. Terzo: un dattilografo conosce la tastiera a memoria, automaticamente, come Argo conosceva la strada nella stanza di zio Felix. Anche se tutte le macchine fossero distrutte o requistite, un dattilografo potrebbe ricostruire a memoria l'ordine delle lettere sulla tastiera. Quarto: le lettere sulla tastiera sono disposte su tre righe che possono essere combinate in una grande varietà di modi. Questo ci dà non uno ma un gran numero di alfabeti irrazionali. La tabella (o il cursore, se si usa il righello) può passare frequentemente da un alfabeto a un altro per sfuggire a ogni crittanalisi basata sulla ripetizione della chiave. In altre parole, si dispone di una tabella mobile senza essere costretti a usare una macchina cifratrice; e, ovviamente, una tabella mobile elimina la periodicità che rende così vulnerabili tanti messaggi cifrati con il metodo Vigenère.

«Supponiamo di numerare le righe della tastiera da uno a tre, leggendo dall'alto in basso. Si può usare l'alfabeto irrazionale 1, 2, 3 sull'indice del righello e l'alfabeto irrazionale 2, 3, 1 sul cursore. Poi, quando si arriva alla fine della tastiera mentre si effettua la cifratura, si può riorganizzare la tabella usando l'alfabeto 3, 1, 2 sul cursore. In altre parole, si elimina la ripetizione della chiave cambiando la tabella anziché cambiare la chiave. Inoltre, si può produrre tutta una nuova serie di alfabeti irrazionali scrivendo alcune delle righe della tastiera da destra a sinistra anziché da sinistra a destra. Per esempio, mettendo l'ordine regolare 1, 2, 3 sull'indice e 3, 2, 1 a ritroso sul cursore. Le potenziali combinazioni di righe sono tante da eliminare del tutto la ripetizione della chiave in un messaggio non eccessivamente lungo. Dubito che un crittanalista nemico sarebbe in grado d'individuare la ripetizione della chiave confrontando diversi messaggi scritti con la stessa cifra, perché non è necessario che gli alfabeti irrazionali siano usati esattamente nello stesso ordine con la stessa parola chiave.

«Quanto alla chiave in sé, può essere di ogni genere – una lunga poesia con una cadenza facile da memorizzare, o una parola lunga contenente un gran numero di lettere dell'alfabeto. Lo svantaggio della poesia o di una chiave comunque coerente, però, sta nel fatto che le righe della tabella sono usate nella cifratura solo quando le lettere indice sono presenti nella chiave. Quindi, quando la chiave è un testo coerente in lingua inglese, le righe indicizzate dalle lettere di alta frequenza dell'inglese sono usate spesso, mentre le righe indicizzate da lettere di bassa frequenza sono usate raramente o mai. Poiché l'analisi di un messaggio Vigenère si basa sul raggruppare lettere della cifra secondo le loro righe d'origine sulla tabella, è meglio usare ogni riga di tabella in maniera uguale a rotazione. Far questo richiede l'uso di una chiave lunga e incoerente che includa tutte le lettere dell'alfabeto: in altre parole, la chiave migliore è un alfabeto irrazionale. Cifrando il suo ultimo messaggio zio Felix ha usato come chiave l'unico altro alfabeto irrazionale che è inciso nella mente di ogni esperto crittografo, ossia le lettere dell'inglese disposte secondo la loro frequenza nella lingua: ETAONRISHDLFCMUGYPWBVK XJQZ. Tra l'altro, se un promemoria con questa chiave dovesse essere trovato da un crittanalista nemico, questi lo riterrebbe automaticamente una successione di lettere elencate secondo la loro frequenza in inglese, e non come una parola chiave».

«Quale degli alfabeti irrazionali Felix Mulholland ha usato sul cursore e indice per le prime ventisei lettere di questo messaggio?», domandò Armstrong.

«Ha usato le righe della tastiera 1, 2, 3 tutte da sinistra a destra per l'indice e le righe 2, 3, 1 tutte a ritroso per il cursore. In questo modo». Alison prese un foglio dalla sua borsa.

QWERTYUIOPASDFGHJKLZXCVBNM
LKJHGFDSAMNBVCXZPOIUYTREWQLKJHGFDSAMNBVCXZPOIUYTREWQ

«Ha usato la stessa chiave e lo stesso indice per tutto il messaggio», continuò Alison. «Ma ha modificato il cursore ogni volta che arrivava al termine della chiave nella cifratura, ossia a ogni ventisettesima lettera. A conti fatti vi sarebbero quarantotto modi in cui le righe e le lettere della tastiera possono essere disposte per formare un alfabeto irrazionale. Quando le righe si presentano nell'ordine 1, 2, 3, possono essere organizzate in otto modi diversi: 1 in avanti, 2 in avanti, 3 in avanti; 1 all'indietro, 2 all'indietro, 3 all'indietro; 1 in avanti, 2 all'indietro, 3 all'indietro; 1 all'indietro, 2 in avanti, 3 in avanti; 1 all'indietro, 2 in avanti, 3 all'indietro; 1 in avanti, 2 all'indietro, 3 in avanti; 1 in avanti, 2 all'indietro, 3 all'indietro; 1 all'indietro, 2 all'indietro, 3 in avanti. Questo stesso modello di otto combinazioni può essere ripetuto in altre cinque disposizioni di righe della tastiera: 1, 3, 2; 2, 1, 3; 2, 3, 1; 3, 1, 2; 3, 2, 1. Questo dà un totale di quarantotto alfabeti irrazionali.

«Per cifrare questo specifico messaggio, zio Felix ha realizzato ventiquattro cursori e ha usato l'intera serie di ventiquattro poco più di tre volte, variando ogni volta l'ordine dei cursori. Prima li ha usati nell'ordine normale, da 1 a 24; quindi ha usato prima tutti i cursori pari e poi quelli dispari, presi sempre in ordine crescente; e infine ha usato prima i cursori di numerazione pari e poi quelli dispari, ma partendo stavolta dai numeri più alti. Naturalmente il destinatario di questo messaggio dev'essere informato in anticipo della formula, ma zio Felix non ha avuto il modo di riferire i dettagli prima di morire. Senza la tastiera della macchina per scrivere come base, cifrare un messaggio con un simile numero di alfabeti irrazionali sarebbe stata un'impresa impossibile a qualsiasi memoria umana. Con la tastiera, invece, è relativamente facile.

«Come lei mi ha spiegato ad Aultonrea, è possibile costruire una tabella in due modi: il Tableau Vigenère regolare basato sull'ordine delle lettere sul cursore, e la tavola basata sugli alfabeti delle cifre ottenuti cifrando ventisei volte l'alfabeto normale con ciascuna delle sue lettere che funge ogni volta da chiave per l'intero alfabeto. Per il cursore che le ho appena esposto, le tabelle sono queste».

Alison porse due fogli ad Armstrong.

TABELLA DEGLI ALFABETI DEL CURSORE ESTRATTI DA ALISON DAL MESSAGGIO CIFRATO DELLO ZIO FELIX NELLA FORMA DA LUI USATA PER CIFRARE LE PRIME VENTISEI LETTERE DEL SUO MESSAGGIO CIFRATO

(Per i righelli corrispondenti alla stessa fase della tabella, vedi pag. 254.)

	L	K	J	H	G	F	D	S	A	M	N	B	V	C	X	Z	P	O	I	U	Y	T	R	E	W	Q
Q	L	K	J	H	G	F	D	S	A	M	N	B	V	C	X	Z	P	O	I	U	Y	T	R	E	W	Q
W	K	J	H	G	F	D	S	A	M	N	B	V	C	X	Z	P	O	I	U	Y	T	R	E	W	Q	L
E	J	H	G	F	D	S	A	M	N	B	V	C	X	Z	P	O	I	U	Y	T	R	E	W	Q	L	K
R	H	G	F	D	S	A	M	N	B	V	C	X	Z	P	O	I	U	Y	T	R	E	W	Q	L	K	J
T	G	F	D	S	A	M	N	B	V	C	X	Z	P	O	I	U	Y	T	R	E	W	Q	L	K	J	H
Y	F	D	S	A	M	N	B	V	C	X	Z	P	O	I	U	Y	T	R	E	W	Q	L	K	J	H	G
U	D	S	A	M	N	B	V	C	X	Z	P	O	I	U	Y	T	R	E	W	Q	L	K	J	H	G	F
I	S	A	M	N	B	V	C	X	Z	P	O	I	U	Y	T	R	E	W	Q	L	K	J	H	G	F	D
O	A	M	N	B	V	C	X	Z	P	O	I	U	Y	T	R	E	W	Q	L	K	J	H	G	F	D	S
P	M	N	B	V	C	X	Z	P	O	I	U	Y	T	R	E	W	Q	L	K	J	H	G	F	D	S	A
A	N	B	V	C	X	Z	P	O	I	U	Y	T	R	E	W	Q	L	K	J	H	G	F	D	S	A	M
S	B	V	C	X	Z	P	O	I	U	Y	T	R	E	W	Q	L	K	J	H	G	F	D	S	A	M	N
D	V	C	X	Z	P	O	I	U	Y	T	R	E	W	Q	L	K	J	H	G	F	D	S	A	M	N	B
F	C	X	Z	P	O	I	U	Y	T	R	E	W	Q	L	K	J	H	G	F	D	S	A	M	N	B	V
G	X	Z	P	O	I	U	Y	T	R	E	W	Q	L	K	J	H	G	F	D	S	A	M	N	B	V	C
H	Z	P	O	I	U	Y	T	R	E	W	Q	L	K	J	H	G	F	D	S	A	M	N	B	V	C	X
J	P	O	I	U	Y	T	R	E	W	Q	L	K	J	H	G	F	D	S	A	M	N	B	V	C	X	Z
K	O	I	U	Y	T	R	E	W	Q	L	K	J	H	G	F	D	S	A	M	N	B	V	C	X	Z	P
L	I	U	Y	T	R	E	W	Q	L	K	J	H	G	F	D	S	A	M	N	B	V	C	X	Z	P	O
Z	U	Y	T	R	E	W	Q	L	K	J	H	G	F	D	S	A	M	N	B	V	C	X	Z	P	O	I
X	Y	T	R	E	W	Q	L	K	J	H	G	F	D	S	A	M	N	B	V	C	X	Z	P	O	I	U
C	T	R	E	W	Q	L	K	J	H	G	F	D	S	A	M	N	B	V	C	X	Z	P	O	I	U	Y
V	R	E	W	Q	L	K	J	H	G	F	D	S	A	M	N	B	V	C	X	Z	P	O	I	U	Y	T
B	E	W	Q	L	K	J	H	G	F	D	S	A	M	N	B	V	C	X	Z	P	O	I	U	Y	T	R
N	W	Q	L	K	J	H	G	F	D	S	A	M	N	B	V	C	X	Z	P	O	I	U	Y	T	R	E
M	Q	L	K	J	H	G	F	D	S	A	M	N	B	V	C	X	Z	P	O	I	U	Y	T	R	E	W

TABELLA DEGLI ALFABETI DELLA CIFRA ESTRATTI DA ALISON DAL MESSAGGIO CIFRATO DELLO ZIO FELIX NELLA FORMA DA LUI USATA PER CIFRARE LE PRIME VENTISEI LETTERE DEL SUO MESSAGGIO CIFRATO

(Per i righelli corrispondenti alla stessa fase della tabella, vedi pag. 254.)

	A	B	C	D	E	F	G	H	I	J	K	L	M	N	O	P	Q	R	S	T	U	V	W	X	Y	Z
A	I	F	H	Y	N	T	R	E	Z	W	Q	L	S	D	P	O	A	B	U	V	X	G	M	J	C	K
B	T	A	D	E	C	W	Q	L	I	K	J	H	N	M	U	Y	B	X	R	Z	Q	S	V	F	P	G
C	E	N	A	Q	Z	L	K	J	Y	H	G	F	V	B	T	R	C	P	W	O	U	M	X	S	I	D
D	P	H	K	I	A	U	Y	T	C	R	E	W	F	G	X	Z	D	M	O	N	V	J	S	L	B	Q
E	S	Y	I	M	Q	N	B	V	G	C	X	Z	R	T	F	D	E	L	A	K	H	U	W	O	J	P
F	Z	J	L	O	S	I	U	Y	V	T	R	E	G	H	C	X	F	A	P	M	B	K	D	Q	N	W
G	X	K	Q	P	D	O	I	U	B	Y	T	R	H	J	V	C	G	S	Z	A	N	L	F	W	M	E
H	C	L	W	Z	F	P	O	I	N	U	Y	T	J	K	B	V	H	D	X	S	M	Q	G	E	A	R
I	J	Z	C	G	Y	F	D	S	Q	A	M	N	O	P	L	K	I	T	H	R	W	X	U	V	E	B
J	V	Q	E	X	G	Z	P	O	M	I	U	Y	K	L	N	B	J	F	C	D	A	W	H	R	S	T
K	B	W	R	C	H	X	Z	P	A	O	I	U	L	Q	M	N	K	G	V	F	S	E	J	T	D	Y
L	N	E	T	V	J	C	X	Z	S	P	O	I	Q	W	A	M	L	H	B	G	D	R	K	Y	F	U
M	U	D	G	T	B	R	E	W	P	Q	L	K	A	S	O	I	M	V	Y	C	Z	F	N	H	X	J
N	Y	S	F	R	V	E	W	Q	O	L	K	J	M	A	I	U	N	C	T	X	P	D	B	G	Z	H
O	K	X	V	H	U	G	F	D	W	S	A	M	P	Z	Q	L	O	Y	J	T	E	C	I	B	R	N
P	L	C	B	J	I	H	G	F	E	D	S	A	Z	X	W	Q	P	U	K	Y	R	V	O	N	T	M
Q	M	R	Y	B	K	V	C	X	D	Z	P	O	W	E	S	A	Q	J	N	H	F	T	L	U	G	I
R	D	U	O	A	W	M	N	B	H	V	C	X	T	Y	G	F	R	Q	S	L	J	I	E	P	K	Z
S	O	G	J	U	M	Y	T	R	X	E	W	Q	D	N	Z	P	S	N	I	B	C	H	A	K	V	L
T	F	I	P	S	E	A	M	N	J	B	V	C	Y	U	H	G	T	W	D	Q	K	O	R	Z	L	X
U	H	P	X	F	T	D	S	A	L	M	N	B	I	O	K	J	U	R	G	E	Q	Z	Y	C	W	V
V	R	M	S	W	X	Q	L	K	U	J	H	G	B	N	Y	T	V	Z	E	P	I	A	C	D	O	F
W	A	T	U	N	L	B	V	C	F	X	Z	P	E	R	D	S	W	K	M	J	G	Y	Q	I	H	O
X	W	B	M	L	P	K	J	H	T	G	F	D	C	V	R	E	X	O	Q	I	Y	N	Z	A	U	S
Y	G	O	Z	D	R	S	A	M	K	N	B	V	U	I	J	H	Y	E	F	W	L	P	T	X	Q	C
Z	Q	V	N	K	O	J	H	G	R	F	D	S	X	C	E	W	Z	I	L	U	T	B	P	M	Y	A

«Immagino che lei abbia decifrato il messaggio di suo zio, visto che ha già ricavato la chiave», disse Armstrong.

Alison aprì di nuovo la borsa. «Ecco il chiaro: l'ultimo messaggio di zio Felix, scritto la notte in cui è morto e, ritengo, poco prima del suo decesso».

Armstrong prese il foglio che lei gli porgeva e lo scorse, aggrottando la fronte.

Cara Alison,

sarei felice di risparmiarti lo choc di questa lettera, se solo potessi. Sono assalito da un sospetto così mostruoso che mi vergogno persino di pensarlo. Ma se dovessi morire penso che tu debba conoscere la verità, per la tua stessa incolumità.

Due giorni fa sono passato davanti alla porta della mia stanza, che era aperta, e ho visto Ronnie con in mano il flacone del mio medicinale per il cuore. Non sapeva che l'avevo visto e io non gliene ho parlato. Poteva avere mille motivi legittimi per aver preso quel flacone. Non ci ho pensato più fino a questa sera, quando sono stato assalito da un attacco di nausea particolarmente forte, caratteristico dell'assunzione di una dose eccessiva di digitalina. Poteva essere colpa mia. Ho sempre avuto difficoltà a regolare il dosaggio, come ti dirà il dottor Denby. Ma non posso far a meno di ricordare che Ronnie ha bisogno di soldi, e che sa di essere mio erede.

Qualche settimana fa mi ha chiesto una somma di denaro più alta di quella che al momento potevo permettermi di dargli. Anche se si è mostrato sconvolto dal mio rifiuto non ha voluto dirmi a cosa gli servisse quella cifra. Ho aspettato, convinto che prima o poi si sarebbe confidato; ma non lo ha fatto, e poi è capitato quell'inquietante episodio della digitalina.

E così sto scrivendo questa lettera con un nuovo cifrario allo scopo di proteggere Ronnie da un sospetto che potrebbe essere – che deve essere – infondato. Questa sera brucerò tutti i miei fogli di lavoro e domani consegnerò il segreto di questo sistema di cifratura al colonnello Armstrong dicendogli che, se dovessi morire in circostanze sospette, troverà un messaggio per te scritto con quel metodo e nascosto nel secondo volume del mio Plutarco. Lui potrà decifrartelo e ti darà consigli su come muoverti. Di lui devi fidarti completamente.

Ma mi auguro che tu non debba mai leggere questa lettera. Spero che Ronnie si apra con me la prossima volta che tornerà da Washington. In tal caso, distruggerò questa lettera e cercherò di dimenticare anche di averla mai scritta.

È penoso come la mia mente continui a tornare sull'argomento del veleno e dell'omicidio. Mi chiedo come si sentisse davvero Focione quando gli ateniesi gli fecero pagare di tasca propria il veleno a cui lo avevano condannato. E come si sentisse davvero Cesare quando fu pugnalato da quella giovane canaglia di Bruto, che sarebbe potuto essere suo figlio.

Buonanotte, mia cara Alison. Pensami sempre come

Il tuo affezionatissimo zio
FELIX MULHOLLAND

Ora che la finestra era chiusa, il frastuono del traffico sembrava molto più lontano. Anche il rumore del martello pneumatico si era un po' attutito.

Alison ruppe il silenzio nella stanza. «Mi dica, colonnello Armstrong, è davvero un cifrario inattaccabile?».

Armstrong si concesse uno dei suoi rari sorrisi. «Be'... lei l'ha risolto».

Geoffrey sorrise orgoglioso ad Armstrong, accennando ad Alison. «È piuttosto notevole, signore, vero?».

Alison guardò quel viso aperto, semplice, con un apprezzamento più grande che mai. Un comune mortale era una compagnia più confortevole che non un essere febbrilmente abbagliante, che sembrava metà dio pagano e metà animale, ma mai del tutto umano.

L'AUTORE

Figlia della scrittrice Helen Worrell e di William C. McCloy, per diciotto anni direttore del *New York Evening Sun*, Helen Worrell Clarkson McCloy nacque a New York nel 1904. Dopo gli studi alla Friend's School diretta dalla comunità quacchera di Brooklyn, nel 1923 si trasferì in Francia dove studiò alla Sorbona di Parigi. In Europa rimase per una decina d'anni occupandosi di critica d'arte e facendo la corrispondente *free lance* da Parigi e da Londra per alcuni giornali e riviste. La passione per la letteratura poliziesca le era nata in gioventù grazie alla lettura delle storie di Sherlock Holmes e dopo il suo ritorno negli Stati Uniti, nel 1932, decise di cimentarsi in quel campo. Il suo primo romanzo, *Dance of Death* (*Design for Dying* nell'edizione inglese) venne pubblicato nel 1938 e il protagonista, che comparirà in gran parte della sua produzione, è il dottor Basil Willing. Nato a Baltimora da padre americano e madre russa, Willing è un medico psichiatra alto, magro, elegante, con uno sguardo vivace e un viso intelligente. Veterano della prima guerra mondiale, ha scelto di dedicarsi alla psichiatria in seguito alle sue esperienze con i soldati colpiti da psicosi traumatica da guerra. Laureato alla Johns Hopkins University, ha studiato a Parigi e a Vienna prima di trasferirsi a New York, città che – proprio come la sua creatrice – negli ultimi anni della sua vita lascerà per trasferirsi a Boston. Durante il secondo conflitto ha lavorato per l'Intelligence della Marina nei Caraibi, in Scozia e in Giappone. Per la sua professione è spesso chiamato ad assistere, come consulente, il procuratore distrettuale di Manhattan per il quale il suo aiuto si rivela fondamentale. Due sono i principi dei quali Willing è convinto e che stanno alla base di tutti i suoi ragionamenti: "Sia le bugie sia i grandi errori sono fatti psicologici" e "Tutti i criminali lasciano impronte digitali psichiche e non hanno guanti per poterle nascondere". Il problema, quindi, non è tanto l'analisi della psicologia criminale, quanto l'analisi psicologica tout court dell'individuo. Il dottor Willing è presente, oltre che in alcuni racconti, in tredici romanzi. Tra i più famosi vanno ricordati *Cue for Murder* (1942), *The One That Got Away* (1945), e quelli che sono considerati i due capolavori, *Through a Glass, Darkly* (1950, *Come in uno specchio* – I bassotti n. 38 – pubblicato anche con il titolo *Lo specchio del male*) e *Mr. Splitfoot* (1968, *La stanza del silenzio*). È interessante notare che la prima stesura di *Through a Glass, Darkly* fu in forma di racconto nel 1948 (vinse il secondo premio al concorso annuale dell'*Ellery Queen's Mystery Magazine*) e venne rielaborata e trasformata in romanzo solo due anni dopo. Nel 1941 Helen McCloy sposò Davis Dresser, l'autore di gialli – noto con lo pseudonimo di Brett Halliday – creatore di Mike Shayne, l'investigatore privato dai capelli rossi. Insieme al marito fondò una piccola casa editrice, la Torquil Publishing Company, e un'agenzia letteraria (Halliday and McCloy). Il matrimonio, dal quale nacque una figlia, terminò nel 1961. Oltre ai romanzi con Basil Willing – l'ultimo dei quali, *Burn This*, fu pubblicato nel 1980 – la McCloy scrisse anche numerose storie senza un personaggio fisso. Tra queste vanno menzionate *Panic* (1944, *Panico*), *The Further Side of Fear* (1967) e *The Smoking Mirror* (1979). Con lo pseudonimo di Helen Clarkson scrisse invece *The Last Day* (1959), un romanzo di fantascienza. Prima donna a essere eletta presidente dei Mystery Writers of America (1950) – dei quali fu nominata Gramdmaster nel 1990 – la McCloy ha vinto un Edgar nel 1953 per il suo lavoro di critico e ha dato il nome alla

Helen McCloy/MWA Scholarship for Mystery Writing, tuttora in attività, che assegna borse di studio agli aspiranti autori di mystery. Si è spenta a Boston, nel 1994, all'età di novant'anni.

I bassotti

70. *Vera Caspary*: **Laura**

Laura Hunt è una donna bellissima. Giovane, elegante, ambiziosa: è impossibile non innamorarsi di lei. Ma Laura è morta, uccisa nella sua casa di New York da un colpo d'arma da fuoco sparato da distanza ravvicinata. Chi poteva odiare a tal punto una donna che sembrava non avesse un solo nemico al mondo? Incaricato delle indagini è il tenente di polizia Mark McPherson. Costui è un uomo solido, razionale, che non si spaventa certo al pensiero che l'inchiesta lo metterà in contatto con la gente del bel mondo newyorchese che lo tratterà con snobismo, che cercherà di farlo apparire intellettualmente inferiore. Ciò che conta è trovare il colpevole. E così di giorno McPherson interroga gli uomini che hanno amato Laura – Waldo Lydecker, l'amico di sempre, Shelby Carpenter, il fidanzato – e di notte passa al setaccio l'appartamento della donna alla ricerca di indizi. Tocca le sue cose, osserva lo splendido ritratto di lei appeso a una parete, sente il profumo che ancora permea i suoi vestiti. E s'innamora. S'innamora perdutamente di una donna che non ha mai conosciuto, che non vedrà mai, che non esiste più. Poi una notte, mentre infuria un terribile temporale...

I bassotti

71. *Edgar Lustgarten*: Signori della Corte...

Arthur Groome ha tutto per essere un uomo felice. Grazie ai sacrifici fatti dai suoi familiari è riuscito a ricevere una buona istruzione e ora, a 32 anni, ricopre un posto di responsabilità in un'importante società londinese. La giovane e graziosa moglie, appartenente a una classe sociale più elevata della sua, lo adora e gli ha dato due splendidi bambini. Eppure da qualche tempo Arthur è diventato silenzioso, irritabile, si allontana da casa per ore senza dare spiegazioni. Un mercoledì la situazione precipita all'improvviso. Arthur rientra a mezzanotte passata: si siede e scoppia in un pianto irrefrenabile. Passano i giorni e sembra che quell'inspiegabile crisi sia superata, non esce più la sera, di notte ha ripreso a dormire. Ma un giorno la polizia bussa alla porta. *La polizia?* Sì, perché Arthur è accusato di un terribile crimine: avere ucciso e selvaggiamente mutilato una prostituta, Kate Haggerty, nella casa di lei nel quartiere di Soho. Lui conosceva la ragazza, lo sapevano tutti nella zona. Era ossessionato da lei, voleva "salvarla", come non si stancava di ripetere, farle cambiare vita. E ora Kate è morta e Arthur è accusato di averla uccisa. Lui sostiene di essere innocente, ma le prove a suo carico sono schiaccianti. Con *Signori della Corte...* (*A Case to Answer*, 1947) sta per iniziare uno dei più straordinari processi nella storia del romanzo giallo.

I bassotti

73. *Timothy Fuller*: Delitto a Harvard

Il corpo senza vita del professor Albert Singer, uno dei docenti più apprezzati della Harvard University nonché specialista di fama mondiale di pittura rinascimentale italiana, viene trovato chino sulla scrivania nel suo studio in Hallowell House. Chi scopre il cadavere è Jupiter Jones, un eccentrico quanto geniale studente del corso di Belle Arti che aveva un appuntamento col professore. Le prime indagini condotte dalla polizia non portano ad alcuna conclusione anche perché appare ben presto evidente che per arrivare a qualche risultato è fondamentale conoscere l'ambiente dell'università con i suoi grandi e piccoli segreti. Così, un po' per gioco e un po' per dare una mano alla polizia, Jupiter inizia a investigare e, con sua grande sorpresa, si trova di fronte ad alcuni possibili colpevoli del tutto insospettabili e a moventi impensati. Scritto nel 1936 da uno studente ventunenne di quell'ateneo e percorso da un sottile *sense of humour*, *Delitto a Harvard* è una deliziosa opera prima paragonabile per la sua leggerezza e la scrittura brillante a uno dei grandi classici dell'età d'oro del giallo, *Il dramma di Corte Rossa* di A. A. Milne (I bassotti n. 10).

I bassotti

75. *Christopher Bush*: **Omicidio a Capodanno**

A Little Levington Hall, la villa del giovane scienziato Martin Braishe, si è appena concluso il veglione di fine anno. Il padrone di casa aveva deciso di dare un ballo in maschera sia per rispettare una tradizione di famiglia sia per festeggiare l'importante scoperta di un nuovo gas. Gli ospiti si stanno ritirando nelle loro stanze quando all'improvviso salta l'impianto elettrico. Lì per lì nessuno dà peso alla cosa, ma l'indomani in molti lamentano il furto di denaro e oggetti di valore, e Braishe si accorge che un campione del suo letale e preziosissimo gas è scomparso. Non è però un semplice ladro quello che si aggira per la Hall: nella sua camera, infatti, la giovane attrice Mirabel Quest giace morta con il costato trafitto da un pugnale. E poco dopo anche suo cognato, lo schivo e cupo Denis Fewne, viene trovato privo di vita nel padiglione esterno dove stava terminando il suo ultimo romanzo. Ma perché non ci sono impronte sul manto di neve che circonda l'intera villa? Bisogna chiamare la polizia, e presto, ma la casa è del tutto isolata: il telefono è fuori uso, le strade sono impraticabili. Toccherà a Ludovic Travers, l'ingegno più brillante tra tutti gli ospiti della Hall, indagare su questi strani e spaventosi accadimenti per impedire all'assassino di colpire di nuovo.

I bassotti

1 John Rhode: I delitti di Praed Street
2 Gwen Bristow & Bruce Manning: L'ospite invisibile
3 C. P. Snow: Morte a vele spiegate
4 Samuel W. Taylor: L'uomo con la mia faccia
5 Anthony Berkeley: Il caso dei cioccolatini avvelenati
6 Jacques Futrelle: Il problema della cella n. 13
7 Nicholas Blake: La belva deve morire
8 Freeman Wills Crofts: Il volo delle 12,30 da Croydon
9 Guy Cullingford: Il morto che non riposa
10 A. A. Milne: Il dramma di Corte Rossa
11 J. S. Fletcher: Delitto a Middle Temple
12 D. e H. Teilhet: Il dardo piumato
13 John Franklin Bardin: L'enigma dei tre omini
14 Francis Iles: L'omicidio è un affare serio
15 Robert Barr: La compagnia dei distratti
16 Dorothy L. Sayers: Il segreto delle campane
17 Fredric Brown: Il visitatore che non c'era
18 Mary Roberts Rinehart: L'uomo nella cuccetta n. 10
19 Michael Gilbert: C'è un cadavere dall'avvocato
20 James Hadley Chase: Niente orchidee per Miss Blandish
21 Anthony Boucher: Il caso del Sette del Calvario
22 Philip MacDonald: La strana fine di Mr. Benedik
23 Ngaio Marsh: Morte al pub
24 Craig Rice: Undici calze di seta
25 Autori vari: Delitti di Natale
26 Earl Derr Biggers: Charlie Chan e la casa senza chiavi
27 J. J. Connington: Assassinio nel labirinto
28 Ethel Lina White: La signora scompare

29 Francis Beeding: La morte cammina per Eastrepps
30 H. C. Bailey: Il mistero del menu francese
31 Joel Townsley Rogers: La rossa mano destra
32 Cyril Hare: Delitto al concerto
33 John Dickson Carr: Occhiali neri
34 Ronald A. Knox: Orme sul ponte
35 Geoffrey Household: L'uomo che non doveva vivere
36 Baynard Kendrick: I due ciechi
37 Edgar Wallace: Maschera Bianca
38 Helen McCloy: Come in uno specchio
39 Christianna Brand: Uno della famiglia
40 Elizabeth Daly: Morte al telefono
41 Mignon Good Eberhart: Il pappagallo bianco
42 Autori vari: Altri delitti di Natale
43 Thomas Kyd: Assassinio all'università
44 Helen Reilly: Tre donne in abito da sera
45 Anthony Wynne: Il coltello nella schiena
46 Richard Austin Freeman: Una carrozza nella notte
47 Rufus King: Il corpo nell'armadio
48 S. S. Van Dine: L'enigma dell'alfiere
49 R. A. J. Walling: I fatali 5 minuti
50 Autori vari: I delitti della camera chiusa
51 Rufus Gillmore: Il letto d'ebano
52 Israel Zangwill: Il grande mistero di Bow
53 John Rhode & Carter Dickson: Discesa fatale
54 C. Daly King: La maledizione dell'arpa
55 Mary Roberts Rinehart: La scala a chiocciola
56 Martin Porlock: La villa dei delitti
57 J. S. Fletcher: Il mistero di Charing Cross
58 A. Berkeley, M. Kennedy, G. Mitchell, J. Rhode,
D. L. Sayers, H. Simpson: Chi è il colpevole?
59 Michael Innes: Morte nello studio del rettore
60 J. J. Connington: Il caso con nove soluzioni
61 Jefferson Farjeon: Sotto la neve

62 May e Jacques Futrelle: La casa fantasma
63 Autori vari: Enigmi & Misteri
64 David Frome: I delitti di Hammersmith
65 Milward Kennedy: Il mistero del diario
66 Edgar Wallace: Il cerchio rosso
67 Clifford Witting: Ipotesi per un delitto
68 Milton Propper: Morte in sala d'attesa
69 Val Gielgud & Holt Marvell: Assassinio alla BBC
70 Vera Caspary: Laura
71 Edgar Lustgarten: Signori della Corte...
72 Cameron McCabe: La ragazza tagliata nel montaggio
73 Timothy Fuller: Delitto a Harvard
74 C. H. B. Kitchin: La morte di mia zia
75 Christopher Bush: Omicidio a Capodanno
76 Autori vari: Delitti in codice
77 George Bellairs: Morte in Provenza
78 Christianna Brand: Il gatto e il topo
79 Helen McCloy: Panico
80 S. S. Van Dine: La fine dei Greene

FINITO DI STAMPARE NEL MESE DI FEBBRAIO 2010
DALLA GRAFICA VENETA S.P.A., TREBASELEGHE (PD)